강미선쌤의 개념 잡는

분수 비법

연산편
곱셈과 나눗셈

강미선 지음

강미선쌤의 개념 잡는 분수 비법-연산편 : 곱셈과 나눗셈

개정판 1쇄 발행 2019년 10월 4일
개정판 2쇄 발행 2022년 4월 7일

지은이 강미선
발행인 강미선
발행처 하우매쓰 앤 컴퍼니
편집 이상희 | **디자인** 나모에디트 | **일러스트** 이민진 | **마케팅** 양경희
등록 2017년 3월 16일(제2017-000034호)
주소 서울시 영등포구 문래북로 116 트리플렉스 B211호
대표전화 (02) 2677-0712 | **팩스** 050-4133-7255
전자우편 upmmt@naver.com

ISBN 979-11-967467-5-9(63410)

■ 이 책은 스콜라스(주)에서 나온 〈분수비법-연산편 : 곱셈과 나눗셈〉의 개정판입니다.

차례

분수 비법 시리즈의 특징 4

분수 비법(연산편:곱셈과 나눗셈)에 담긴 수학적 원리 6

학부모님께 12

1단계 분수와 자연수의 곱셈 15

2단계 분수와 분수의 곱셈 47

3단계 몫이 자연수인 나눗셈 75

4단계 몫이 분수인 나눗셈 107

정답 153

분수 비법 시리즈의 특징

1. 수학적 원리를 바탕으로 일관성 있게 전개됩니다.

「분수 비법 시리즈」에 담긴 개념 설명과 분수 사칙계산 방법은, 전체와 부분의 관계를 숫자로 나타낸 것이 바로 분수라는 개념을 바탕으로 일관성 있게 전개됩니다. 연속량에서의 분수 개념을 연결하여 이산량에서의 분수를 쉽게 익힐 수 있고, 통분에 대해 예습하지 않아도 자연스럽게 이분모 덧셈 뺄셈을 할 수 있게 됩니다. 따라서, 「분수 비법 시리즈」로 공부하면 분수 개념에 대한 이해는 물론, 분수 연산 문제도 쉽게 잘 해결할 수 있습니다.

2. 시각적인 설명으로 수학적 이해를 높입니다.

「분수 비법 시리즈」는 시각적인 도구들을 사용해서 설명합니다. 글로 된 설명이 너무 길거나 복잡하면 일단 '어렵겠다', '재미없겠다'는 생각부터 들지만, 그림으로 설명하면 '쉽겠는데?', '재밌겠다'는 생각이 듭니다. 그림을 보면서 직관적으로 문제 해결을 할 수 있고, 머릿속에 그 과정을 사진을 찍듯이 기억하기도 쉽습니다. 도형이 분수 개념이나 연산과는 별개일 것이라는 편견도 사라지게 됩니다. 따라서 「분수 비법 시리즈」로 공부하면 분수에 대한 이해는 물론 흥미와 문제 해결력을 높일 수 있습니다.

3. 정사각형을 사용해서 개념도 설명하고 문제도 해결합니다.

「분수 비법 시리즈」에서는 고정된 크기의 정사각형 그림이 등장합니다. 학생들이 분수를 어려워하는 이유는, 분수가 전체에 대한 '상대적'인 크기를 나타내기 때문입니다. 분수를 처음 배울 때 기준 도형의 크기가 일정하지 않으면 매우 혼란스럽습니다. 처음 분수를 배우는 학생들이 겪는 이런 어려움을 완화시켜

주려면, '1'을 나타내는 도형을 고정하여 제시하는 것이 좋습니다. 따라서 「분수 비법 시리즈」로 공부하면 혼란스럽지 않게 분수 개념을 잘 받아들일 수 있습니다.

4. 영역을 넘나들며 개념을 서로 연결합니다.

「분수 비법 시리즈」는 수학적으로 서로 연결된 내용을 쉽고 자연스럽게 익히도록 합니다. 자연수 덧셈과 뺄셈에서와 같은 방식으로 설명하기 때문에 그 수가 자연수이든 분수이든 간에 단위가 같다면 덧셈과 뺄셈을 할 수 있다는 것을 쉽게 이해할 수 있습니다. 또한, 자연수 곱셈과 나눗셈을 할 때 사용한 직사각형 그림을 분수 곱셈에서도 사용하기 때문에 분수 곱셈과 나눗셈이 낯설지 않습니다. 따라서 「분수 비법 시리즈」로 공부하면 수학의 여러 영역이 사실은 서로 연결되어 있다는 것을 자연스럽게 깨달을 수 있습니다.

5. 여러 학년 내용을 단기간에 학습할 수 있습니다.

「분수 비법 시리즈」의 한 권 안에는 학교 수학에서 몇 개의 학기, 몇 개의 학년에 걸쳐 배우는 내용들이 모두 들어 있습니다. 『분수 비법–개념편』에는 '연속량'에 대한 분수 개념에서 시작해서 '이산량'에 대한 분수 개념까지가 들어 있고, '자연수의 분수만큼'에 대해 알아보는 내용과 '부분은 전체의 얼마인지'에 대해 알아보는 내용도 연결시켜 다룹니다. 『분수 비법–연산편 : 덧셈과 뺄셈』, 『분수 비법–연산편 : 곱셈과 나눗셈』에는 분모가 같은 분수의 덧셈과 뺄셈에서 분모가 다른 덧셈과 뺄셈, 그리고 분수 곱셈과 나눗셈까지가 짜임새 있게 담겨 있습니다. 따라서 「분수 비법 시리즈」를 교재로 사용하면 짧은 시간에 몰입하여 분수 개념과 연산에 대해 수월하게 터득할 수 있습니다.

도형을 사용한 시각화

분수 연산에 직사각형을 사용하는 이유는?

● 시각적으로 쉽게 이해할 수 있어서 ●

『분수 비법-연산편 : 곱셈과 나눗셈』에서는 직사각형의 넓이 개념을 사용해서 연산 과정을 설명합니다. 도형을 사용한 이런 시각적인 설명은 분수 연산 알고리즘에 숨어 있는 계산 원리를 명쾌하게 이해할 수 있도록 도와주고 분수 연산에 대한 심리적 부담을 없애 줍니다.

● 연산 과정을 일관성 있게 설명할 수 있어서 ●

사과나 피자 모델은 분수 개념까지는 설명할 수 있지만 분수 연산을 설명하는 데에는 적절하지 않습니다. 반면, 직사각형 모델은 자르고 붙이는 게 자유롭고, 가로, 세로, 넓이라는 3가지 요소를 사용할 수 있어서 연산 과정을 전체적으로 일관성 있게 설명할 수 있습니다.

● 개념끼리의 연결이 가능하기 때문에 ●

(1) **넓이 개념을 이용한 분수 곱셈**

단위정사각형의 넓이를 1이라 합니다. 직사각형의 넓이를 구하려면 그 안에 들어 있는 단위정사각형의 수를 세면 됩니다. 따라서 '(가로)×(세로)=(직사각형의 넓이)'가 성립합니다. 이때 첫 번째 분수를 직사각형의 세로, 두 번째 분수를 가로라 하면 두 분수의 곱셈은 이 직사각형의 넓이가 됩니다.

(2) **포함제 개념을 이용한 분수 나눗셈**

직사각형의 넓이와 한 변(세로)이 주어졌을 때, 주어진 직사각형을 가로로 1씩 자르다 보면 다른 한 변(가로)의 길이를 알 수 있습니다. 가로로 1씩 잘라 내는 것은 나머지가 없을 때까지 덜어내는 과정으로서 나눗셈의 '포함제' 개념을 사용해서 몫을 구하는 것입니다.

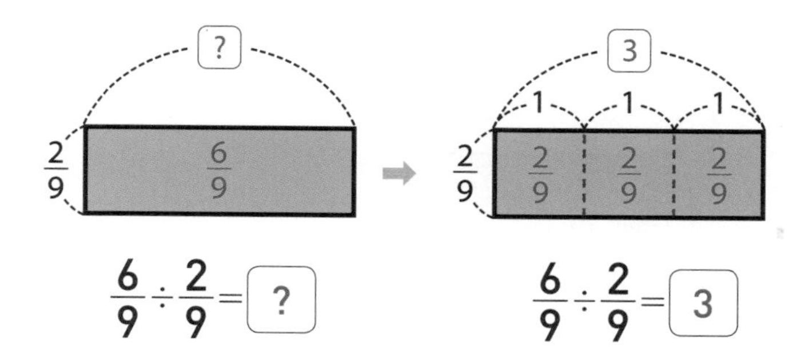

이 책에서 직사각형을 '1칸씩 덜어 내기(포함제)' 하는 이유는 분수 나눗셈이 자연수 나눗셈과 전혀 다르지 않다는 것을 깨닫게 하기 위함입니다. 한 변이 1인 직사각형과 '비교하기'를 하게 이유는, 1보다 작은 분수 몫의 의미를 깨닫게 하기 위함입니다. 어른들에게는 낯설고 번거로울지 모르지만, 이것은 개념과 원리를 보여 주는 과정입니다. 그동안 분수 나눗셈의 계산 알고리즘을 이해할 수 없었던 분들이라면 숨어 있는 원리를 드러내는 이런 과정을 통해 의문이 풀릴 것이고, 처음 배우는 학생이라면 나눗셈에 대한 개념 이해가 단단해질 것입니다.

(3) 나눗셈과 대분수

나눗셈을 하면 나누어떨어지는 경우도 있지만 나머지가 생길 때도 있습니다. 자연수 나눗셈에서는 나머지를 그냥 두지만 분수 나눗셈에서는 나머지를 그대로 두지 않고 몫을 구할 수 있습니다. 나머지가 생기는 이유는, 나누어지는 수가 나누는 수보다 작기 때문이므로 그 몫을 구하면 1보다 작은 진분수가 됩니다. 따라서 자연수 몫과 진분수 몫을 더하면 하나의 대분수가 됩니다.

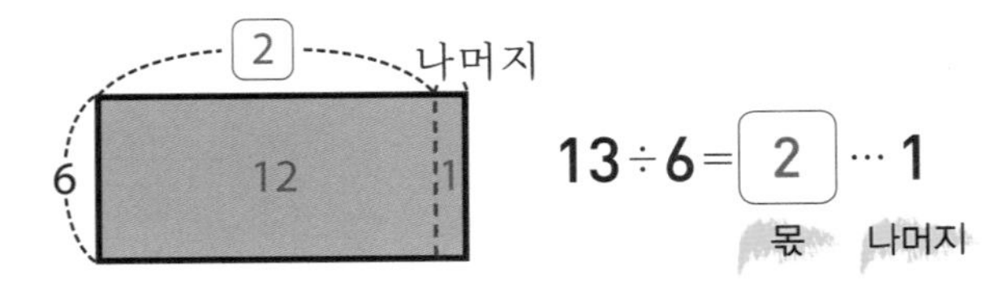

나누는 수보다 작은 부분을 나머지로 남겨 놓습니다.

[분수의 나눗셈]

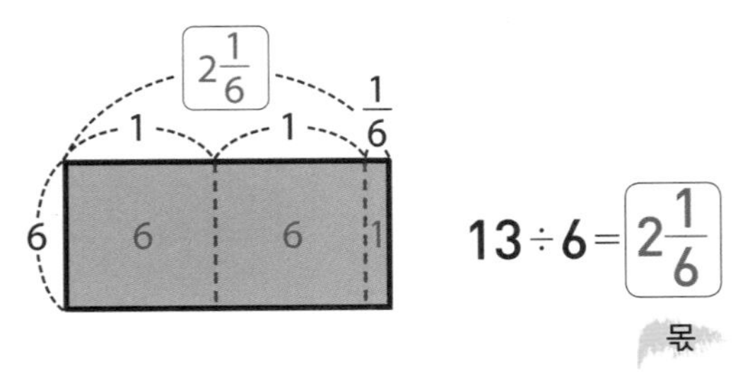

이 책에는 나눗셈과 대분수(가분수)의 관계를 잘 이해할 수 있도록 여러 가지 경우를 통해 자세히 다루고 있습니다. 여러 번 연습하다 보면 대분수를 가분수로 바꿀 때 왜 자연수 부분과 분모를 곱하고 여기에다 분자를 더해야 하는지, 그 이유도 스스로 터득할 수 있을 것입니다.

● 연산 사이의 관계를 알 수 있어서 ●

(1) **곱셈과 나눗셈의 관계**

직사각형의 두 변의 길이를 주고 넓이를 구하라는 문제는 곱셈 문제입니다. 만약 직사각형의 넓이와 한 변의 길이를 알고 다른 한 변의 길이를 구하라고 한다면 이 문제는 나눗셈 문제가 됩니다. 이렇듯 하나의 직사각형 그림 속 세 수의 관계를 통해 곱셈과 나눗셈의 관계를 깨달을 수 있습니다.

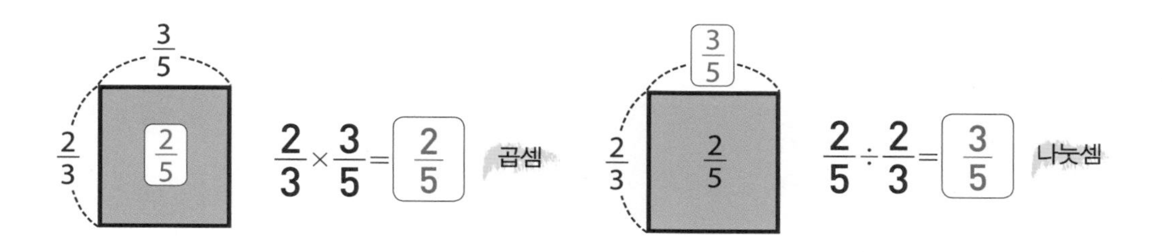

(2) **자연수 곱셈과 분수 곱셈의 관계**

「연산 비법 시리즈」의 『곱셈 비법』에서는 두 자리 수 곱셈을 할 때 십의 자리와 일의 자리 수를 갈라서 각각 곱했습니다. 이 책에서는 대분수끼리의 곱셈을 할 때 자연수 부분과 진분수 부분을 갈라서 각각 곱합니다. 따라서 직사각형을 분할한 그림을 통해 자연수 곱셈과 분수 곱셈은 근본 원리가 같다는 것을 이해할 수 있습니다.

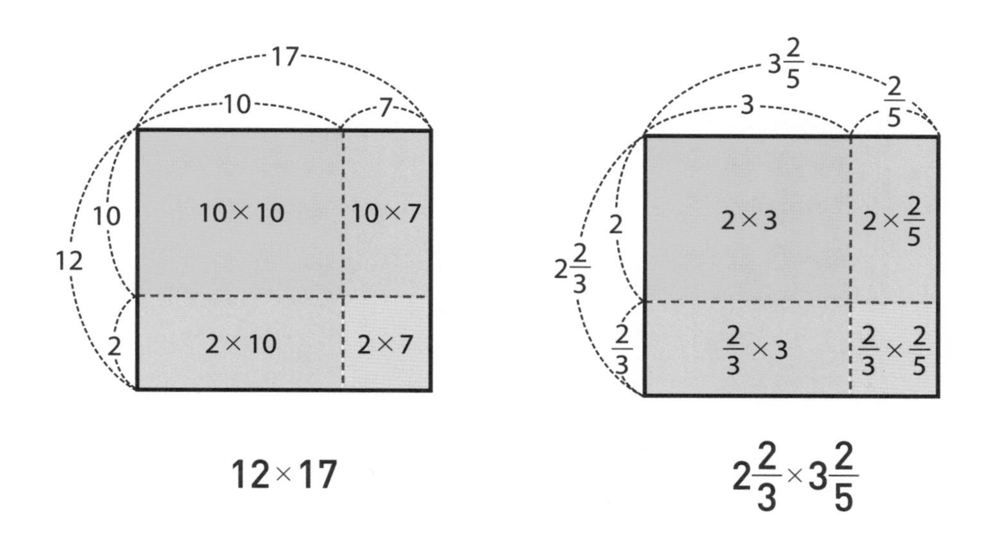

(3) 자연수 나눗셈과 분수 나눗셈의 관계

직사각형 그림에서 '넓이'는 세로 나눗셈 기호 안에 들어가는 '나누어지는 수'를, 직사각형의 '세로' 길이는 세로 나눗셈 기호의 왼쪽에 놓이는 '나누는 수'를, 그리고 직사각형의 '가로'는 이 나눗셈의 결과인 '몫'의 자리를 뜻합니다. 이렇게 해서 분수 나눗셈에 사용된 직사각형 그림은 세로 나눗셈 기호와 연결할 수 있습니다. 따라서 자연수 나눗셈과 분수 나눗셈의 근본 원리가 같다는 것도 알 수 있습니다.

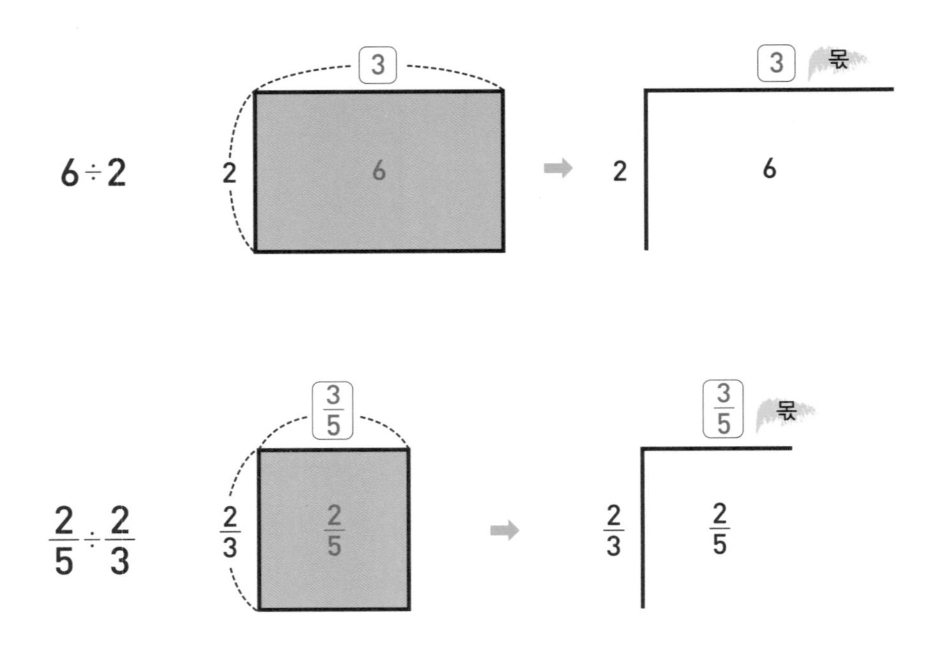

● **계산 원리를 명쾌하게 이해할 수 있어서** ●

(1) $\frac{2}{3} \times \frac{4}{5}$를 $\frac{2 \times 4}{3 \times 5}$로 계산하는 이유

$\frac{2}{3}$는 정사각형을 가로로 3등분하여 그 중 2조각에 색칠한 것이고, $\frac{4}{5}$는 정사각형을 세로로 5등분하여 그 중 4조각에 색칠한 것입니다. 따라서 정사각형은 분모끼리의 곱인 3×5만큼 등분되고, 그 중 색칠한 부분은 분자끼리의 곱인 2×4가 됩니다. 그림을 보면 분수 곱셈에서는 왜 분모는 분모끼리 곱하고 분자는 분자끼리 곱하는지 그 이유를 확실히 알 수 있습니다.

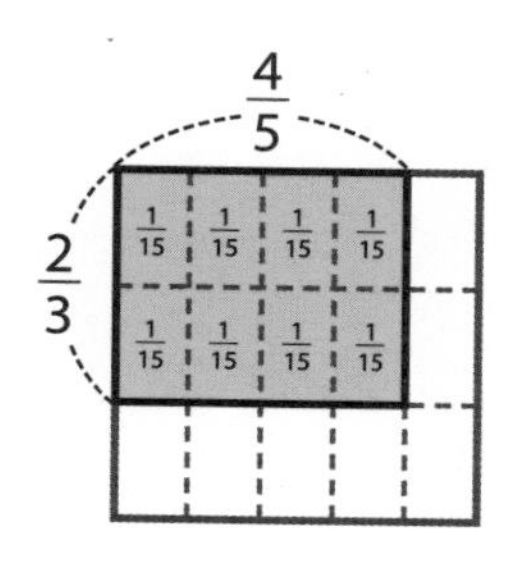

(2) $\frac{3}{5} \div \frac{9}{7}$를 $\frac{3}{5} \times \frac{7}{9}$로 계산하는 이유

분수 나눗셈의 몫은 하나의 분수로 나타낼 수 있습니다. 그리고 '분모와 분자에 같은 수를 곱해도 그 값이 변하지 않는다'는 것은 분수의 기본 성질입니다. 이 두 가지를 이용해서 나눗셈을 분수로 만든 다음 분자와 분모에 각각 분모의 역수를 곱하면 나눗셈은 어느 새 곱셈으로 바뀝니다. 분모의 역수를 곱하는 이유는 분모를 1로 만들어 생략하기 위해서입니다.

$$\frac{3}{5} \div \frac{9}{7} = \frac{\frac{3}{5}}{\frac{9}{7}} = \frac{\frac{3}{5} \times \frac{7}{9}}{\frac{9}{7} \times \frac{7}{9}} = \frac{\frac{3}{5} \times \frac{7}{9}}{1} = \frac{3}{5} \times \frac{7}{9}$$

학부모님께

1. 첫 분수 교재로 사용해 주세요.

"우리 아이는 자연수는 잘하는데 분수는 싫어해요."라거나, "분수 개념은 아는데 분수 계산만 나오면 어쩔 줄 몰라해요."라는 부모님들이 있습니다. 또, "초등 수학은 잘했는데 중학 수학도 잘할런지 걱정돼요."라거나, "중학교 수학은 초등과는 차원이 다르다면서요?"라는 부모님들도 있습니다.

처음에 잘 배워 두면 갈수록 쉬운 것이 수학입니다. 특히 분수의 경우엔 첫 경험이 매우 중요합니다. 맨 처음에 어떤 느낌을 갖느냐에 따라 분수를 쉬워하면서 잘하게 되기도 하고 그 반대가 되기도 합니다.

이 교재를 사용해서 처음 분수를 배우면, 분수를 아주 편안하게 대하게 될 것입니다. 또한, 분수 개념에 대한 호감이 생기고 문제도 잘 해결하게 될 것입니다.

2. 지금 잘 배우면 나중에 쉬워진다고 이야기해 주세요.

수학은 서로 연결되어 있습니다. 자연수와 분수가 연결되어 있고, 초등과 중등도 연결되어 있습니다. 서로 연결되어 있기 때문에, 지금 배운 것을 잘 알면 다음에 새로운 것이 나와도 쉽게 익힐 수 있습니다. 「분수 비법 시리즈」는 자연수 개념을 바탕으로 분수 개념을 이해하는 방법, 자연수 연산법을 활용해서 분수 연산을 익히는 방법을 알려 주는 교재입니다. 이런 식으로 수학의 모든 단원과 학년을 서로 연결해서 학습하면, 수학이 쉬워집니다.

3. 아이가 직접 그림을 그리면서 익히게 해 주세요.

「분수 비법 시리즈」에는 그림을 그리는 과정이 많습니다. 그림 그리기를 번거롭게 생각하지 마시고 적극적으로 활용해 주세요. 어른들은 말로 설명하는 것이 더 간단하게 느껴지지만, 받아들이는 아이들 입장에서는 그림이 더 쉽습니다. 그림 그리기를 귀찮아하거나 유치하게 생각하는 어린이들도 있는데, 그림을 그리지 않아도 척척 문제를 푼다면 굳이 그림을 그리지 않아도 됩니다. 하지만 처음엔 좀 번거롭더라도 자신이 직접 도형 그리기를 하다 보면, 다른 친구들이 어려워하는 문제도 쉽게 해결하는 신기한 경험을 하게 될 것입니다.

4. 교재를 융통성 있게 활용해 주세요.

아이의 성향에 따라 유연하게 이 교재를 사용해 주시기 바랍니다.

아이가 잘 따라 하고 집중력이 있으면 그 자리에서 1부터 4단계까지 진도를 나가도 됩니다.

하지만 일정한 양을 정해서 풀게 하는 것이 좋습니다. 그래도 너무 적은 양씩 오랜 기간 동안 풀게 하지는 마시기 바랍니다. 어떤 원리를 터득하려면 약간은 몰입해서 공부하는 게 좋기 때문입니다.

일반적인 아이들의 경우엔, 차근차근 진도를 나가 주세요. 한 권을 마스터하는데, 주 1~2회씩 4주 정도의 진도를 권합니다.

부디 이 교재가 우리 아이들이 수학에 대한 흥미와 자신감을 가지고 문제를 잘 해결하는 데 도움이 되기를 바랍니다.

2013. 8. 강미선

자꾸 실수할 때는 이렇게!

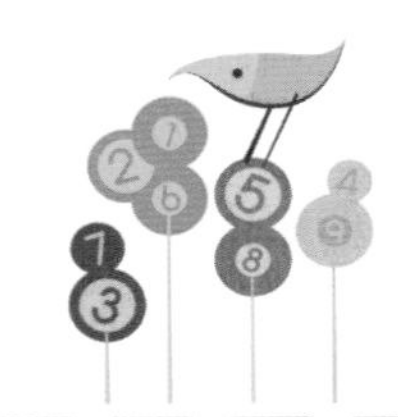

이 책에서 제시한 방법대로 계산을 하다 보면 술술 풀릴 것입니다. 그런데 만약 자꾸 실수를 하면 어떻게 할까요? 실수의 원인에 따라 처방이 달라집니다.

1. 질문이 무엇인지 꼭 읽으세요

질문을 읽지 않고 대뜸 문제부터 풀다 보면 질문과 맞지 않는 답을 써서 틀리는 경우가 생깁니다. 문제를 풀 때는 항상 "질문에 맞는 답을 써야지." 하고 다짐하면서 시작하세요!

2. 연산 기호부터 살펴보세요

곱셈을 나눗셈으로, 나눗셈을 곱셈으로 풀면 틀리게 됩니다. 문제를 읽을 때 숫자만 보지 말고 곱셈인지 나눗셈인지 계산 기호부터 확인하는 습관을 들이세요!

3. '약분'을 복습하세요

곱셈과 나눗셈은 잘 했는데 약분할 때 헷갈린다면 『분수 비법–연산편 : 덧셈과 뺄셈』에서 3단계 '통분과 약분'을 다시 풀어 보세요. 기초가 튼튼하면 실수하지 않아요!

4. 쉬었다 하세요

오늘따라 자꾸 실수를 한다 싶으면 좀 쉬었다가 하세요. 그 자리에서 끝장을 보려는 마음도 좋지만 급하게 풀다가 자꾸 틀리면 짜증이 나고 공부가 하기 싫어질 수도 있습니다. 그럴 때는 쉬는 시간을 갖거나 며칠 뒤에 다시 도전하세요!

분수와 자연수의 곱셈

분수와 자연수의 곱셈

(1) (자연수)×(자연수)

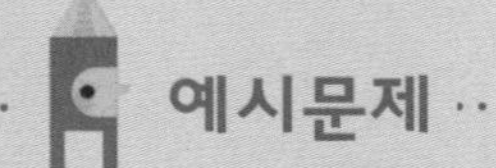

세로가 1이고 가로가 2인 직사각형의 넓이를 구하는 곱셈식을 알아봅시다.

한 변이 1인 정사각형을 '단위정사각형'이라고 하고, 단위정사각형의 넓이를 1이라고 합니다.

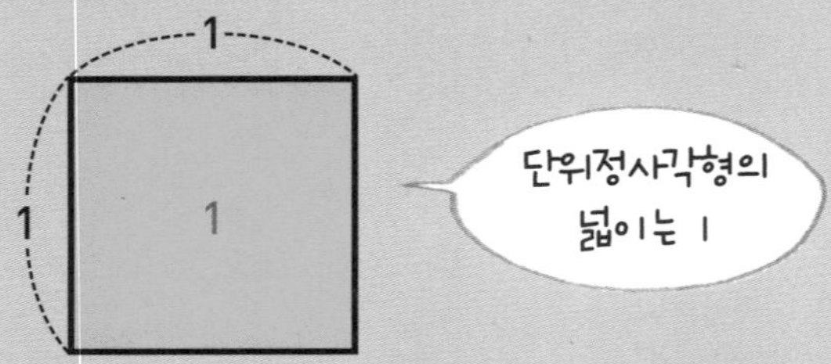

1단계 직사각형 그리기

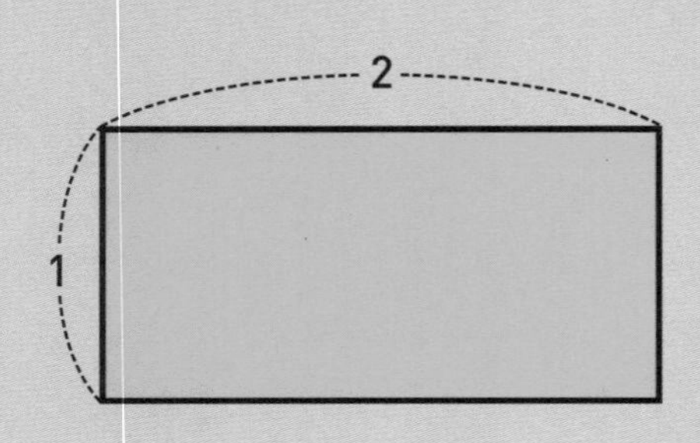

2단계 단위정사각형으로 자르기

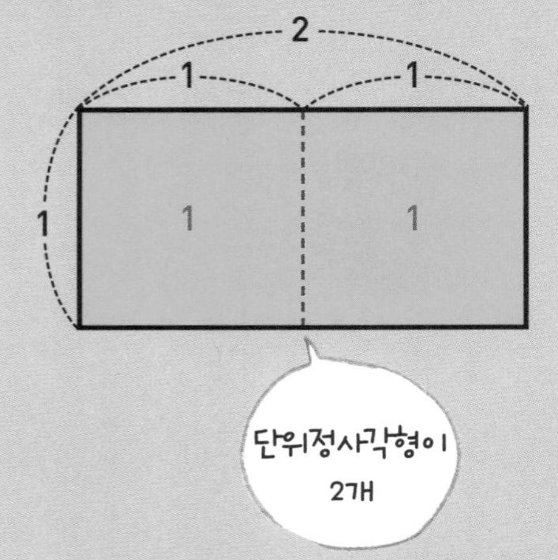

3단계 곱셈식으로 나타내기

$1 \times 2 =$ 2

핵심 포인트 (세로)×(가로)=(직사각형의 넓이)

다음 직사각형을 단위정사각형으로 가른 다음 곱셈식으로 나타내시오.

① (가로 3, 세로 1)

□ × □ = □

② (가로 4, 세로 3)

□ × □ = □

분수와 자연수의 곱셈

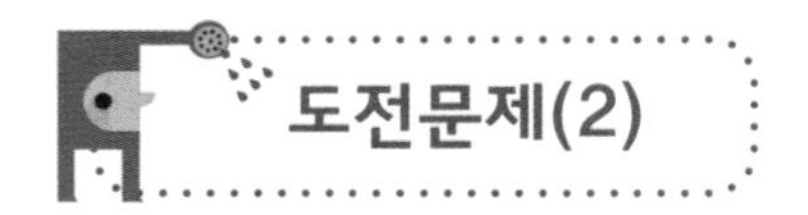

다음 직사각형을 단위정사각형으로 가른 다음 곱셈식으로 나타내시오.

①

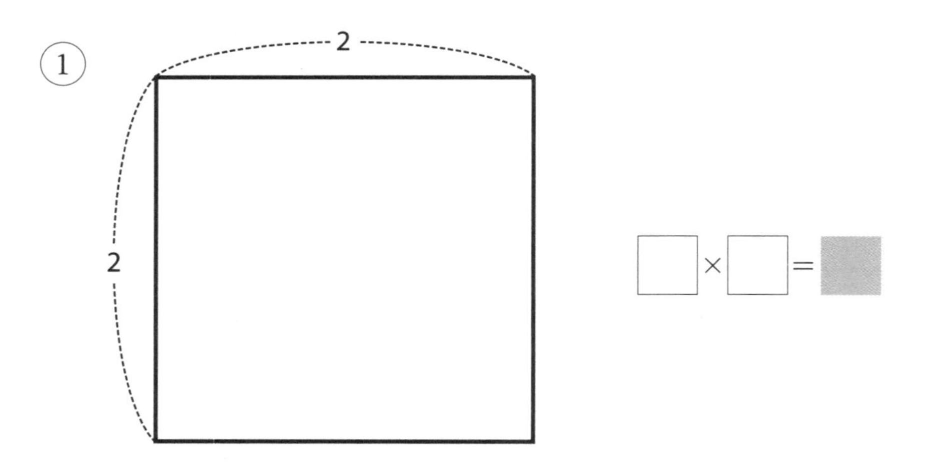

②

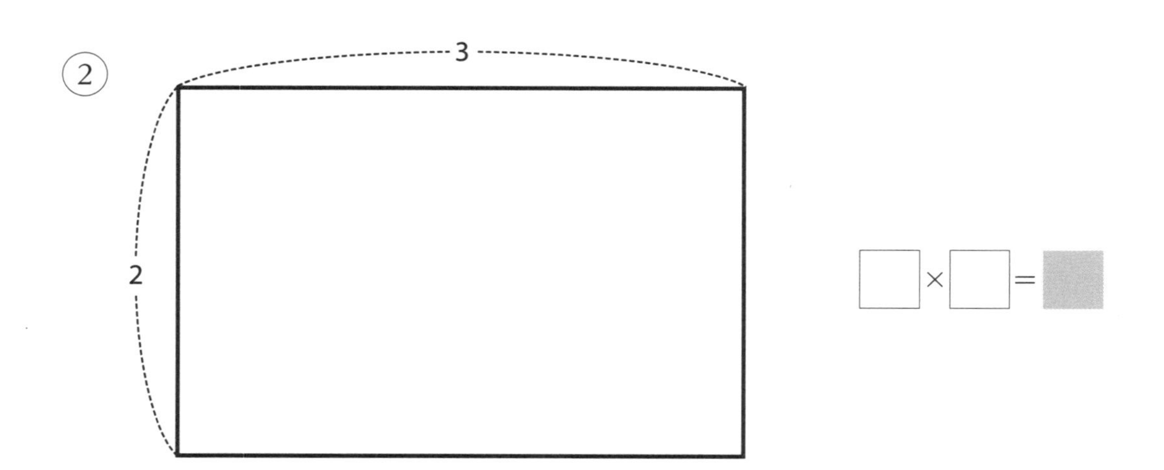

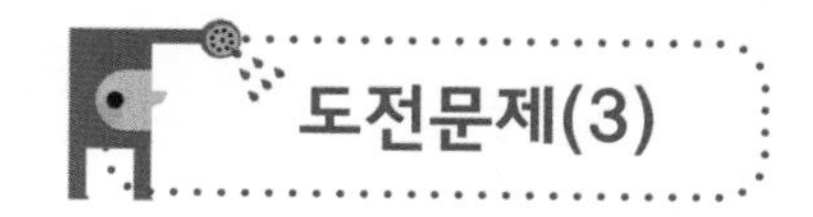

다음 문장을 곱셈식으로 나타내고, 빈칸에 알맞은 수를 쓰세요.

① **문장** : 직사각형의 세로가 5이고 가로가 7일 때, 넓이는 □ 입니다.

식 : ______________________________

② **문장** : 직사각형의 세로가 6이고 가로가 9일 때, 넓이는 □ 입니다.

식 : ______________________________

③ **문장** : 직사각형의 세로가 8이고 가로가 8일 때, 넓이는 □ 입니다.

식 : ______________________________

④ **문장** : 직사각형의 세로가 11이고 가로가 4일 때, 넓이는 □ 입니다.

식 : ______________________________

⑤ **문장** : 직사각형의 세로가 12이고 가로가 6일 때, 넓이는 □ 입니다.

식 : ______________________________

⑥ **문장** : 직사각형의 세로가 13이고 가로가 14일 때, 넓이는 □ 입니다.

식 : ______________________________

분수와 자연수의 곱셈

(2) 1 × (단위분수)

예시문제

세로가 1이고 가로가 $\frac{1}{2}$인 직사각형의 넓이를 구하는 곱셈식을 알아봅시다.

1단계 **직사각형 그리기**

세로가 1이고 가로가 $\frac{1}{2}$인 직사각형을 그립니다.

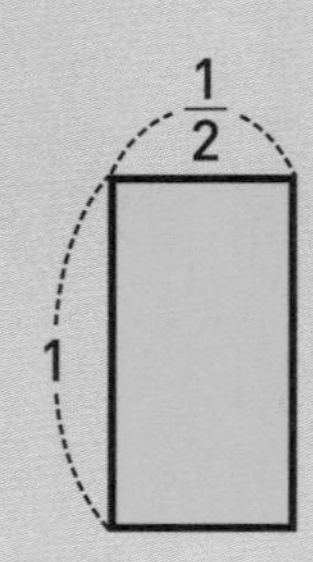

2단계 **단위정사각형과 크기 비교하기**

단위정사각형과 비교하여 넓이를 구합니다.

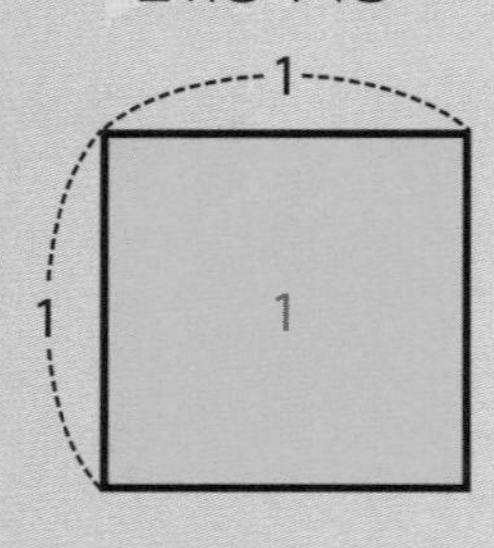

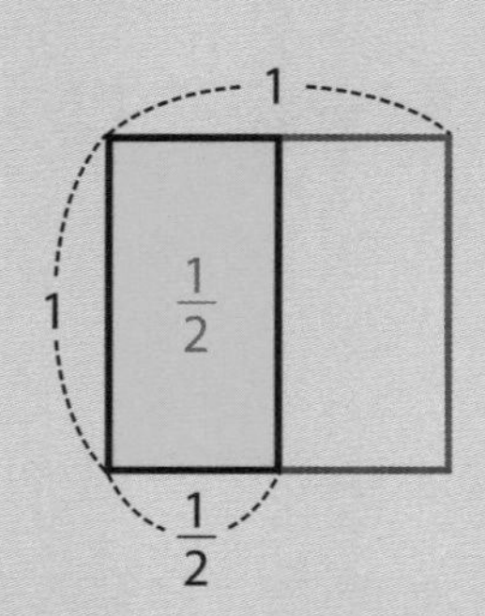

3단계 **곱셈식으로 나타내기**

$$1 \times \frac{1}{2} = \boxed{\frac{1}{2}}$$

핵심 포인트 어떤 수와 1을 곱하면, 어떤 수 그대로가 되어요!

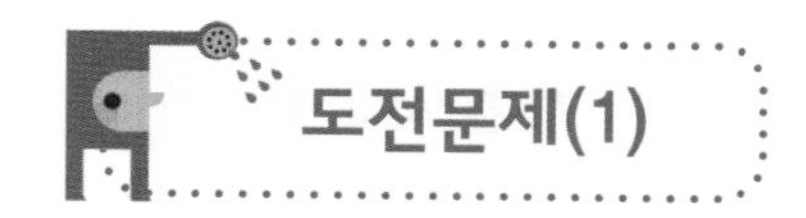

다음 사각형에 분수만큼 색칠을 하고, 빈칸에 알맞은 수를 쓰세요.

① $1 \times \frac{1}{3} =$ ☐

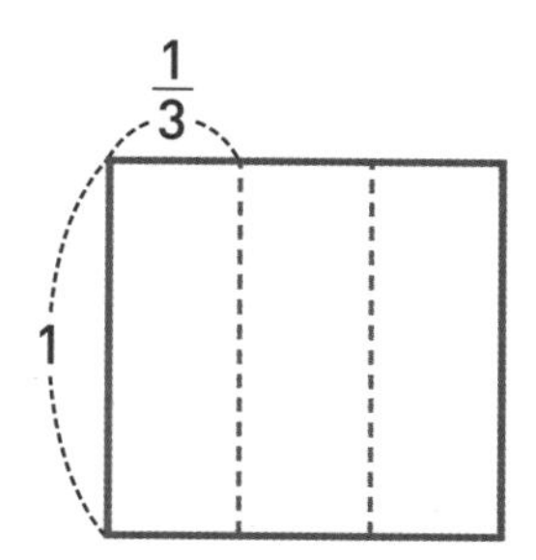

② $1 \times \frac{1}{4} =$ ☐

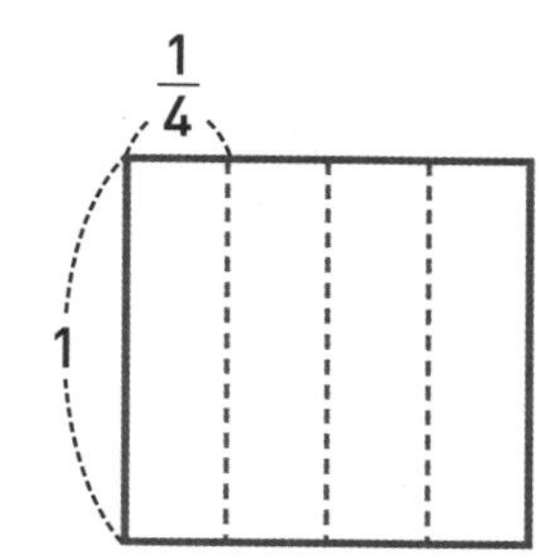

③ $\frac{1}{5} \times 1 =$ ☐

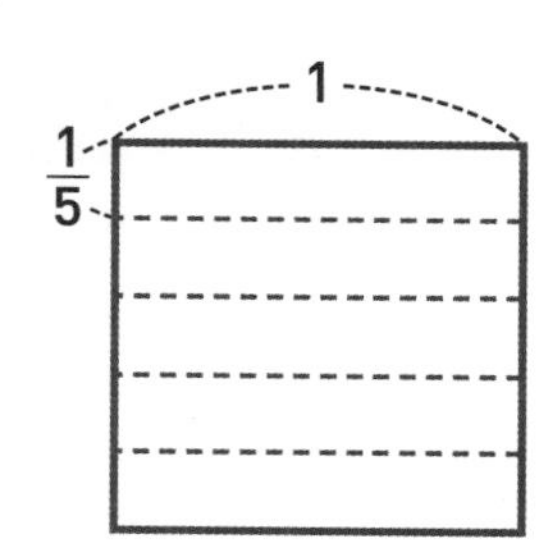

④ $\frac{1}{3} \times 1 =$ ☐

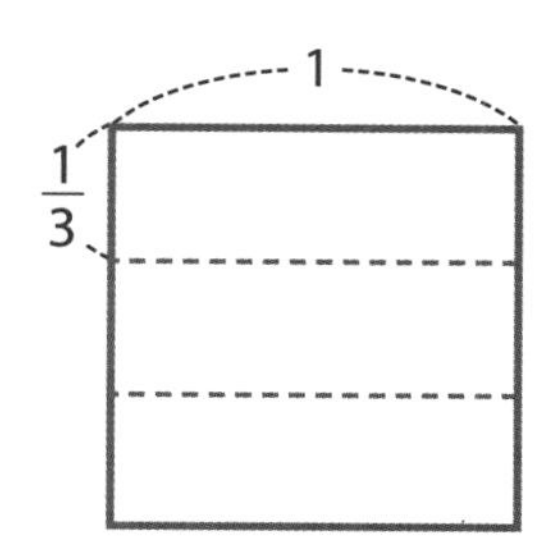

⑤ $\frac{1}{4} \times 1 =$ ☐

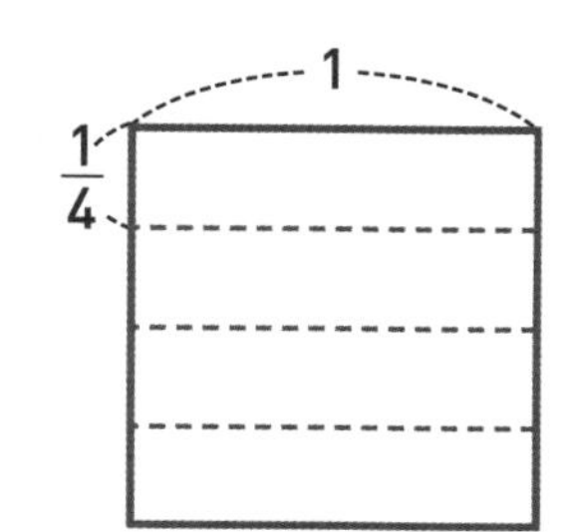

⑥ $1 \times \frac{1}{5} =$ ☐

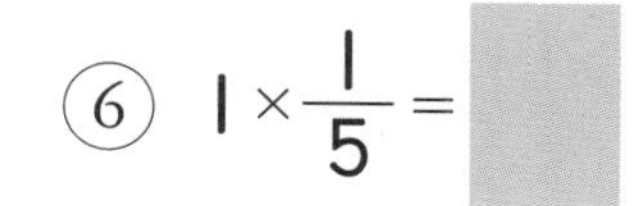

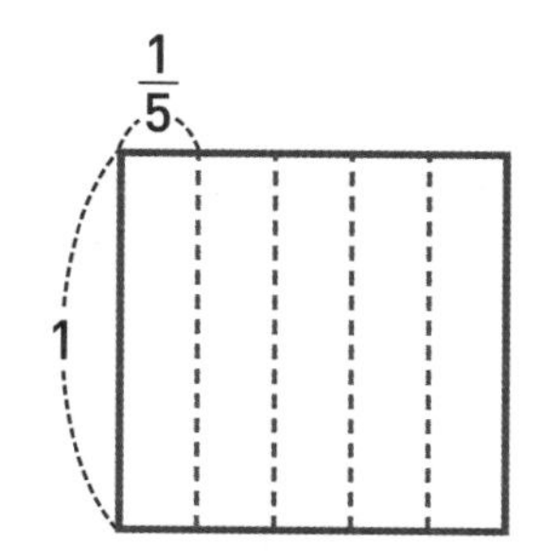

분수와 자연수의 곱셈

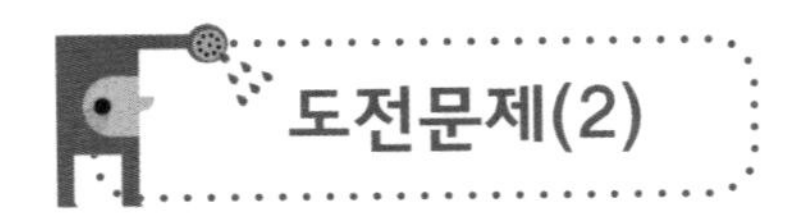

다음 빈칸에 알맞은 수를 쓰세요.

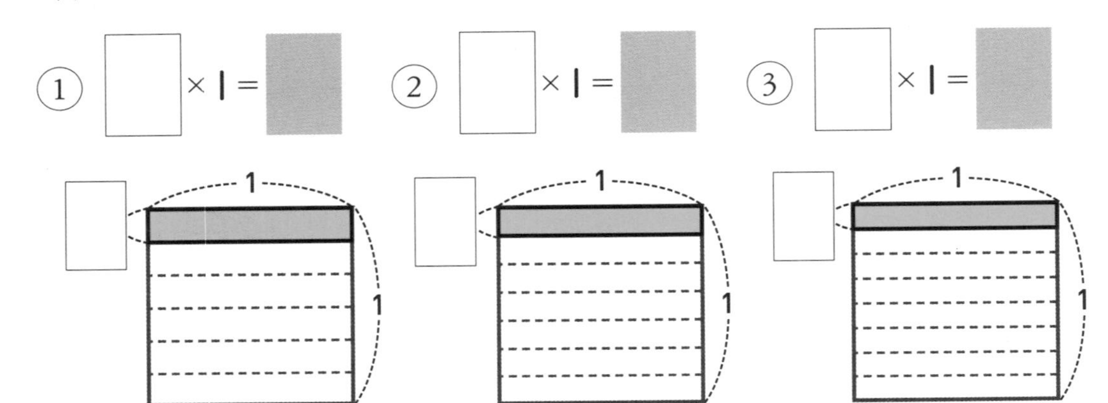

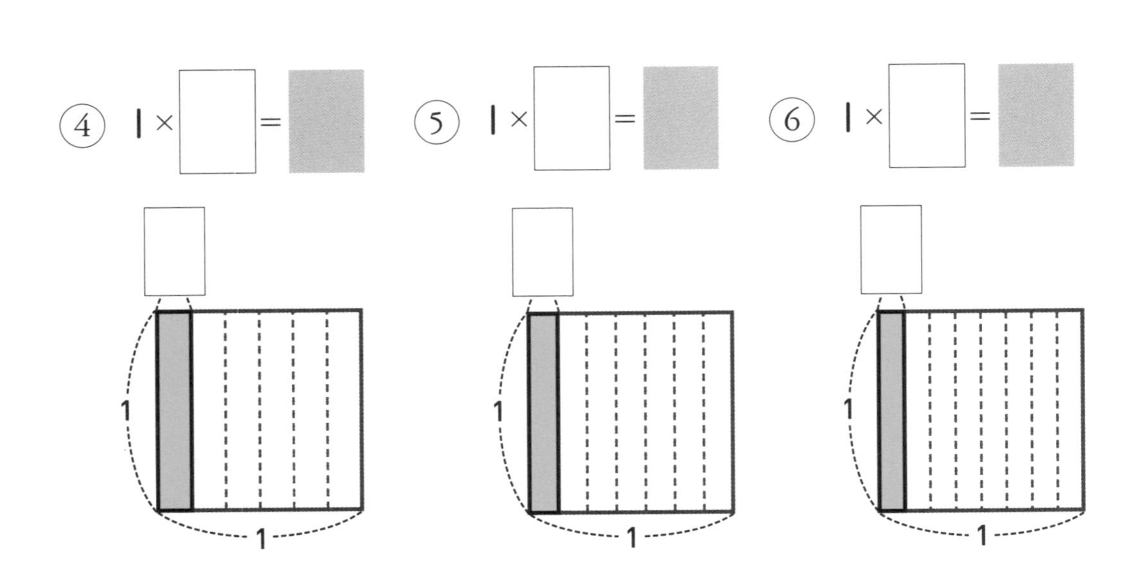

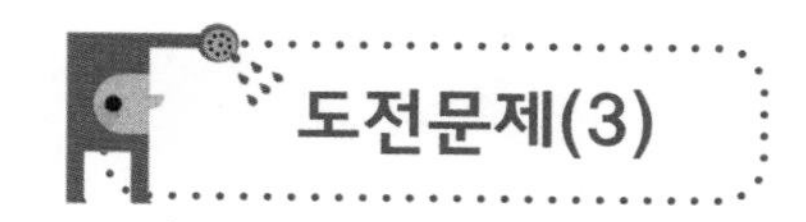

문장을 식으로 나타내고, 빈칸에 알맞은 수를 쓰세요.

① **문장** : 직사각형의 세로가 1이고 가로가 $\frac{1}{8}$일 때, 넓이는 □ 입니다.

식 : ______________________________

② **문장** : 직사각형의 세로가 1이고 가로가 $\frac{1}{9}$일 때, 넓이는 □ 입니다.

식 : ______________________________

③ **문장** : 직사각형의 세로가 $\frac{1}{10}$이고 가로가 1일 때, 넓이는 □ 입니다.

식 : ______________________________

④ **문장** : 직사각형의 세로가 $\frac{1}{15}$이고 가로가 1일 때, 넓이는 □ 입니다.

식 : ______________________________

⑤ **문장** : 직사각형의 세로가 $\frac{1}{18}$이고 가로가 1일 때, 넓이는 □ 입니다.

식 : ______________________________

⑥ **문장** : 직사각형의 세로가 1이고 가로가 $\frac{1}{100}$일 때, 넓이는 □ 입니다.

식 : ______________________________

분수와 자연수의 곱셈

(3) 1 × (진분수)

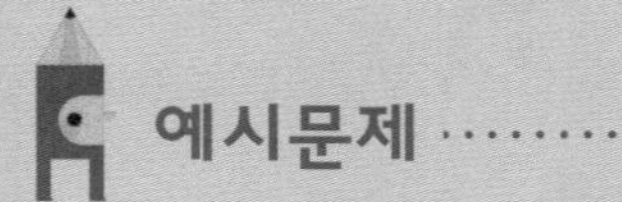

세로가 1이고 가로가 $\frac{2}{3}$인 직사각형의 넓이를 구하는 곱셈식을 알아봅시다.

1단계 직사각형 그리기

세로가 1이고 가로가 $\frac{2}{3}$인 직사각형을 그립니다.

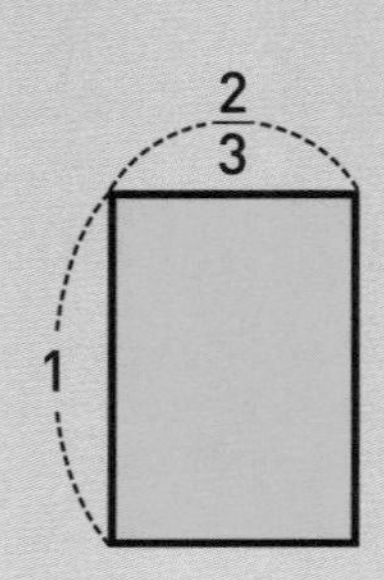

2단계 단위정사각형과 크기 비교하기

단위정사각형과 비교하여 넓이를 구합니다.

단위정사각형

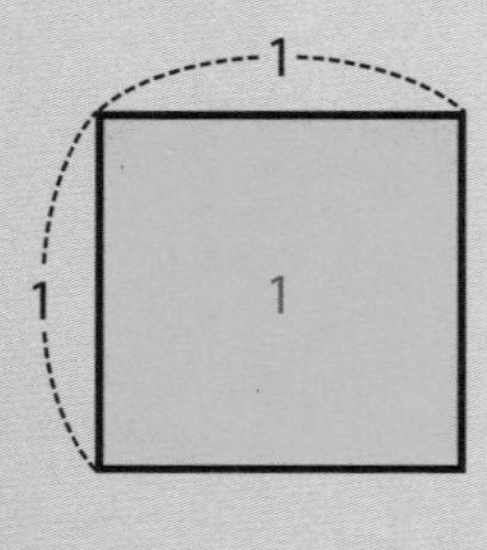

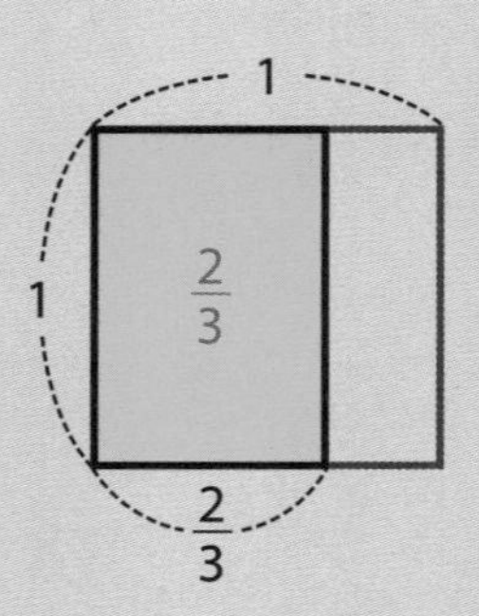

3단계 곱셈식으로 나타내기

$1 \times \frac{2}{3} = \frac{2}{3}$

핵심 포인트 두 수의 순서가 바뀌어도 곱셈 결과는 안 바뀌어요!

다음 직사각형에 색칠을 하고, 빈칸에 알맞은 수를 쓰세요.

① $1 \times \frac{3}{4} =$ ☐　　② $1 \times \frac{2}{5} =$ ☐　　③ $\frac{3}{5} \times 1 =$ ☐

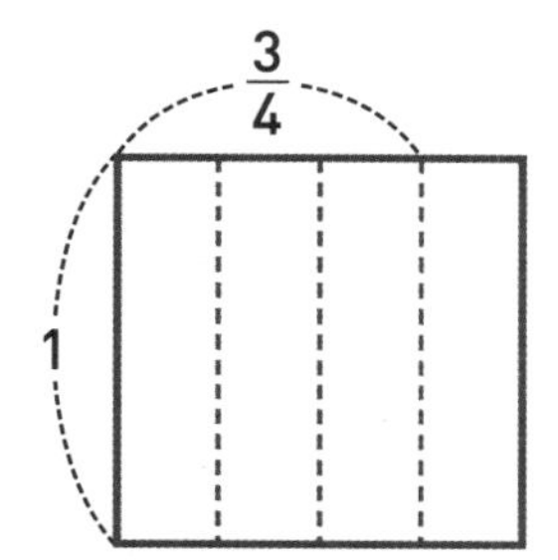

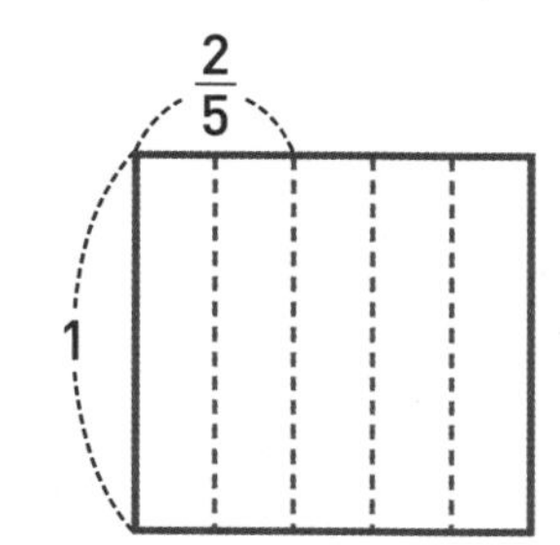

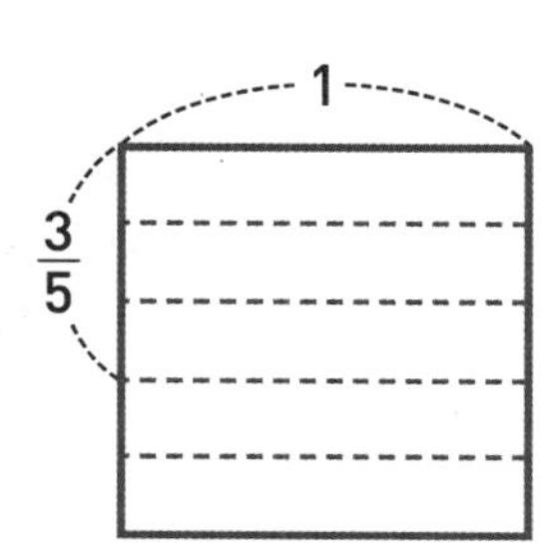

④ $\frac{5}{6} \times 1 =$ ☐　　⑤ $1 \times \frac{3}{7} =$ ☐　　⑥ $\frac{5}{8} \times 1 =$ ☐

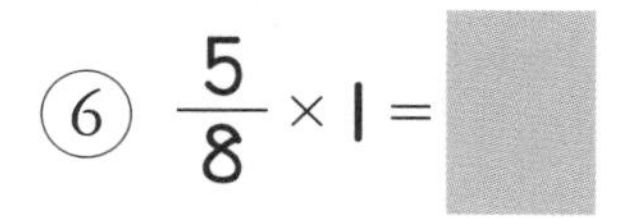

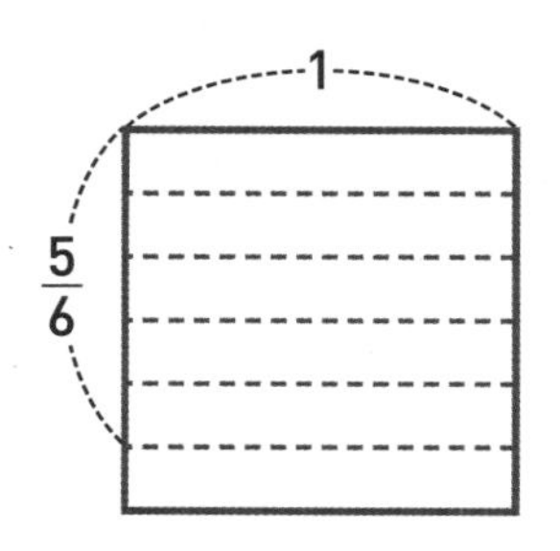

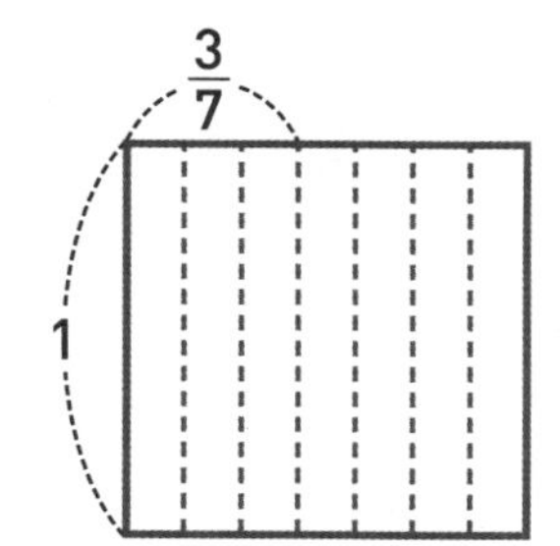

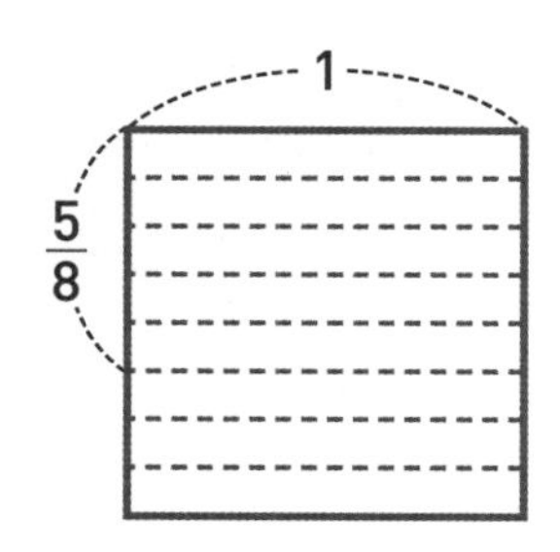

분수와 자연수의 곱셈

다음 빈칸에 알맞은 수를 쓰세요.

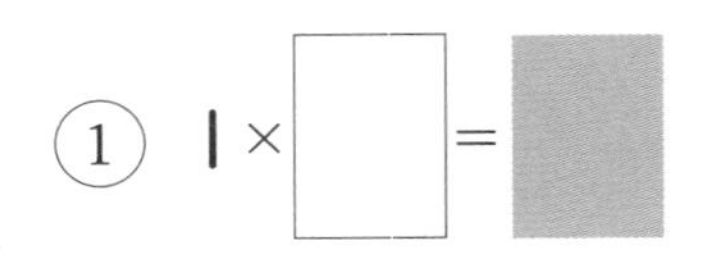

② 1 × ☐ = ☐

③ 1 × ☐ = ☐

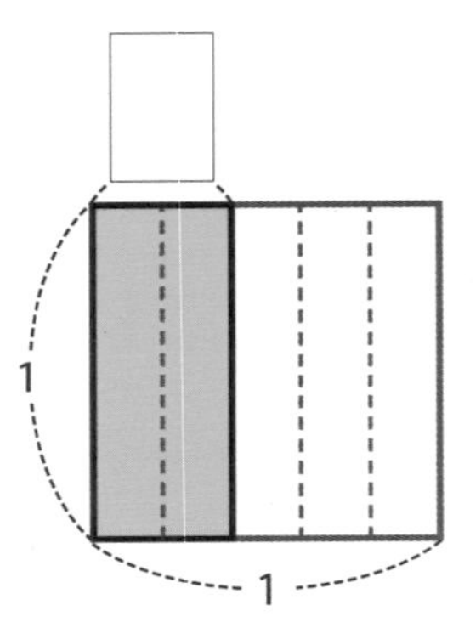

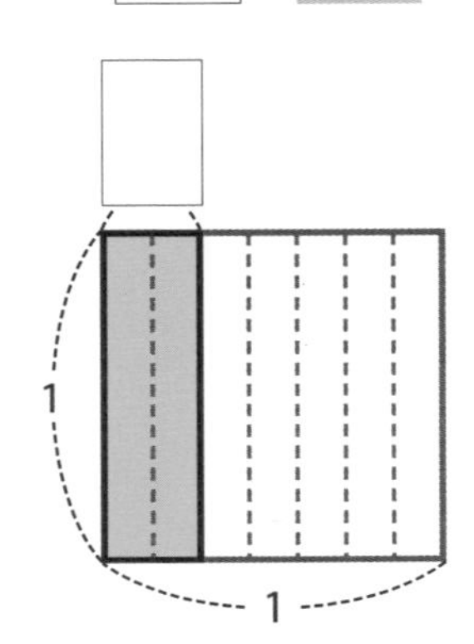

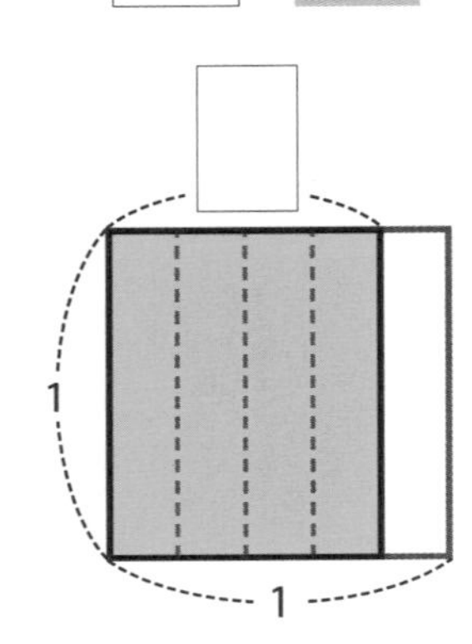

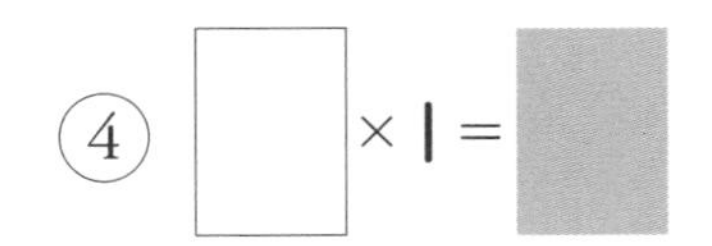

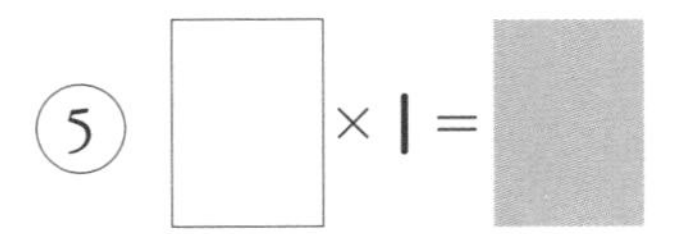

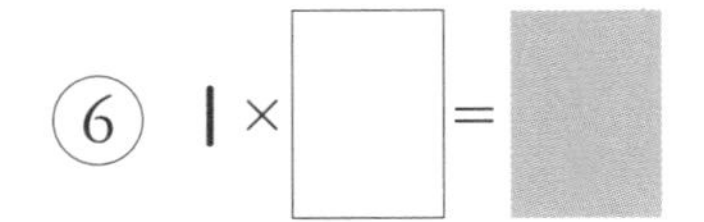

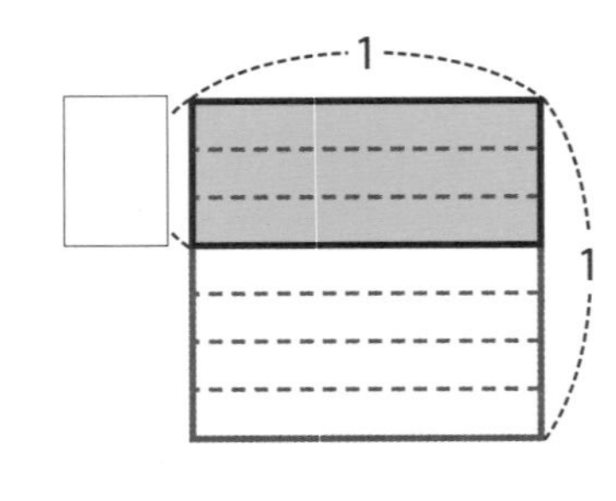

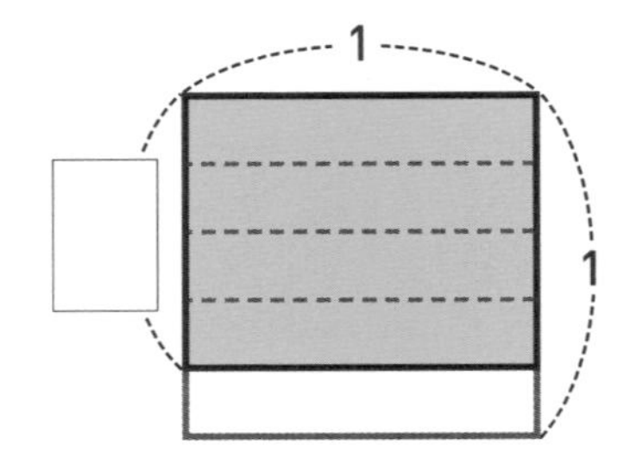

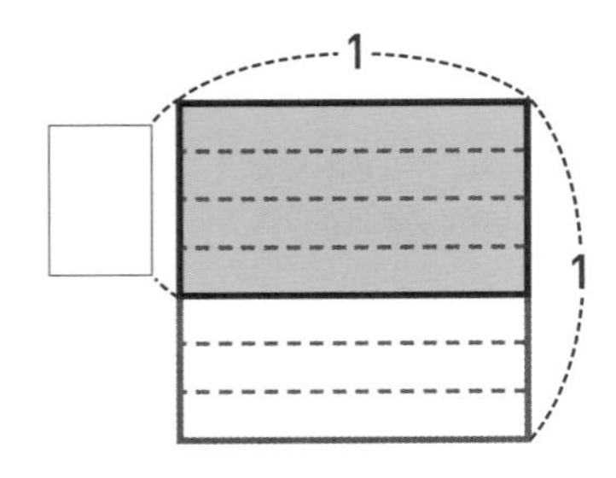

도전문제(3)

문장을 식으로 나타내고, 빈칸에 알맞은 수를 쓰세요.

① **문장** : 직사각형의 세로가 1이고 가로가 $\frac{7}{8}$일 때, 넓이는 ☐ 입니다.

식 : ______________________

② **문장** : 직사각형의 세로가 1이고 가로가 $\frac{5}{7}$일 때, 넓이는 ☐ 입니다.

식 : ______________________

③ **문장** : 직사각형의 세로가 $\frac{7}{8}$이고 가로가 1일 때, 넓이는 ☐ 입니다.

식 : ______________________

④ **문장** : 직사각형의 세로가 $\frac{8}{9}$이고 가로가 1일 때, 넓이는 ☐ 입니다.

식 : ______________________

⑤ **문장** : 직사각형의 세로가 $\frac{11}{12}$이고 가로가 1일 때, 넓이는 ☐ 입니다.

식 : ______________________

⑥ **문장** : 직사각형의 세로가 1이고 가로가 $\frac{99}{100}$일 때, 넓이는 ☐ 입니다.

식 : ______________________

분수와 자연수의 곱셈

(4) (자연수)×(진분수)

예시문제

$3\times\frac{1}{3}$을 알아봅시다.

1단계

직사각형 그리기

2단계

한 변이 1인 직사각형으로 잘라서 각각의 넓이 구하기

3단계

전체 합치기

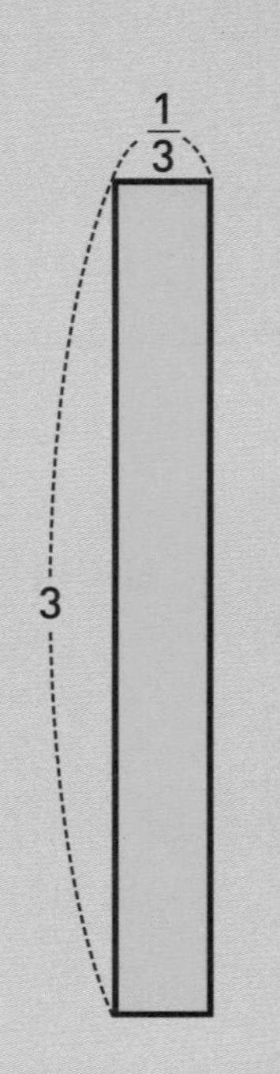

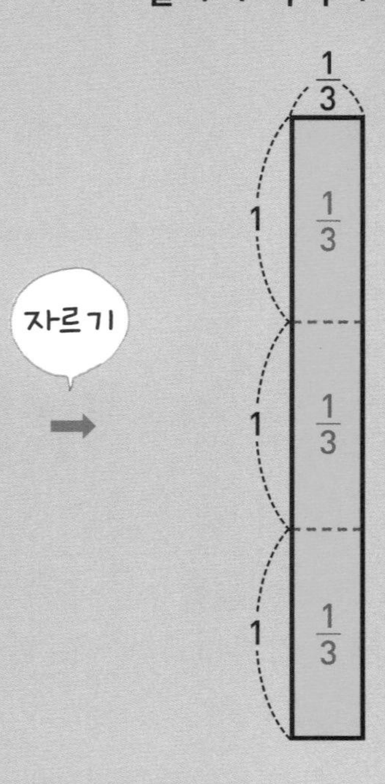

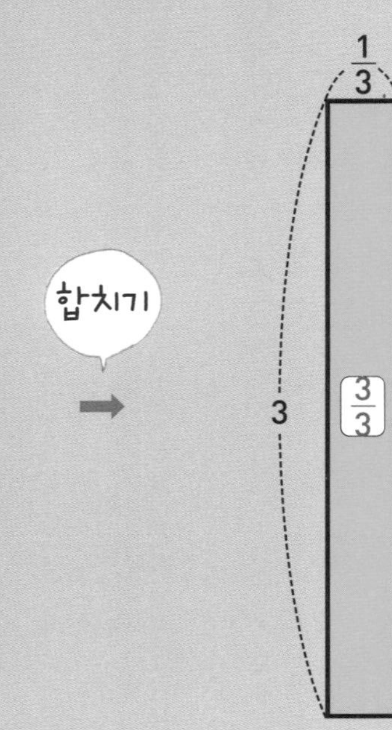

4단계 곱셈식으로 나타내기

$$3\times\frac{1}{3}=\frac{1}{3}+\frac{1}{3}+\frac{1}{3}=\frac{3}{3}=1$$

 **핵심 포인트** 약분이 될 때는 반드시 약분을 하세요!

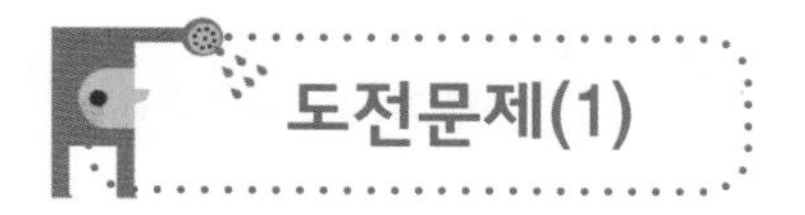

다음 그림을 보고 빈칸에 알맞은 수를 쓰세요.

①

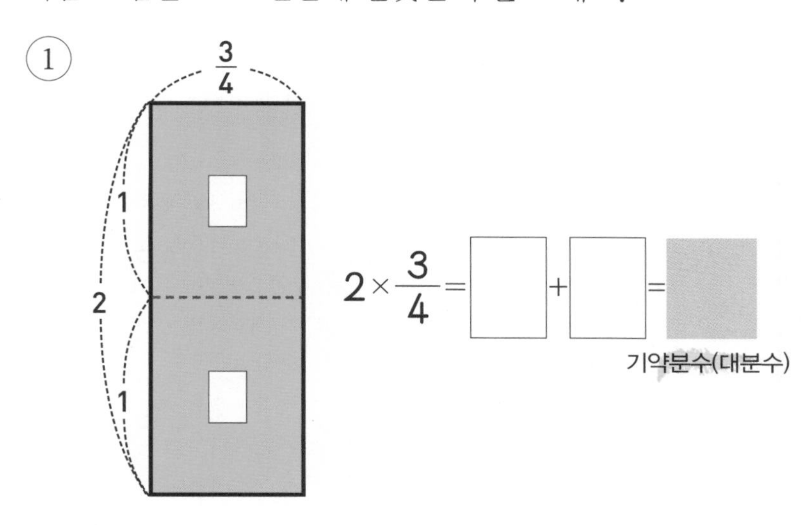

②

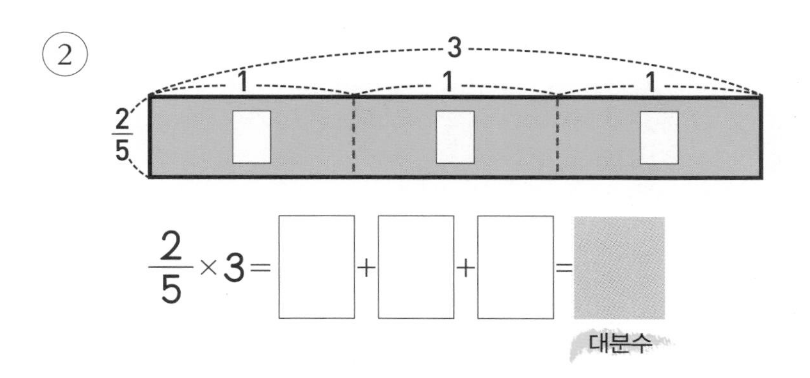

분수와 자연수의 곱셈

다음 그림을 보고 빈칸에 알맞은 수를 쓰세요.

① (가로 $\frac{4}{5}$, 세로 1, 1 / 2)

$2\times\frac{4}{5}=\square+\square=\square$

기약분수(대분수)

② (가로 $\frac{5}{6}$, 세로 1, 1, 1 / 3)

$3\times\frac{5}{6}=\square+\square+\square=\square$

기약분수(대분수)

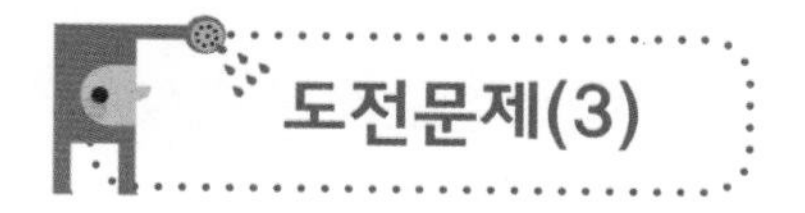

다음 그림을 보고 빈칸에 알맞은 수를 쓰세요.

①

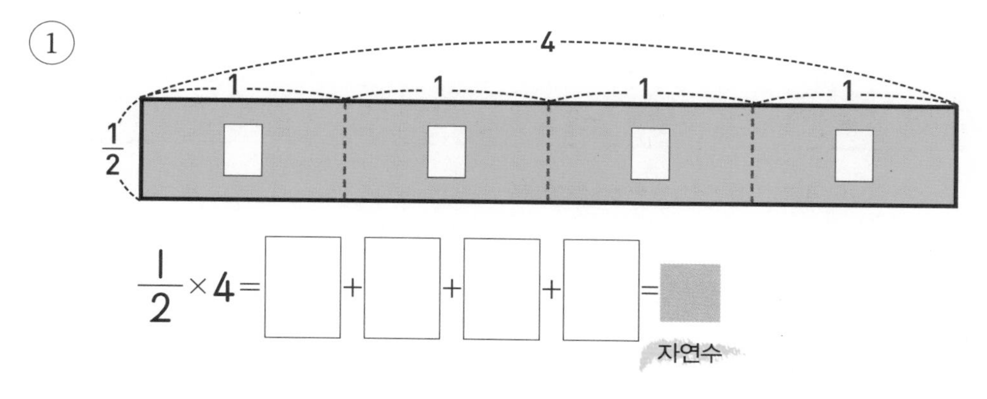

②

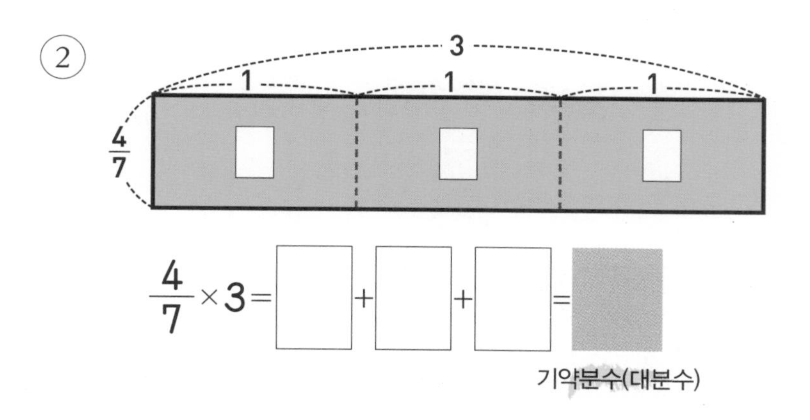

분수와 자연수의 곱셈

다음 그림을 보고 빈칸에 알맞은 수를 쓰세요.

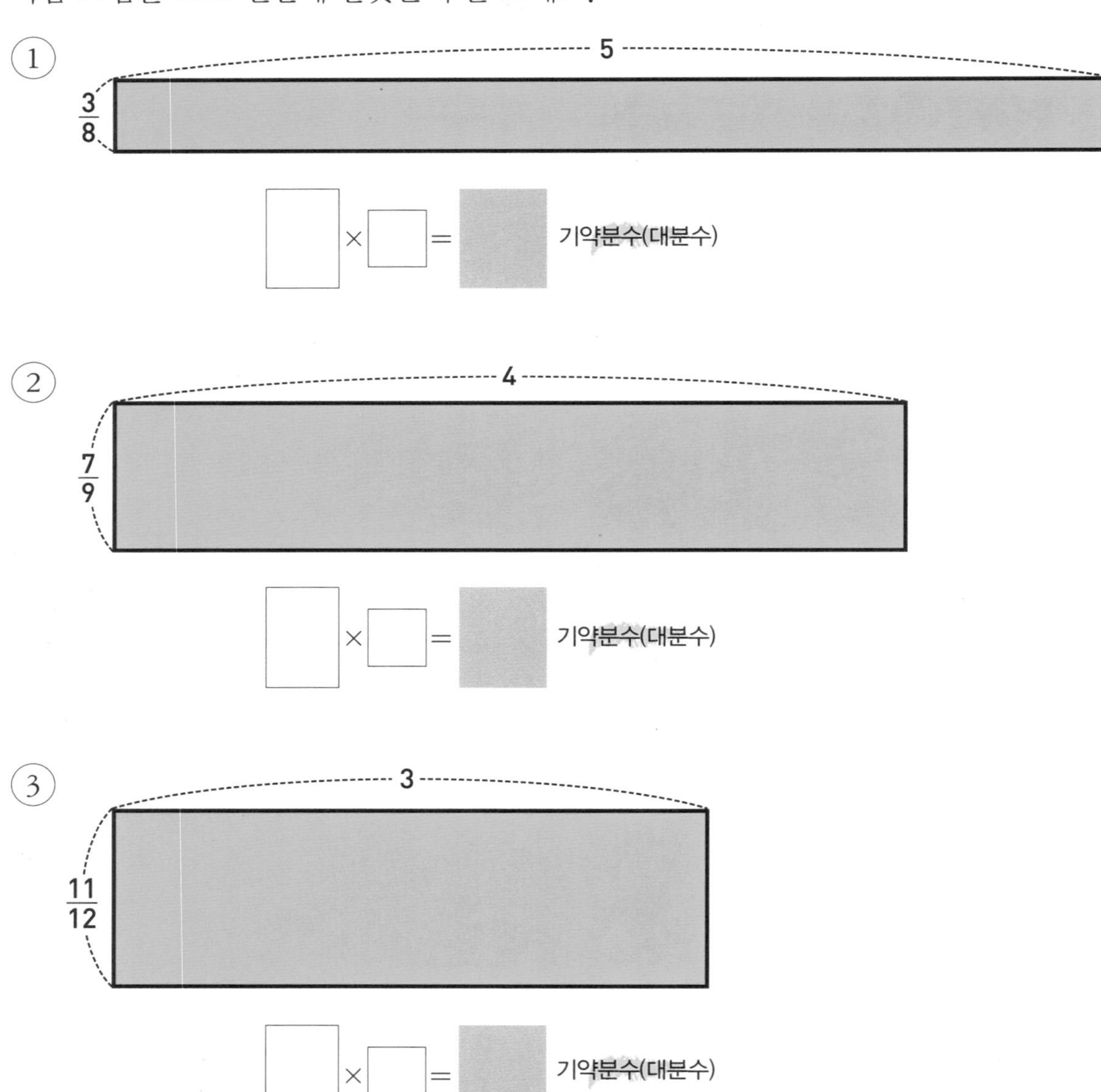

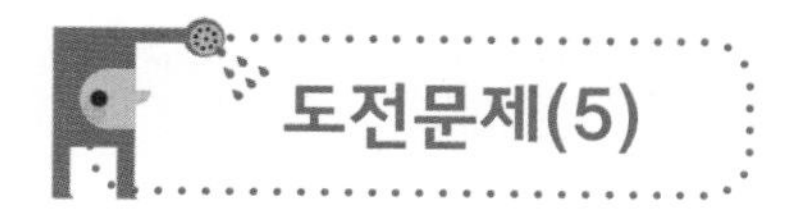

다음 그림을 보고 빈칸에 알맞은 수를 쓰세요.

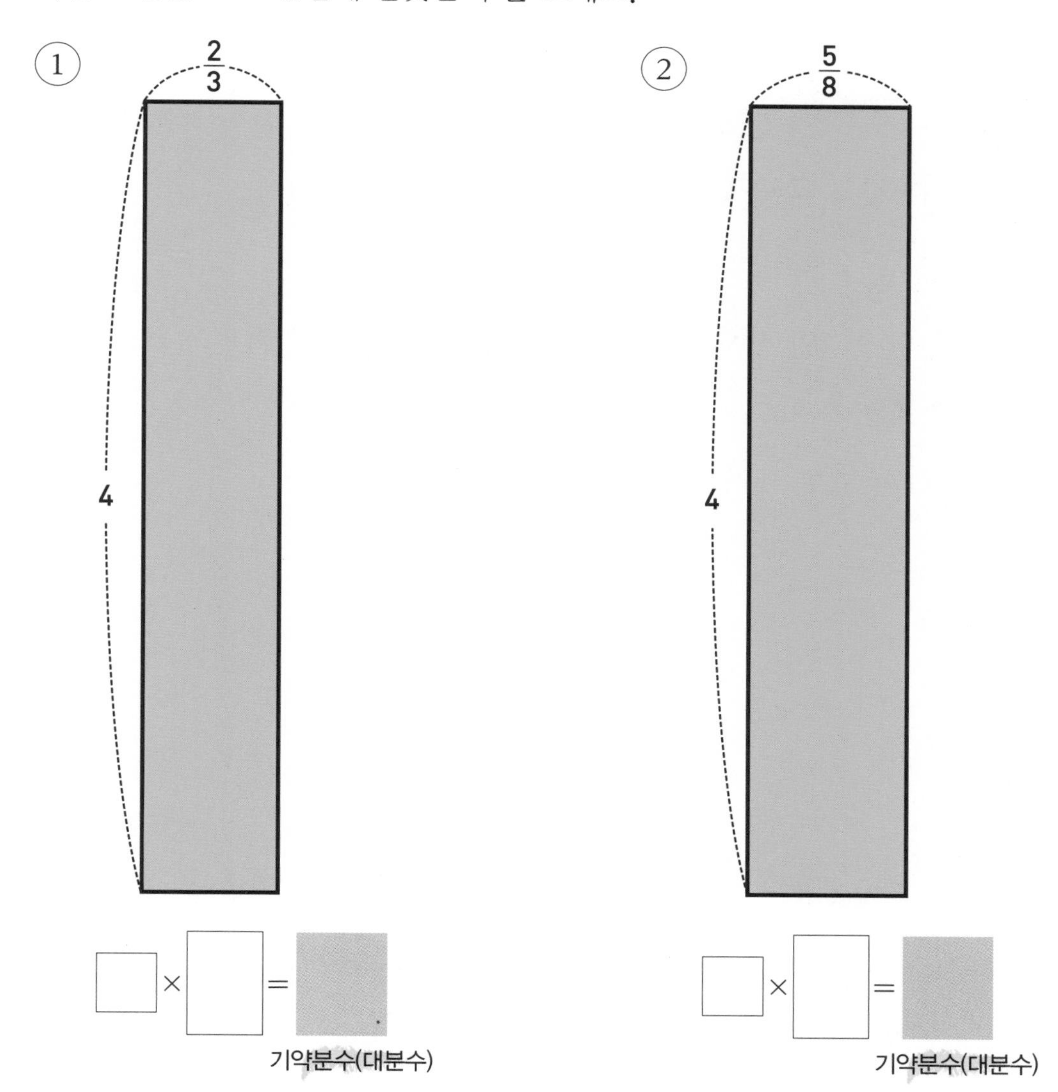

분수와 자연수의 곱셈

(5) (자연수)×(가분수)

예시문제

$2\times\frac{5}{3}$를 알아봅시다.

1단계 **직사각형 그리기**

세로가 **2**이고 가로가 $\frac{5}{3}$인 직사각형을 그립니다.

2단계 **한 변이 1인 직사각형으로 잘라서 각각 넓이 구하기**

가로는 $\frac{5}{3}$이고 세로가 **1**인 직사각형으로 자르면 **2**개의 직사각형으로 갈라지고 한 직사각형의 넓이는 $\frac{5}{3}$입니다.

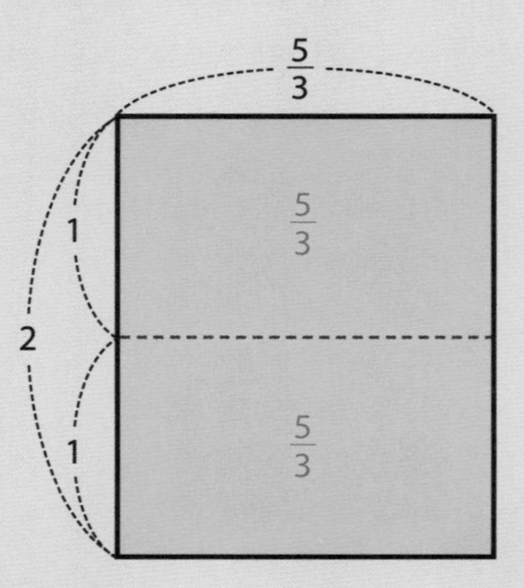

3단계 **곱셈식으로 나타내기**

$2\times\frac{5}{3}=\frac{5}{3}+\frac{5}{3}=\frac{10}{3}=3\frac{1}{3}$

다음 그림을 보고 빈칸에 알맞은 수를 쓰세요.

①

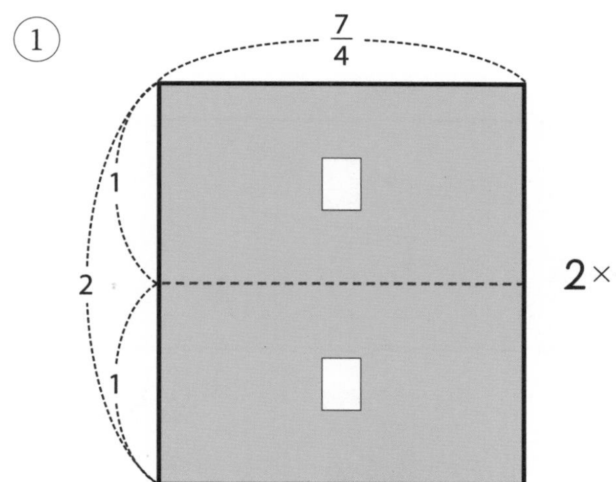

$2\times\frac{7}{4}=\square+\square=\square$

기약분수(대분수)

②

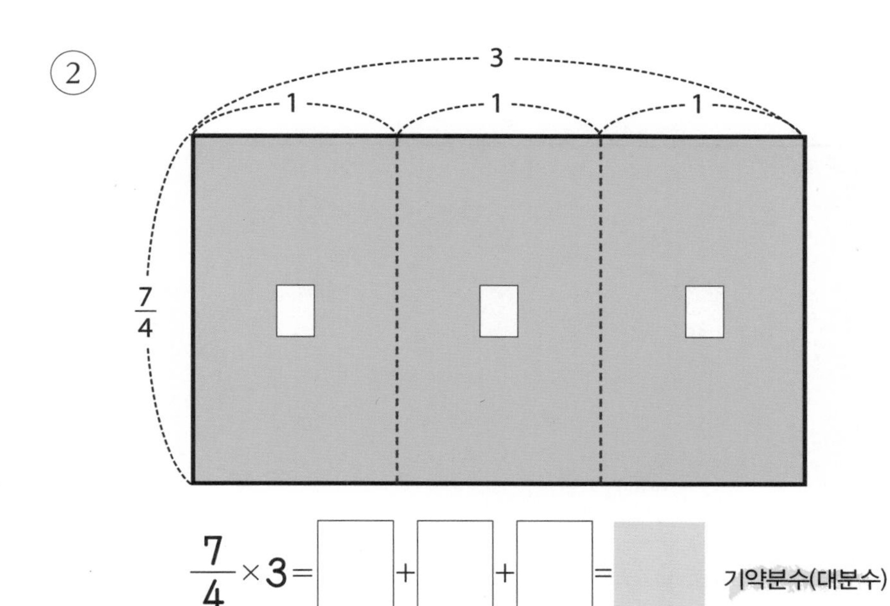

$\frac{7}{4}\times3=\square+\square+\square=\square$ 기약분수(대분수)

분수와 자연수의 곱셈

다음 그림을 보고 빈칸에 알맞은 수를 쓰세요.

①

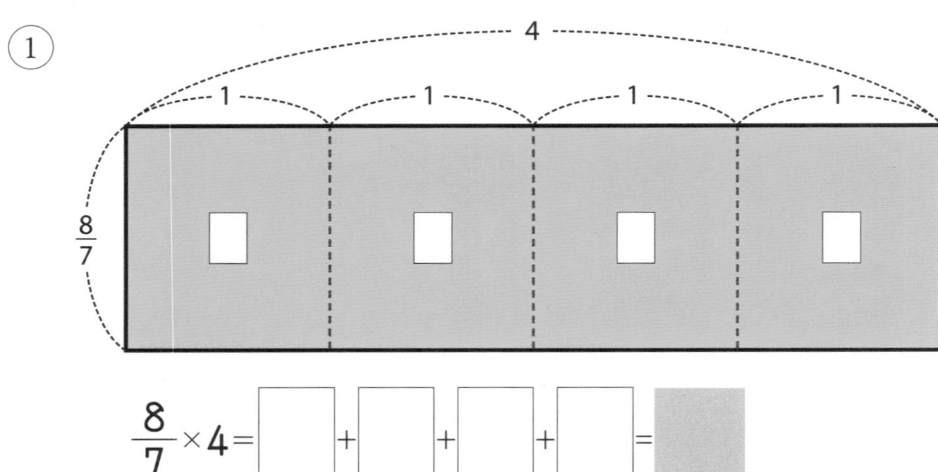

$\frac{8}{7} \times 4 = \square + \square + \square + \square = \square$

기약분수(대분수)

②

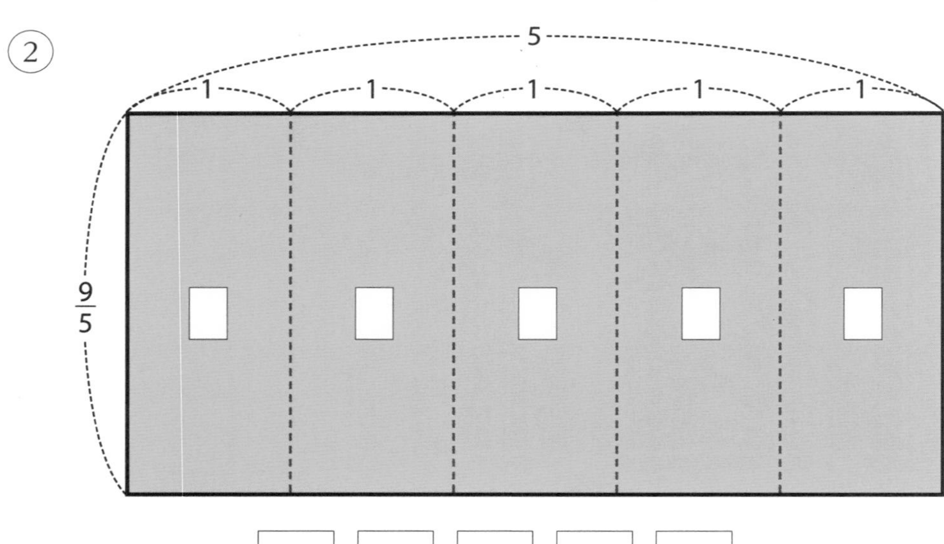

$\frac{9}{5} \times 5 = \square + \square + \square + \square + \square = \square$

자연수

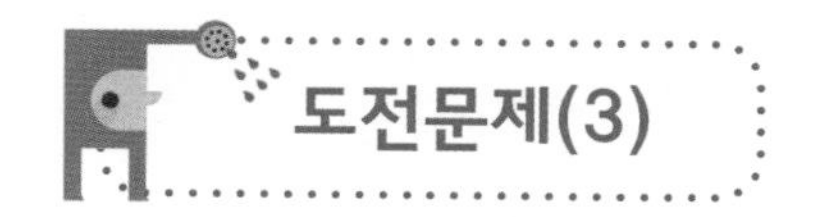

다음 그림을 보고 빈칸에 알맞은 수를 쓰세요.

①

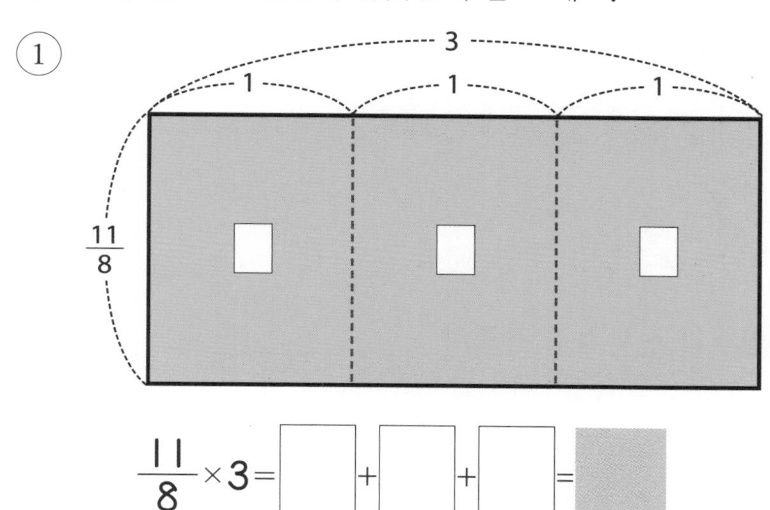

$\frac{11}{8} \times 3 = \square + \square + \square = \square$

기약분수(대분수)

②

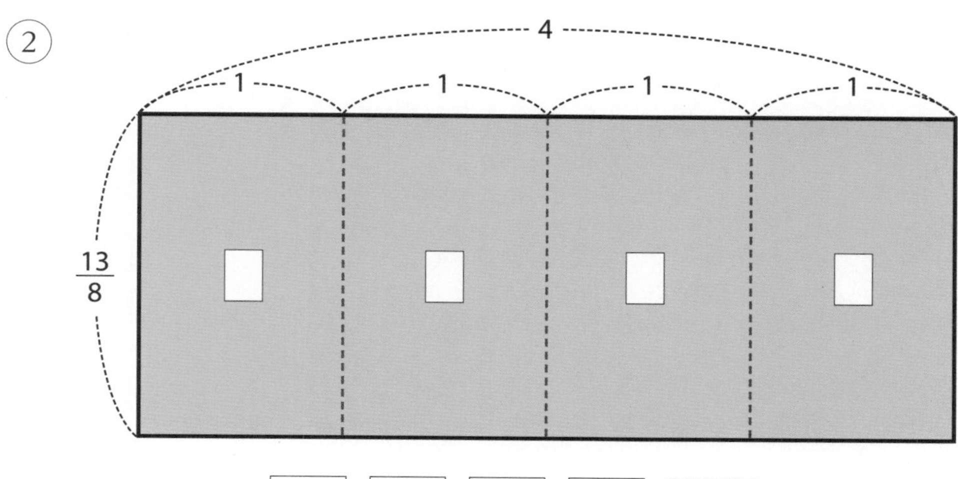

$\frac{13}{8} \times 4 = \square + \square + \square + \square = \square$

기약분수(대분수)

분수와 자연수의 곱셈

(6) (자연수)×(대분수)

예시문제

$3\times1\frac{2}{3}$를 알아봅시다.

1단계 **직사각형 그리기**

세로가 **3**이고 가로가 $1\frac{2}{3}$인 직사각형을 그립니다.

2단계 **대분수를 자연수와 진분수로 가르기**

대분수 $1\frac{2}{3}$를 자연수 부분과 진분수 부분으로 가르고, 두 개의 직사각형으로 자른 다음 각각의 넓이를 구합니다.

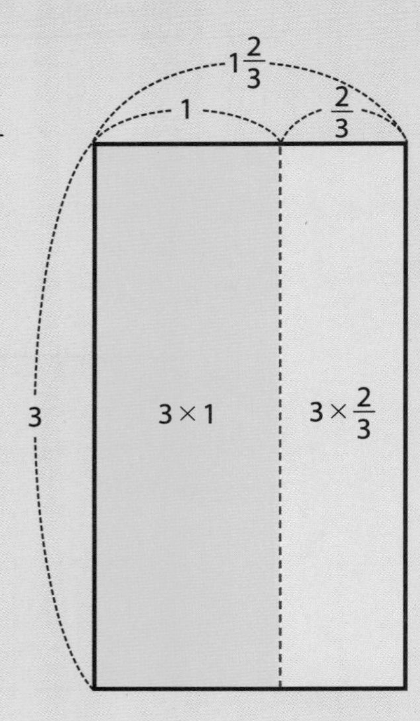

3단계 **곱셈식으로 나타내기**

$3\times1\frac{2}{3}=3\times(1+\frac{2}{3})$ 대분수 가르기

$=(3\times1)+(3\times\frac{2}{3})$ 두 직사각형 넓이 더하기

$=3+\frac{6}{3}=$ 5

핵심 포인트 대분수를 가분수로 바꾸어서 가분수의 곱셈으로 계산해도 됩니다.

$3\times1\frac{2}{3}=3\times\frac{5}{3}=\frac{15}{3}=5$

다음 그림을 보고 빈칸에 알맞은 수를 쓰세요.

①

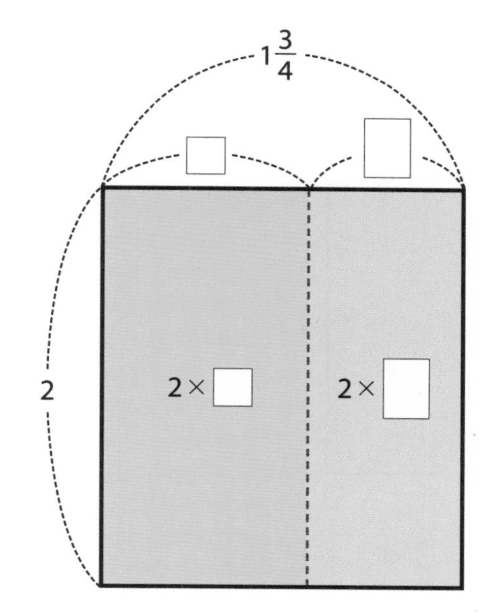

$$2\times1\frac{3}{4}$$

$$=2\times(\square+\square)$$

$$=(2\times\square)+(2\times\square)=\square$$

기약분수(대분수)

②

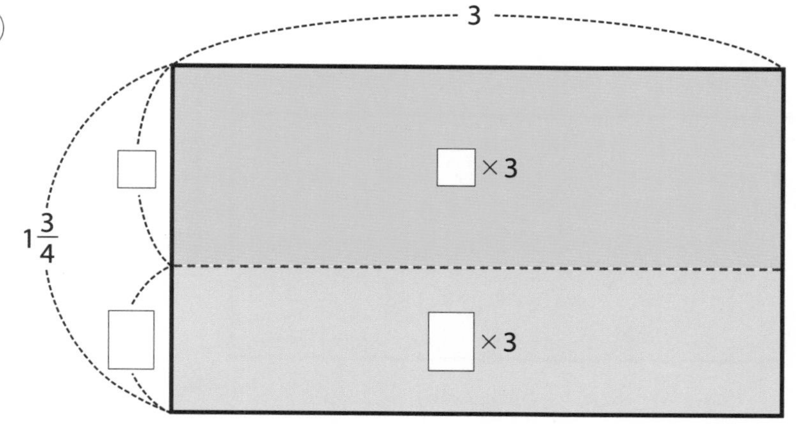

$$1\frac{3}{4}\times3=(\square+\square)\times3=(\square\times3)+(\square\times3)=\square$$

기약분수(대분수)

분수와 자연수의 곱셈

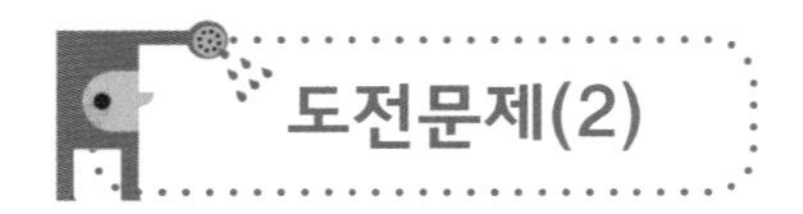

다음 그림을 보고 빈칸에 알맞은 수를 쓰세요.

①

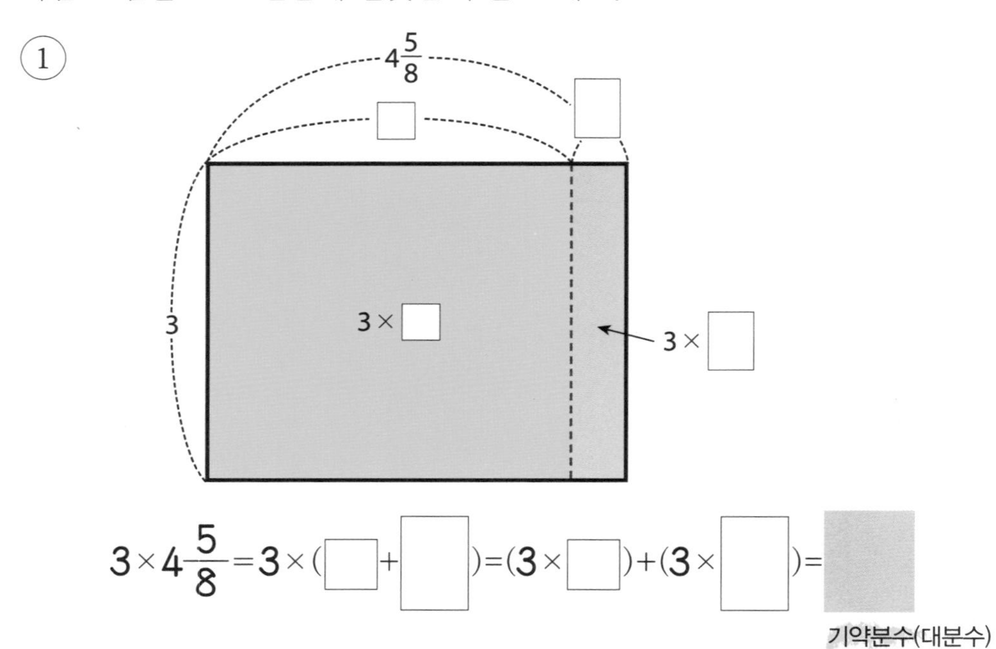

$$3\times4\frac{5}{8}=3\times(\square+\square)=(3\times\square)+(3\times\square)=\square$$

기약분수(대분수)

②

5

$1\frac{1}{6}$

$\square\times5$

$\square\times5$

$$1\frac{1}{6}\times5=(\square+\square)\times5=(\square\times5)+(\square\times5)=\square$$

기약분수(대분수)

다음 그림을 보고 빈칸에 알맞은 수를 쓰세요.

①

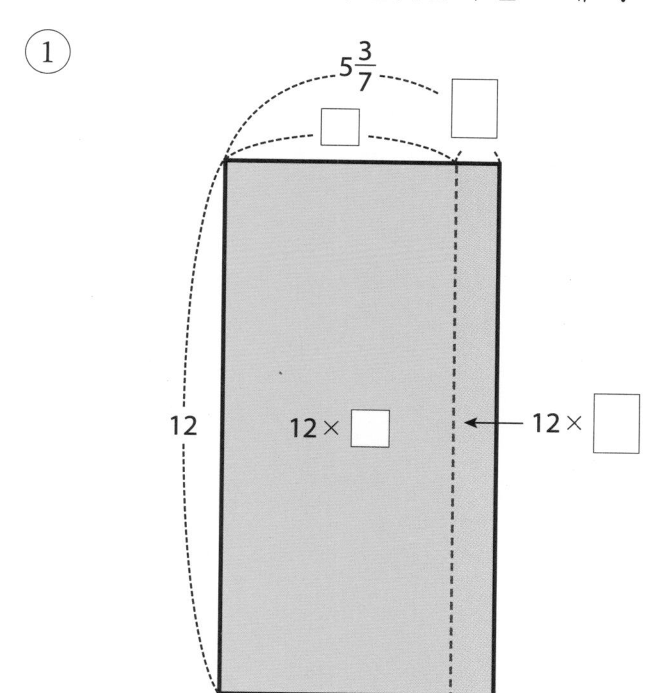

$12\times5\frac{3}{7}$

$=12\times(\square+\square)$

$=(12\times\square)+(12\times\square)$

$=\square$

기약분수(대분수)

②

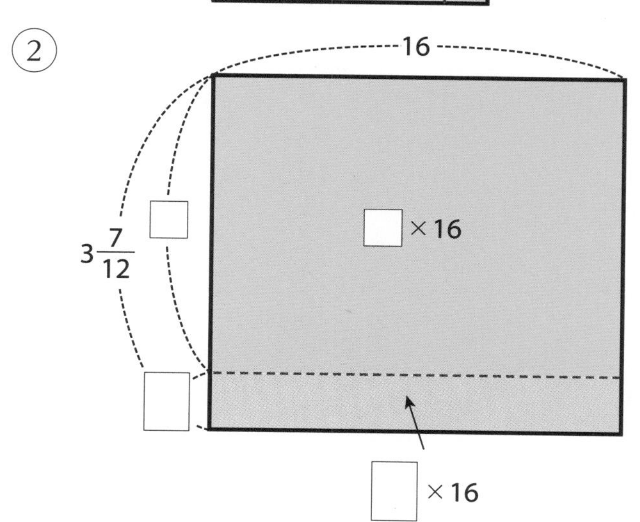

$3\frac{7}{12}\times16$

$=(\square+\square)\times16$

$=(\square\times16)+(\square\times16)$

$=\square$

기약분수(대분수)

분수와 자연수의 곱셈

빈칸에 알맞은 수를 쓰세요.

① $\frac{1}{7} \times 1 = \square$

② $\frac{7}{8} \times 1 = \square$

③ $\frac{6}{11} \times 1 = \square$

④ $\frac{5}{9} \times 1 = \square$

⑤ $1 \times \frac{7}{12} = \square$

⑥ $1 \times \frac{8}{9} = \square$

⑦ $1 \times \frac{6}{13} = \square$

⑧ $1 \times \frac{3}{10} = \square$

⑨ $\frac{13}{18} \times 1 = \square$

⑩ $1 \times \frac{43}{50} = \square$

⑪ $1 \times \frac{65}{77} = \square$

⑫ $\frac{59}{100} \times 1 = \square$

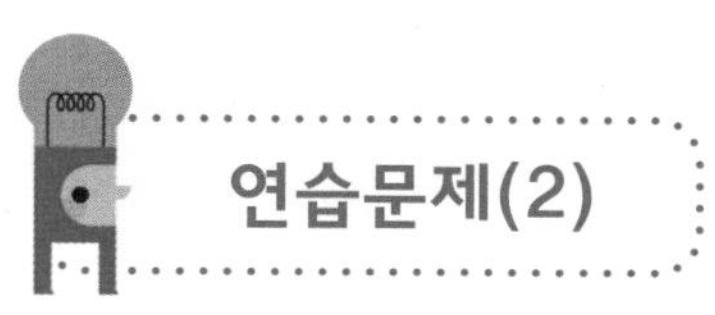

빈칸에 알맞은 수를 쓰세요.

① $\frac{1}{7} \times 6 = \square$

② $\frac{1}{7} \times 7 = \square$ 또는 $\square$

③ $\frac{1}{7} \times 8 = \square$ 또는 $\square$

④ $10 \times \frac{1}{7} = \square$ 또는 $\square$

⑤ $14 \times \frac{1}{7} = \square$ 또는 $\square$

⑥ $18 \times \frac{1}{7} = \square$ 또는 $\square$

⑦ $\frac{1}{7} \times 20 = \square$ 또는 $\square$

⑧ $\frac{1}{7} \times 21 = \square$ 또는 $\square$

⑨ $23 \times \frac{1}{7} = \square$ 또는 $\square$

⑩ $29 \times \frac{1}{7} = \square$ 또는 $\square$

⑪ $\frac{1}{7} \times 40 = \square$ 또는 $\square$

⑫ $100 \times \frac{1}{7} = \square$ 또는 $\square$

분수와 자연수의 곱셈

빈칸에 알맞은 수를 쓰세요.

① $\frac{5}{7} \times 6 =$ ☐ 또는 ☐

② $\frac{6}{7} \times 7 =$ ☐ 또는 ☐

③ $8 \times \frac{6}{7} =$ ☐ 또는 ☐

④ $10 \times \frac{4}{7} =$ ☐ 또는 ☐

⑤ $14 \times \frac{2}{7} =$ ☐ 또는 ☐

⑥ $\frac{5}{7} \times 18 =$ ☐ 또는 ☐

⑦ $\frac{4}{7} \times 20 =$ ☐ 또는 ☐

⑧ $\frac{3}{7} \times 21 =$ ☐ 또는 ☐

⑨ $23 \times \frac{2}{7} =$ ☐ 또는 ☐

⑩ $29 \times \frac{4}{7} =$ ☐ 또는 ☐

⑪ $\frac{3}{7} \times 40 =$ ☐ 또는 ☐

⑫ $100 \times \frac{6}{7} =$ ☐ 또는 ☐

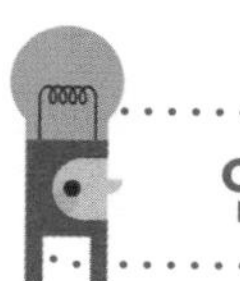

연습문제(4)

빈칸에 알맞은 수를 쓰세요.

① $\frac{2}{5} \times 4 = \square$ 또는 $\square$

② $\frac{3}{5} \times 7 = \square$ 또는 $\square$

③ $\frac{5}{6} \times 5 = \square$ 또는 $\square$

④ $\frac{4}{5} \times 5 = \square$ 또는 $\square$

⑤ $\frac{2}{3} \times 9 = \square$ 또는 $\square$

⑥ $\frac{2}{3} \times 10 = \square$ 또는 $\square$

⑦ $\frac{3}{4} \times 3 = \square$ 또는 $\square$

⑧ $\frac{3}{4} \times 8 = \square$ 또는 $\square$

⑨ $\frac{7}{6} \times 5 = \square$ 또는 $\square$

⑩ $\frac{7}{6} \times 7 = \square$ 또는 $\square$

⑪ $\frac{11}{12} \times 11 = \square$ 또는 $\square$

⑫ $\frac{7}{12} \times 13 = \square$ 또는 $\square$

분수와 자연수의 곱셈

빈칸에 알맞은 수를 쓰세요.(단, 계산 결과는 대분수로 쓰세요.)

① $3\times2\frac{1}{4}=$ □

② $3\times5\frac{1}{4}=$ □

③ $6\times2\frac{1}{3}=$ □

④ $9\times1\frac{3}{4}=$ □

⑤ $7\frac{4}{15}\times18=$ □

⑥ $7\frac{4}{15}\times15=$ □

⑦ $25\times2\frac{2}{5}=$ □

⑧ $25\times2\frac{2}{7}=$ □

⑨ $1\frac{3}{5}\times22=$ □

⑩ $1\frac{3}{5}\times12=$ □

⑪ $5\frac{5}{12}\times20=$ □

⑫ $5\frac{11}{12}\times60=$ □

분수와 분수의 곱셈

분수와 분수의 곱셈

(1) (단위분수)×(단위분수)

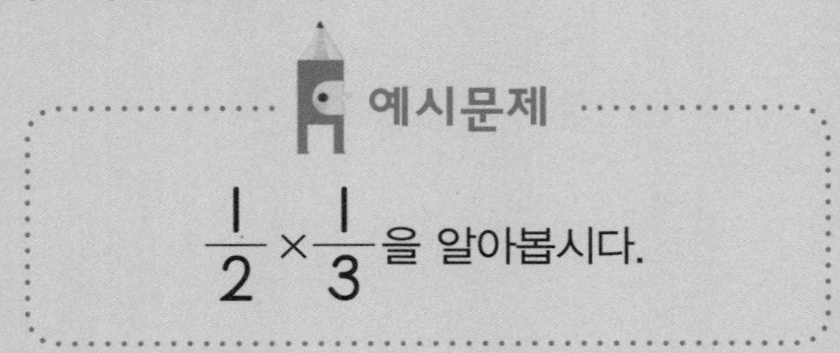

예시문제

$\frac{1}{2} \times \frac{1}{3}$을 알아봅시다.

1단계 **직사각형 그리기**

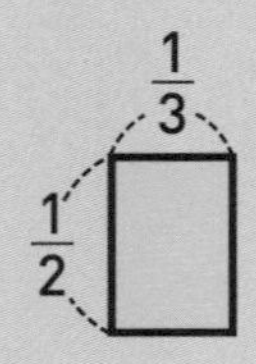

2단계 **단위정사각형과 비교하기**

단위정사각형과 비교하여 넓이를 구합니다.

단위정사각형

1

1 1

$\frac{1}{3}$

$\frac{1}{2}$ $\frac{1}{6}$

전체는 2×3 조각
색칠은 1×1 조각

3단계 **곱셈식으로 나타내기**

$$\frac{1}{2} \times \frac{1}{3} = \frac{1}{6}$$

핵심 포인트 $\frac{1}{2} \times \frac{1}{3} = \frac{1}{6}$이고 $\frac{1}{6} = \frac{1 \times 1}{2 \times 3}$이므로, $\frac{1}{2} \times \frac{1}{3} = \frac{1 \times 1}{2 \times 3}$

분수와 분수의 곱셈

다음 사각형에 분수만큼 색칠하고, 빈칸에 알맞은 수를 쓰세요.

① $\frac{1}{2} \times \frac{1}{4} =$ ☐

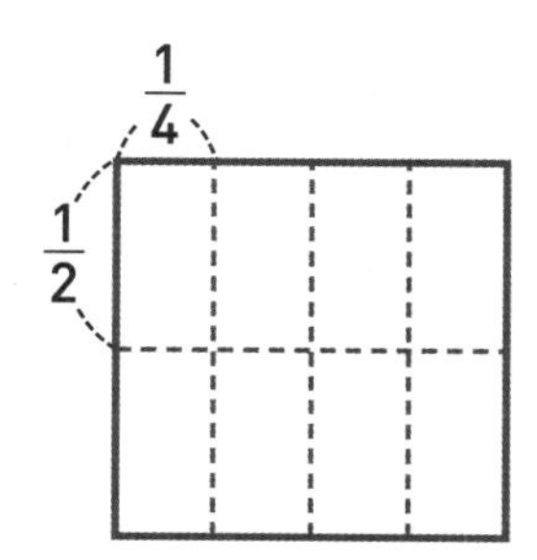

② $\frac{1}{3} \times \frac{1}{4} =$ ☐

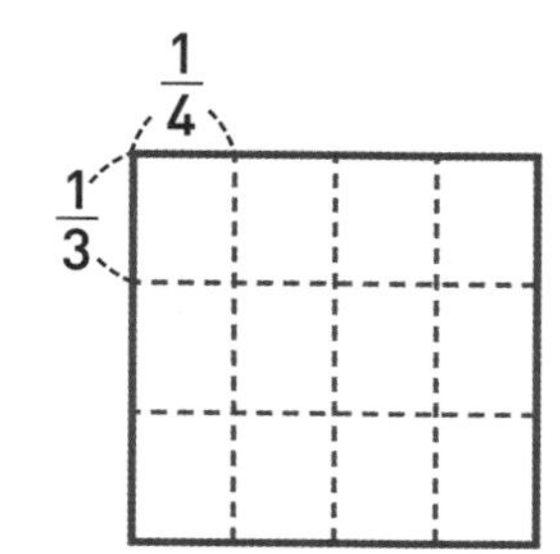

③ $\frac{1}{4} \times \frac{1}{3} =$ ☐

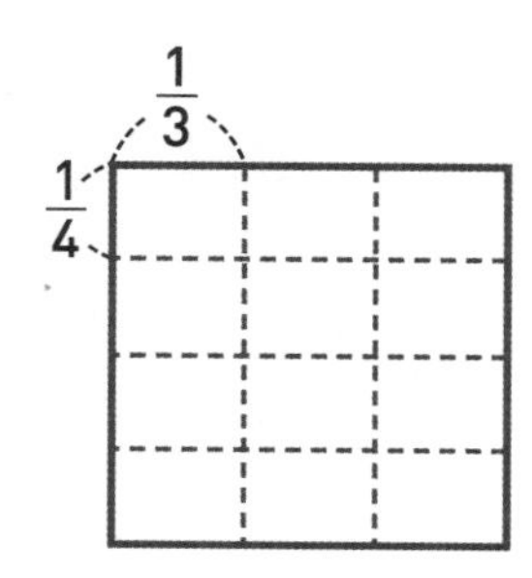

④ $\frac{1}{3} \times \frac{1}{5} =$ ☐

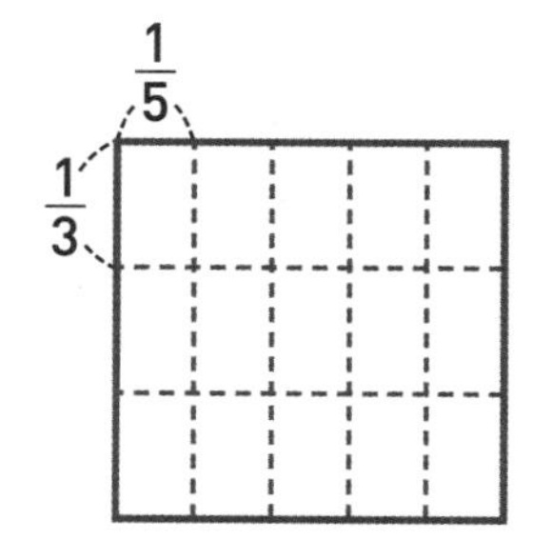

⑤ $\frac{1}{4} \times \frac{1}{5} =$ ☐

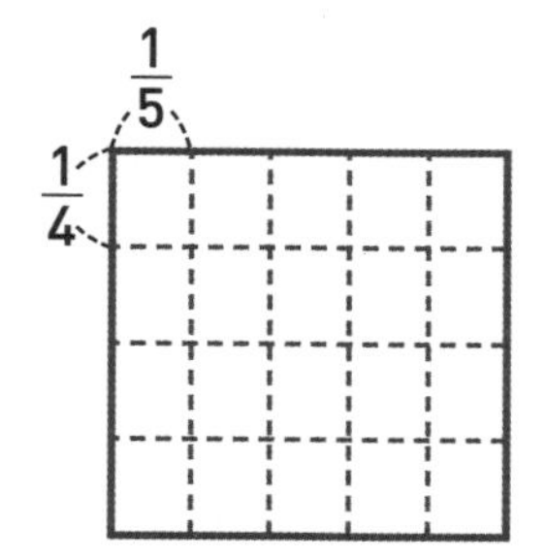

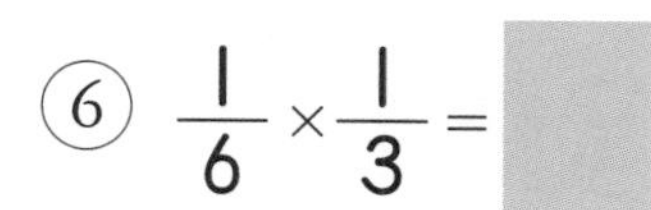

⑥ $\frac{1}{6} \times \frac{1}{3} =$ ☐

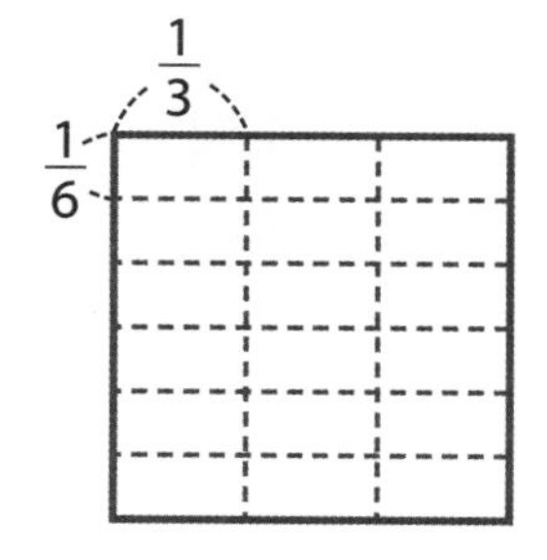

분수와 분수의 곱셈

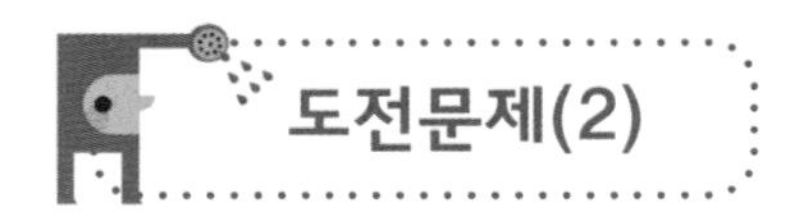

색칠된 직사각형의 크기를 구하는 곱셈식을 쓰세요.

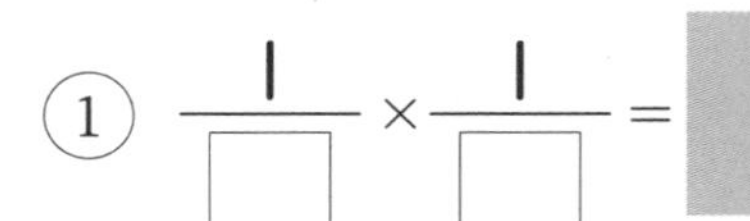

① $\frac{1}{\square} \times \frac{1}{\square} = \square$

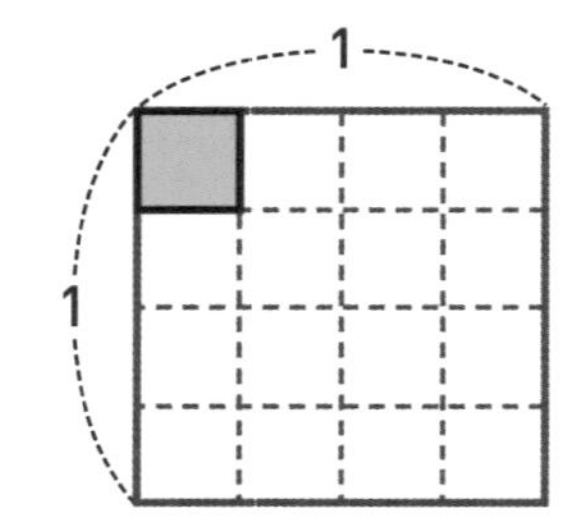

② $\frac{1}{\square} \times \frac{1}{\square} = \square$

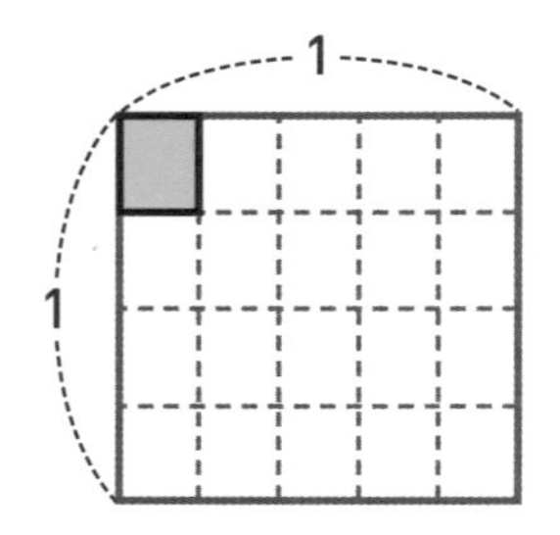

③ $\frac{1}{\square} \times \frac{1}{\square} = \square$

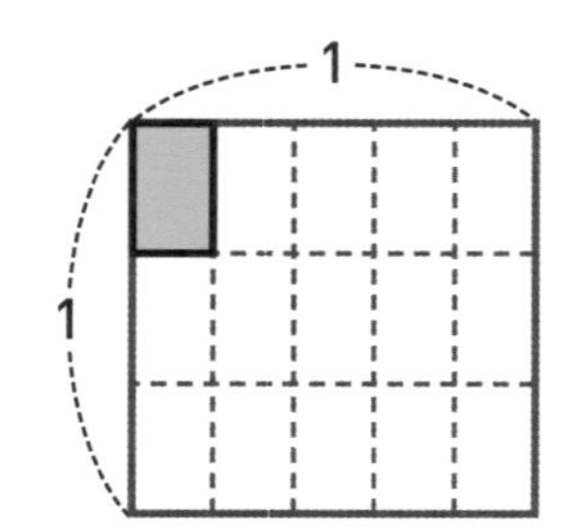

④ $\frac{1}{\square} \times \frac{1}{\square} = \square$

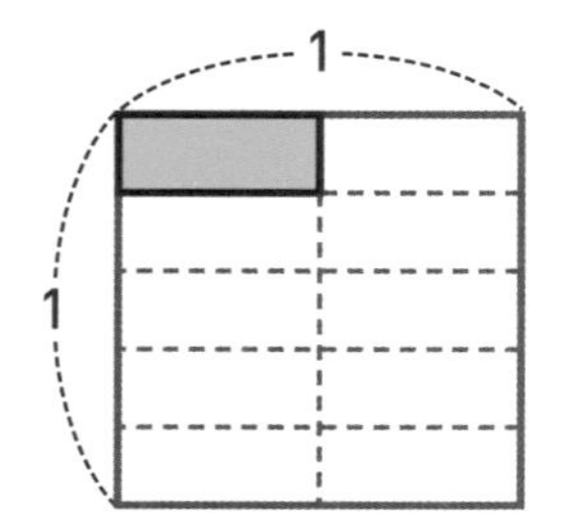

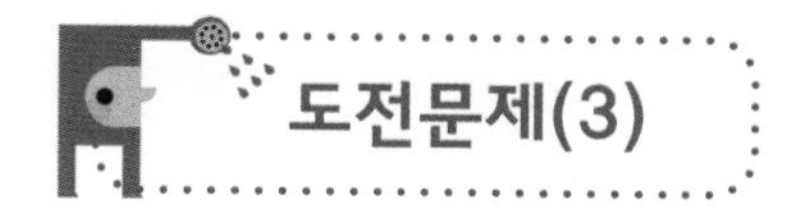

다음 빈칸에 알맞은 수를 쓰세요.

① $\frac{1}{5} \times \frac{1}{3} = \frac{\square \times \square}{\square \times \square} = \square$

② $\frac{1}{4} \times \frac{1}{7} = \frac{\square \times \square}{\square \times \square} = \square$

③ $\frac{1}{6} \times \frac{1}{6} = \frac{\square \times \square}{\square \times \square} = \square$

④ $\frac{1}{2} \times \frac{1}{8} = \frac{\square \times \square}{\square \times \square} = \square$

⑤ $\frac{1}{5} \times \frac{1}{7} = \frac{\square \times \square}{\square \times \square} = \square$

⑥ $\frac{1}{7} \times \frac{1}{3} = \frac{\square \times \square}{\square \times \square} = \square$

⑦ $\frac{1}{8} \times \frac{1}{2} = \frac{\square \times \square}{\square \times \square} = \square$

⑧ $\frac{1}{9} \times \frac{1}{5} = \frac{\square \times \square}{\square \times \square} = \square$

⑨ $\frac{1}{10} \times \frac{1}{6} = \frac{\square \times \square}{\square \times \square} = \square$

⑩ $\frac{1}{9} \times \frac{1}{16} = \frac{\square \times \square}{\square \times \square} = \square$

⑪ $\frac{1}{15} \times \frac{1}{8} = \frac{\square \times \square}{\square \times \square} = \square$

⑫ $\frac{1}{12} \times \frac{1}{13} = \frac{\square \times \square}{\square \times \square} = \square$

분수와 분수의 곱셈

(2) (진분수)×(진분수)

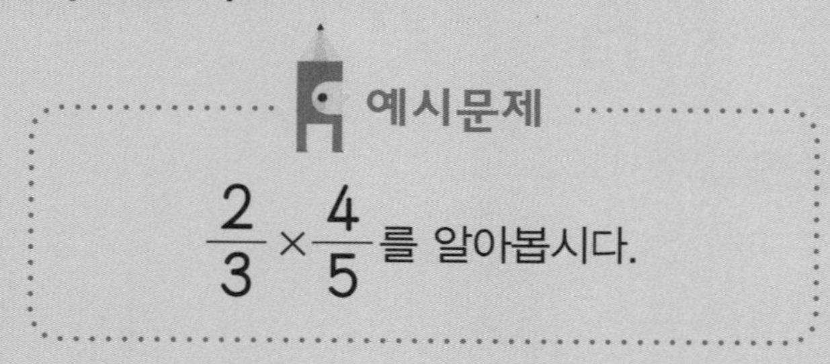

예시문제

$\frac{2}{3}\times\frac{4}{5}$를 알아봅시다.

1단계 직사각형 그리기

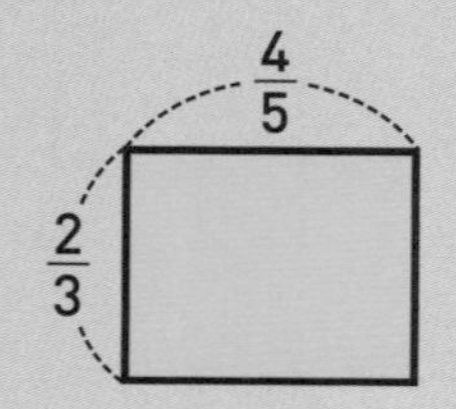

2단계 단위분수로 자르기

단위분수로 자른 다음 개수를 세어 전체 넓이를 구합니다.

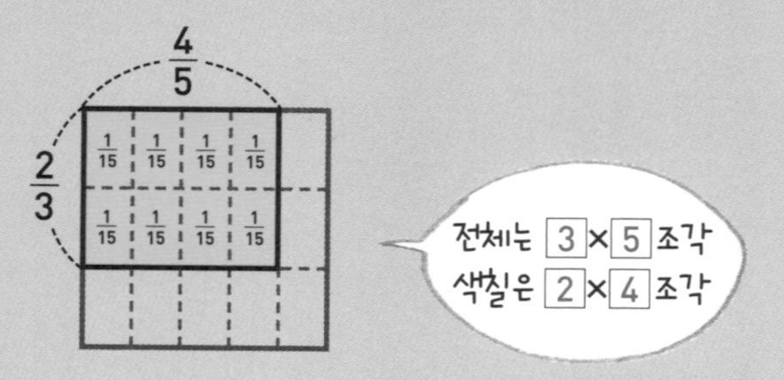

3단계 곱셈식으로 나타내기

$$\frac{2}{3}\times\frac{4}{5}=\frac{8}{15}$$

핵심 포인트 $\frac{2}{3}\times\frac{4}{5}=\frac{8}{15}$이고 $\frac{8}{15}=\frac{2\times4}{3\times5}$이므로, $\frac{2}{3}\times\frac{4}{5}=\frac{2\times4}{3\times5}$

곱셈식에 맞게 색칠을 하고, 빈칸에 알맞은 수를 쓰세요.

① $\frac{1}{2} \times \frac{3}{4} =$ □

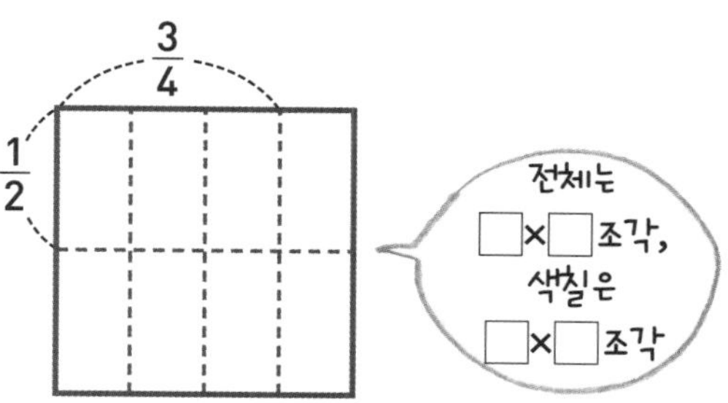

② 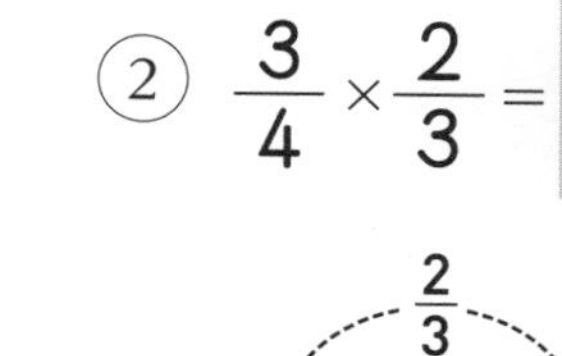

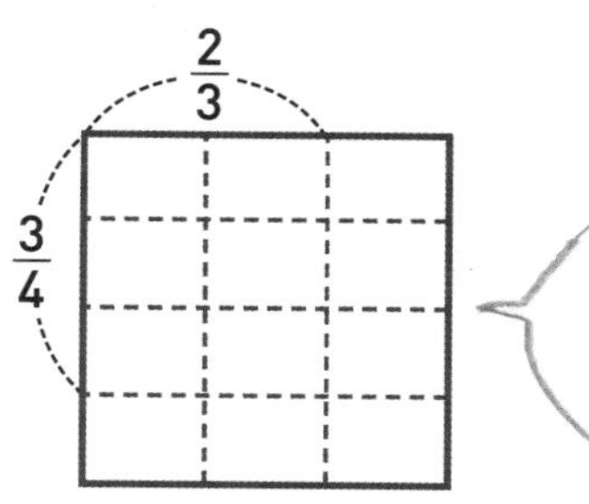

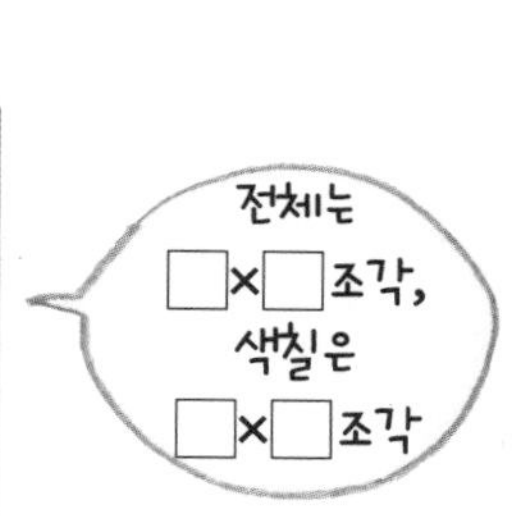

③ $\frac{2}{3} \times \frac{2}{5} =$ □

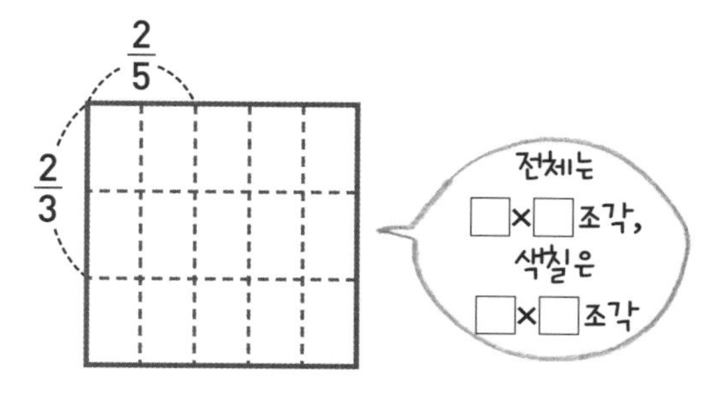

④ 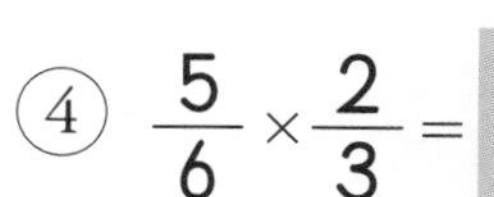

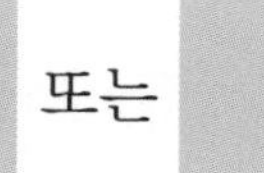

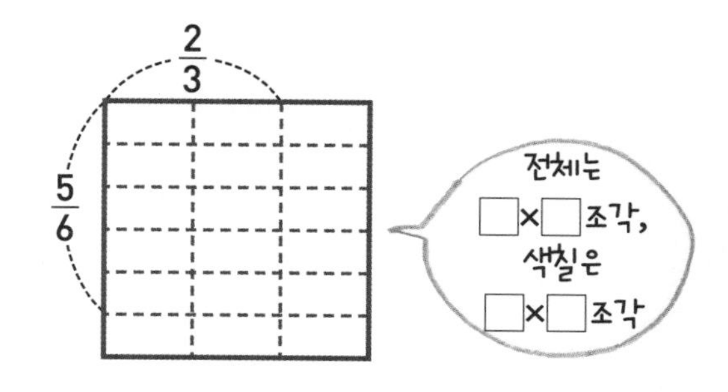

분수와 분수의 곱셈

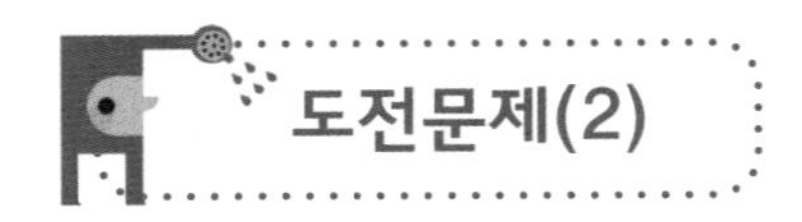

곱셈식에 맞게 색칠을 하고, 빈칸에 알맞은 수를 쓰세요.

① $\frac{2}{3} \times \frac{2}{4} = \square$ 또는 $\square$

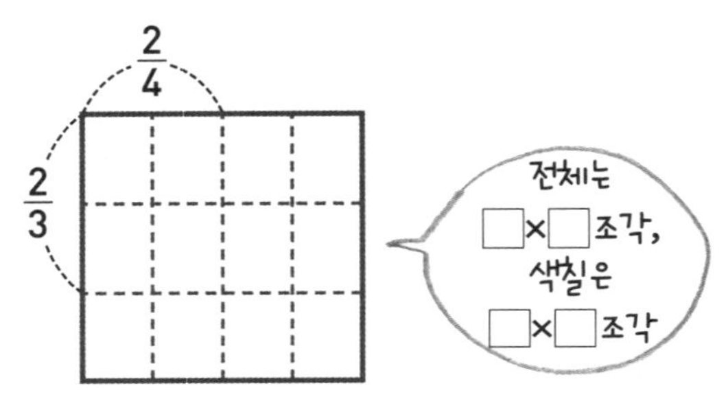

② $\frac{3}{4} \times \frac{3}{4} = \square$

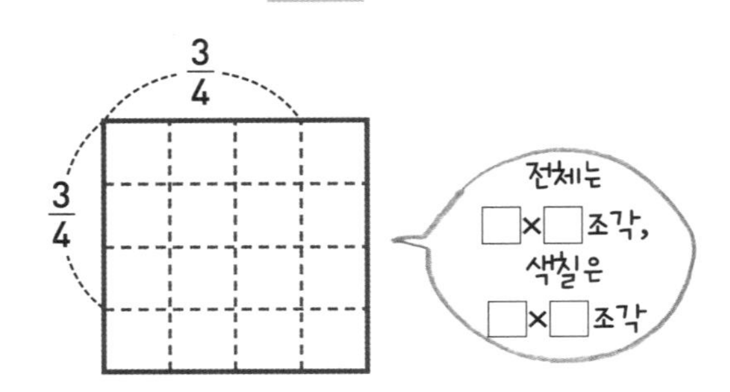

③ $\frac{2}{4} \times \frac{4}{5} = \square$ 또는 $\square$

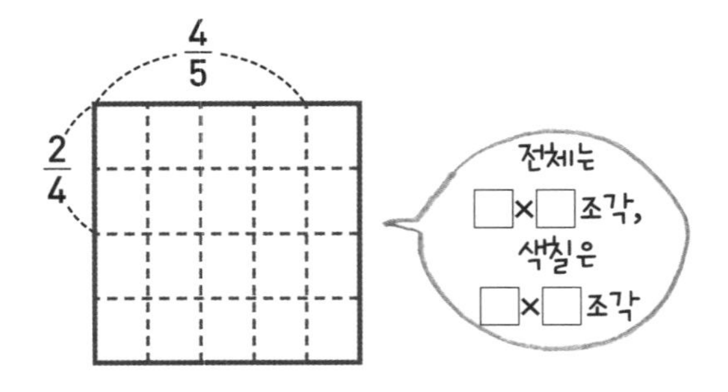

④ 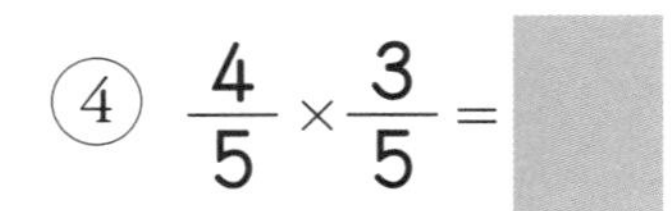
$\frac{4}{5} \times \frac{3}{5} = \square$

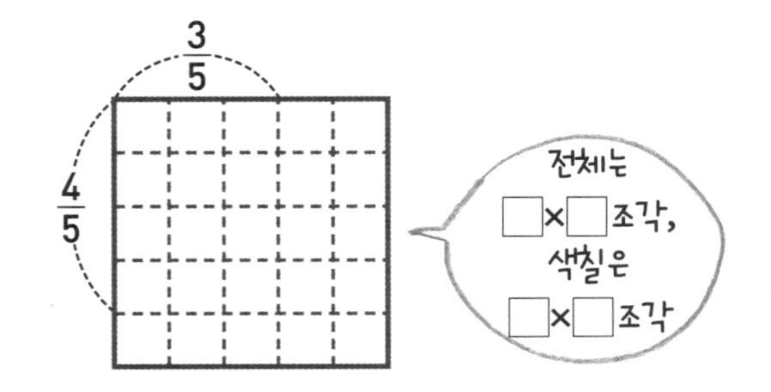

다음 빈칸에 알맞은 수를 쓰세요.(단, 계산 결과는 기약분수로 쓰세요.)

① $\frac{2}{5}\times\frac{2}{3}=\frac{\square\times\square}{\square\times\square}=\square$

② $\frac{3}{4}\times\frac{2}{7}=\frac{\square\times\square}{\square\times\square}=\square$

③ $\frac{4}{6}\times\frac{5}{6}=\frac{\square\times\square}{\square\times\square}=\square$

④ $\frac{1}{2}\times\frac{7}{8}=\frac{\square\times\square}{\square\times\square}=\square$

⑤ $\frac{4}{5}\times\frac{3}{7}=\frac{\square\times\square}{\square\times\square}=\square$

⑥ $\frac{4}{7}\times\frac{2}{3}=\frac{\square\times\square}{\square\times\square}=\square$

⑦ $\frac{5}{8}\times\frac{1}{2}=\frac{\square\times\square}{\square\times\square}=\square$

⑧ $\frac{8}{9}\times\frac{4}{5}=\frac{\square\times\square}{\square\times\square}=\square$

⑨ $\frac{3}{10}\times\frac{5}{6}=\frac{\square\times\square}{\square\times\square}=\square$

⑩ $\frac{5}{12}\times\frac{4}{15}=\frac{\square\times\square}{\square\times\square}=\square$

⑪ $\frac{11}{15}\times\frac{5}{13}=\frac{\square\times\square}{\square\times\square}=\square$

⑫ $\frac{7}{18}\times\frac{9}{14}=\frac{\square\times\square}{\square\times\square}=\square$

분수와 분수의 곱셈

(3) (가분수)×(가분수)

예시문제

$\frac{4}{3} \times \frac{6}{5}$을 알아봅시다.

1단계 직사각형 그리기

2단계 단위분수로 자르기

단위분수로 자른 다음 개수를 세어 전체 넓이를 구합니다.

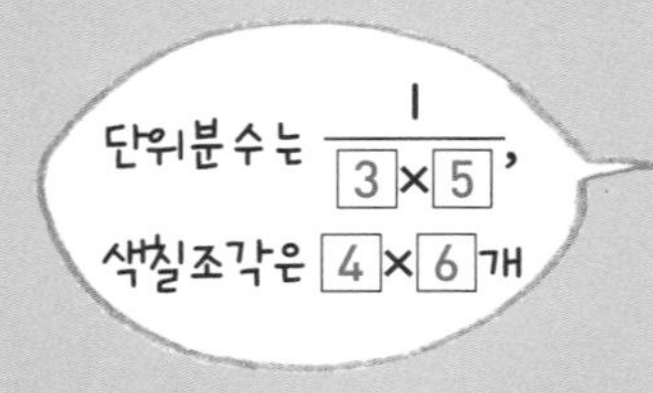

3단계 곱셈식으로 나타내기

$\frac{4}{3} \times \frac{6}{5} = \boxed{\frac{24}{15}} = \boxed{\frac{8}{5}} = \boxed{1\frac{3}{5}}$

약분하기

대분수로 바꾸기

다음 직사각형에 분수만큼 색칠하고, 빈칸에 알맞은 수를 쓰세요.

①

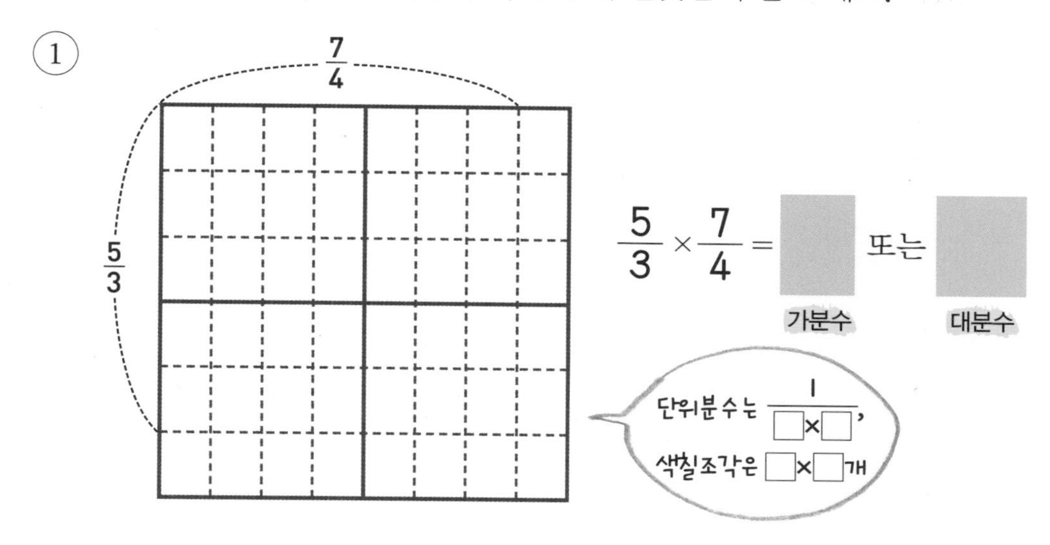

②

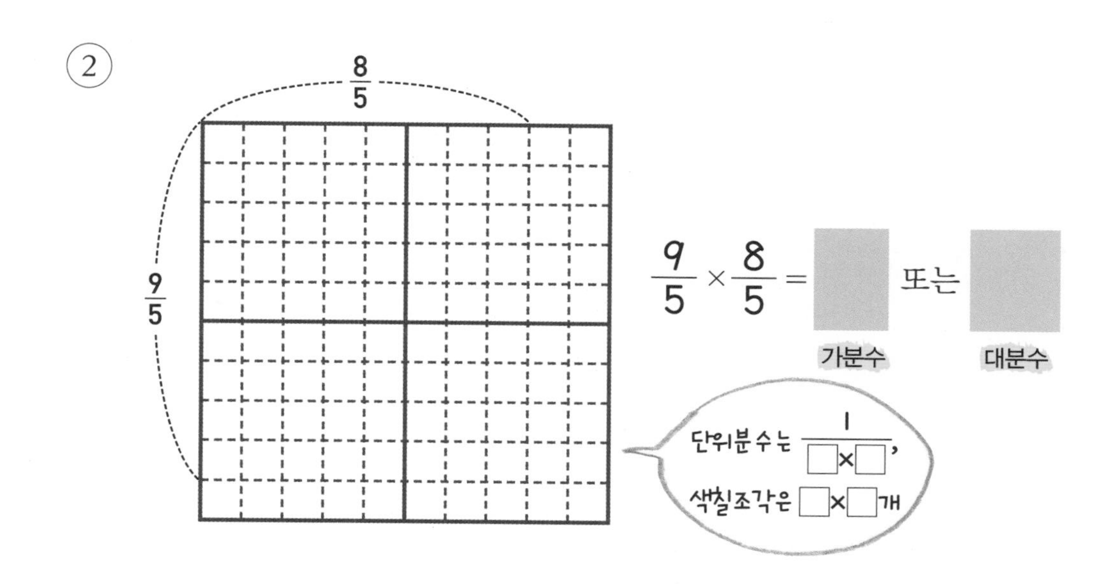

분수와 분수의 곱셈

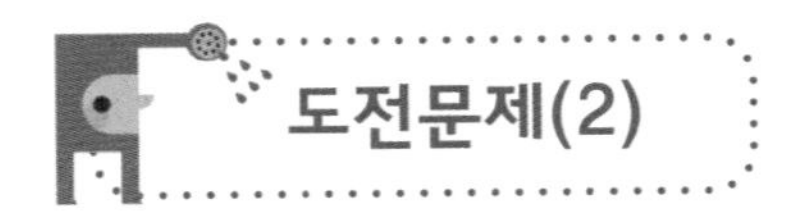

다음 직사각형에 분수만큼 색칠하고, 빈칸에 알맞은 수를 쓰세요.

①

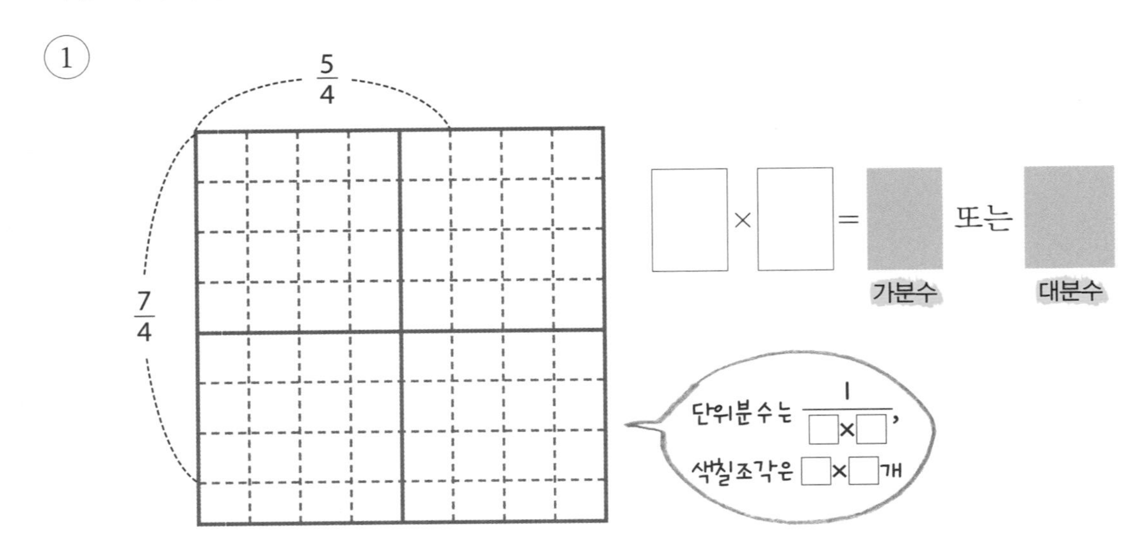

②

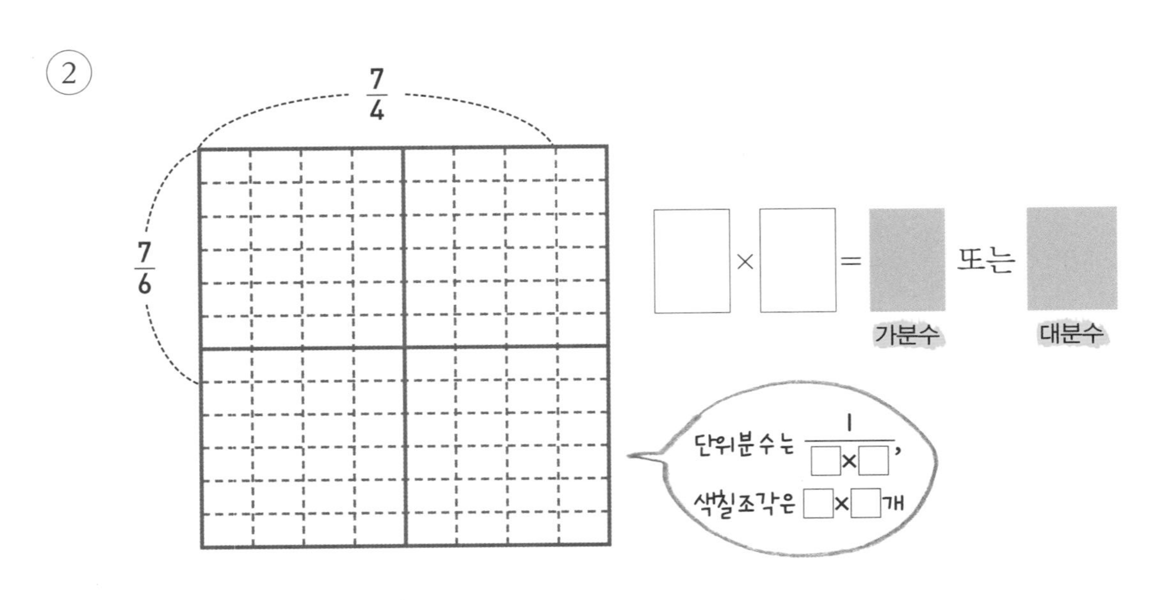

도전문제(3)

다음 빈칸에 알맞은 수를 쓰세요.(단, 계산 결과는 약분하여 가분수로 쓰세요.)

① $\frac{6}{5}\times\frac{4}{3}=\frac{\square\times\square}{\square\times\square}=\square$

② $\frac{5}{4}\times\frac{8}{7}=\frac{\square\times\square}{\square\times\square}=\square$

③ $\frac{7}{5}\times\frac{9}{7}=\frac{\square\times\square}{\square\times\square}=\square$

④ $\frac{5}{2}\times\frac{9}{8}=\frac{\square\times\square}{\square\times\square}=\square$

⑤ $\frac{9}{8}\times\frac{9}{7}=\frac{\square\times\square}{\square\times\square}=\square$

⑥ $\frac{11}{7}\times\frac{7}{3}=\frac{\square\times\square}{\square\times\square}=\square$

⑦ $\frac{11}{6}\times\frac{5}{6}=\frac{\square\times\square}{\square\times\square}=\square$

⑧ $\frac{15}{9}\times\frac{8}{5}=\frac{\square\times\square}{\square\times\square}=\square$

⑨ $\frac{13}{10}\times\frac{7}{6}=\frac{\square\times\square}{\square\times\square}=\square$

⑩ $\frac{17}{12}\times\frac{12}{15}=\frac{\square\times\square}{\square\times\square}=\square$

⑪ $\frac{39}{15}\times\frac{19}{13}=\frac{\square\times\square}{\square\times\square}=\square$

⑫ $\frac{25}{18}\times\frac{27}{15}=\frac{\square\times\square}{\square\times\square}=\square$

분수와 분수의 곱셈

(4) (대분수)×(대분수) ① 전개하기

예시문제

$2\frac{2}{3} \times 3\frac{2}{5}$ 를 알아봅시다.

1단계 직사각형 그리기

2단계 대분수를 자연수와 진분수로 가르기

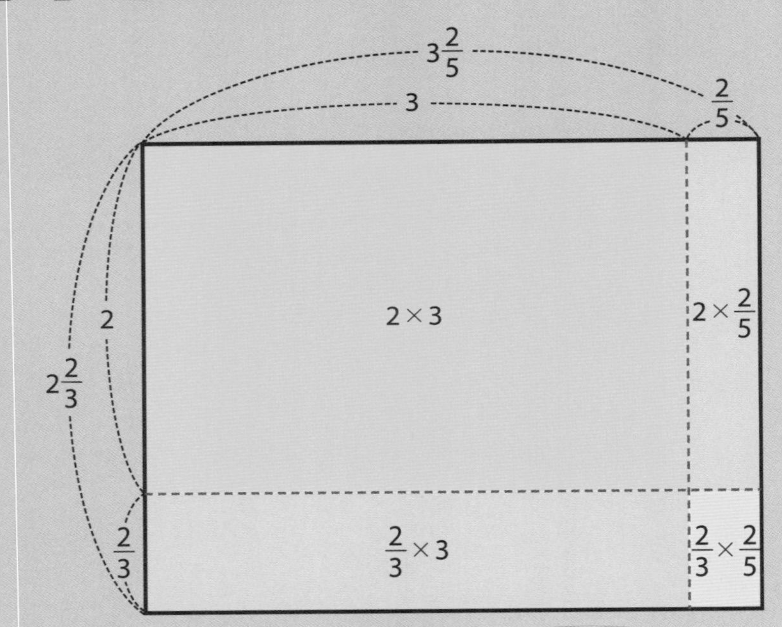

3단계 곱셈식으로 나타내기

네 직사각형의 넓이 더하기

$$2\frac{2}{3} \times 3\frac{2}{5} = (2+\frac{2}{3}) \times (3+\frac{2}{5}) = (2\times3)+(2\times\frac{2}{5})+(\frac{2}{3}\times3)+(\frac{2}{3}\times\frac{2}{5})$$

대분수 가르기

$$= 6+\frac{4}{5}+\frac{\cancel{6}^{2}}{\cancel{3}_{1}}+\frac{4}{15} = 8+\frac{16}{15} = 9\frac{1}{15}$$

핵심 포인트 대분수를 가분수로 바꾸어서 가분수의 곱셈으로 계산해도 됩니다.

다음 그림을 보고 빈칸에 알맞은 수를 쓰세요.

①

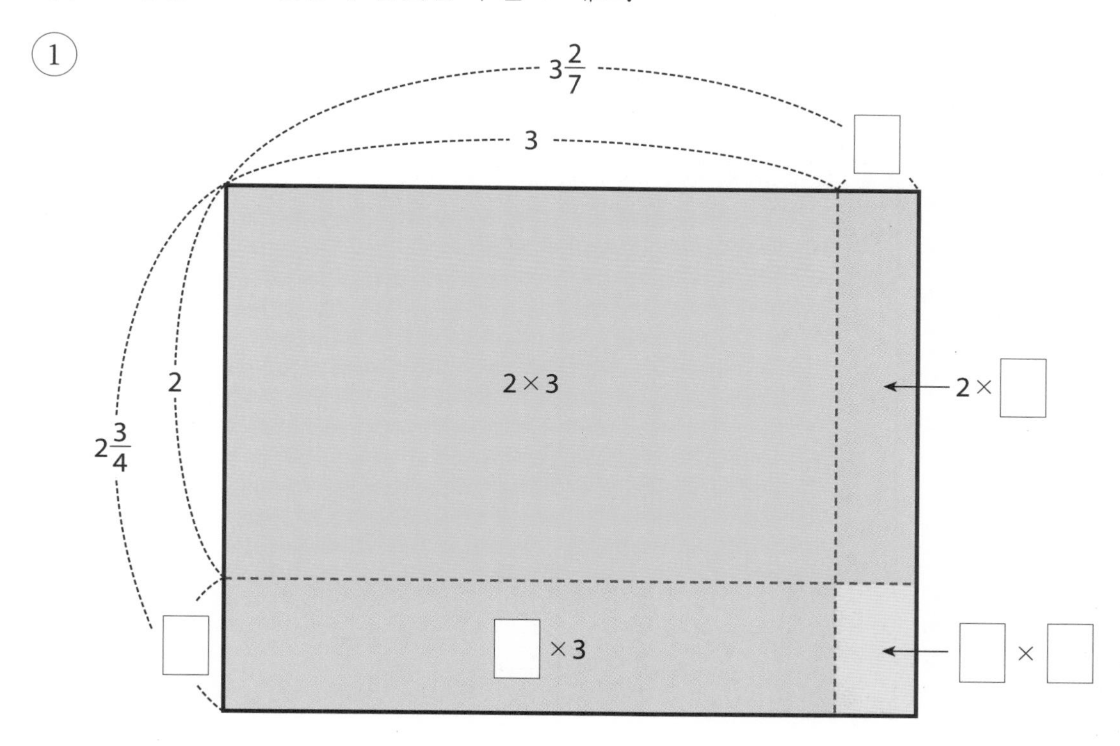

$2\frac{3}{4}\times3\frac{2}{7}$

$=(2+\square)\times(3+\square)=(2\times3)+(2\times\square)+(\square\times3)+(\square\times\square)$

$=6+\square+\square+\square=6+\square=\square$

기약분수(대분수)

분수와 분수의 곱셈

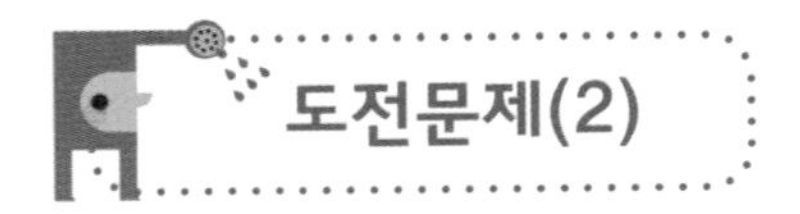

다음 그림을 보고 빈칸에 알맞은 수를 쓰세요.

①

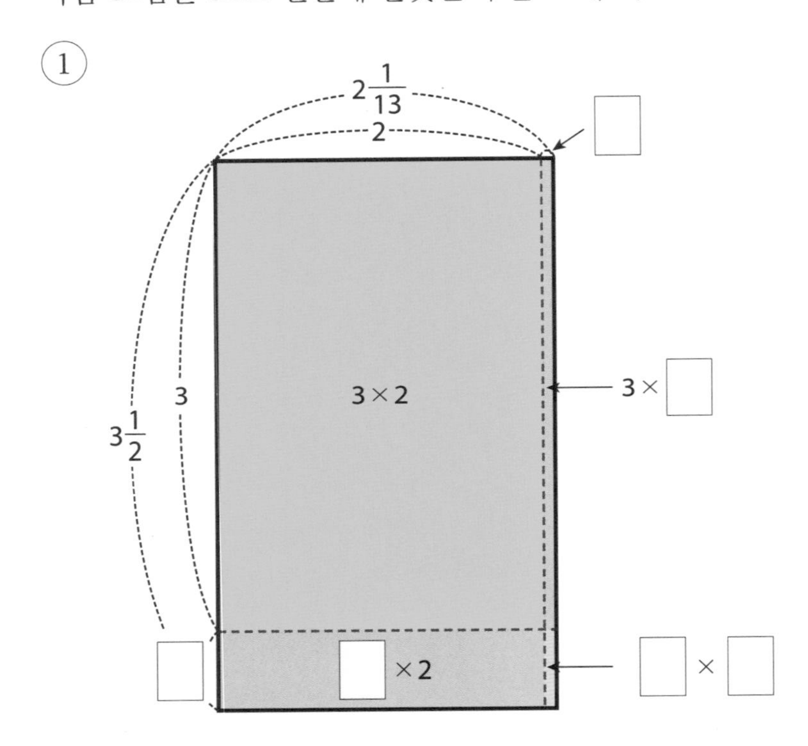

$3\frac{1}{2} \times 2\frac{1}{13}$

$= (3 + \square) \times (2 + \square) = (3 \times 2) + (3 \times \square) + (\square \times 2) + (\square \times \square)$

$= 6 + \square + \square + \square = 7 + \square = \square$

기약분수(대분수)

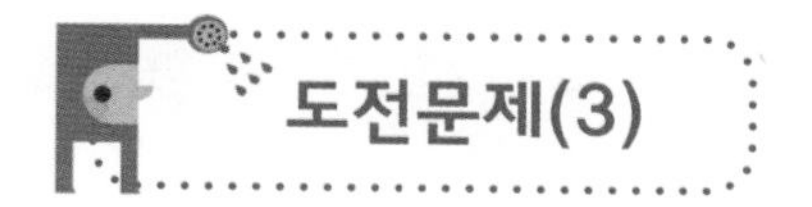

다음 그림을 보고 빈칸에 알맞은 수를 쓰세요.

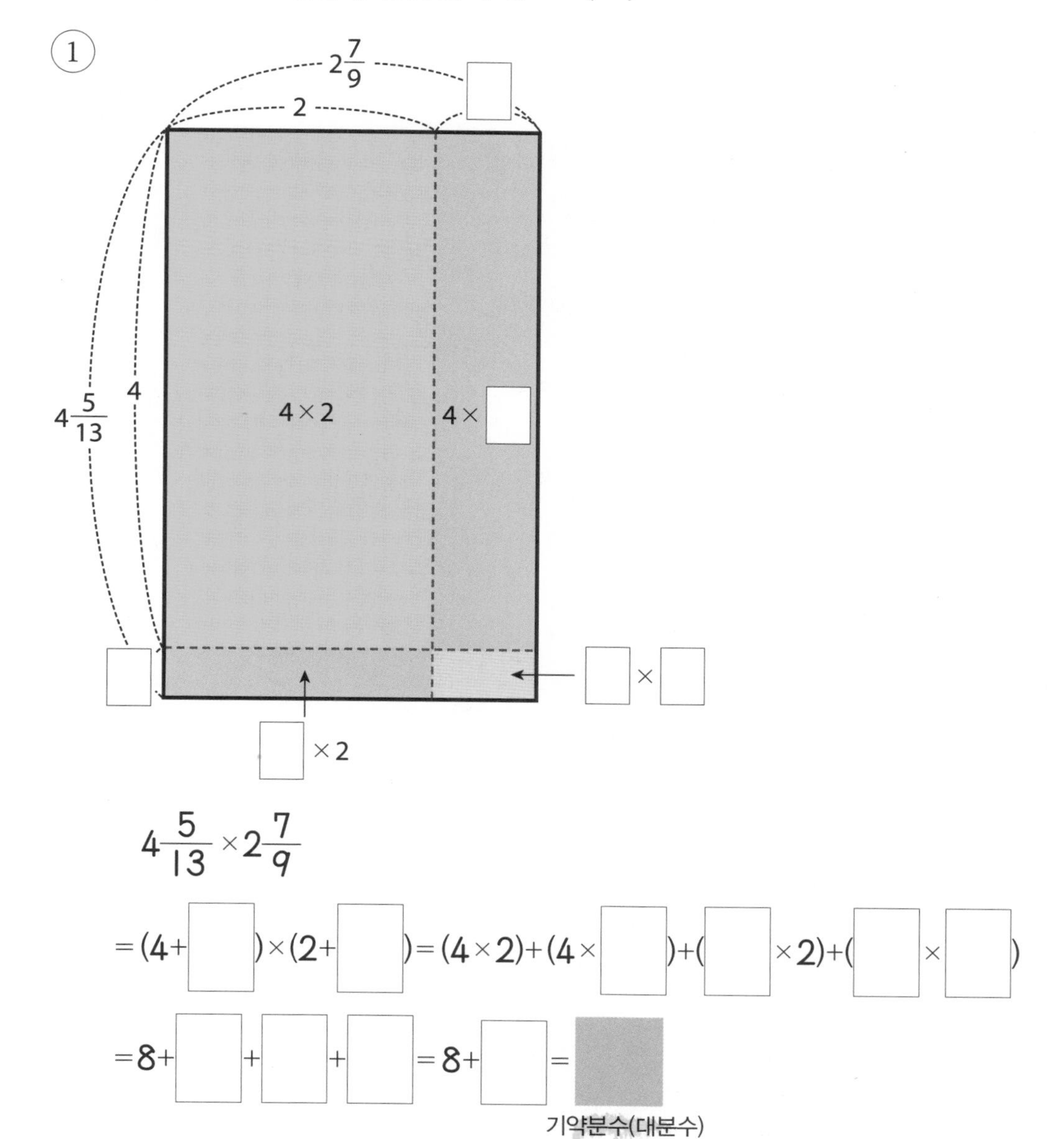

분수와 분수의 곱셈

(5) (대분수)×(대분수) ② 가분수로 바꾸기

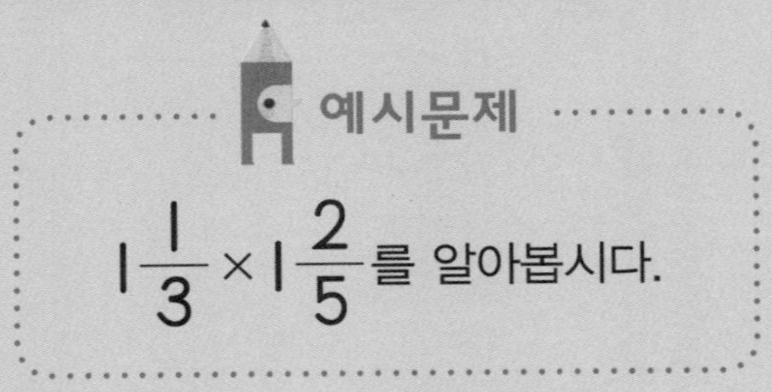

$1\frac{1}{3}\times1\frac{2}{5}$를 알아봅시다.

1단계 직사각형 그리기

2단계 단위분수로 자르기

대분수를 가분수로 바꾸고 단위분수로 자른 다음 개수를 세어 전체 넓이를 구합니다.

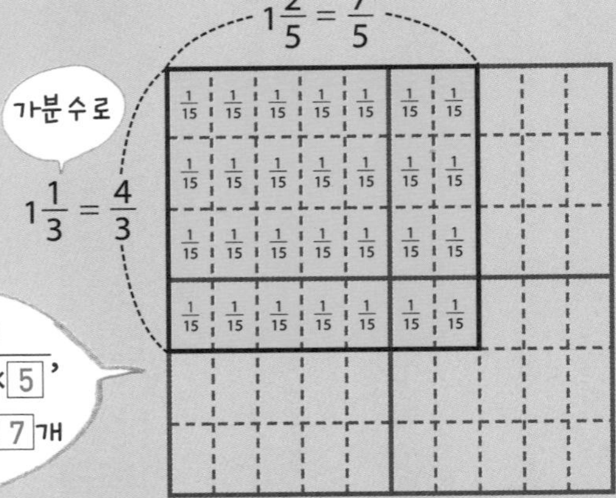

단위분수는 $\frac{1}{3\times5}$, 색칠조각은 4×7개

3단계 곱셈식으로 나타내기

$$1\frac{1}{3}\times1\frac{2}{5}=\frac{4}{3}\times\frac{7}{5}=\frac{28}{15}=1\frac{13}{15}$$

핵심 포인트 $1\frac{1}{3}\times1\frac{2}{5}=\frac{4}{3}\times\frac{7}{5}=\frac{28}{15}$이고 $\frac{28}{15}=\frac{4\times7}{3\times5}$이므로, $\frac{4}{3}\times\frac{7}{5}=\frac{4\times7}{3\times5}$

분수와 분수의 곱셈

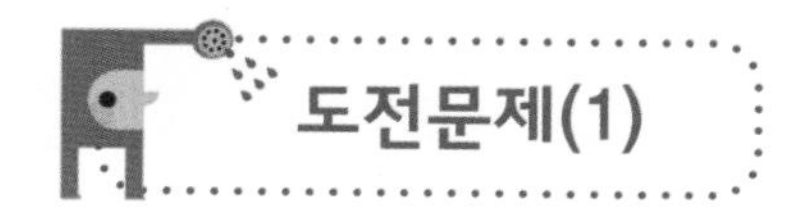

다음 직사각형에 분수만큼 색칠해 넓이를 구하고, 빈칸에 알맞은 수를 쓰세요.

① $1\frac{2}{3} \times 1\frac{4}{5} = \frac{\square}{3} \times \frac{\square}{5} = \square$

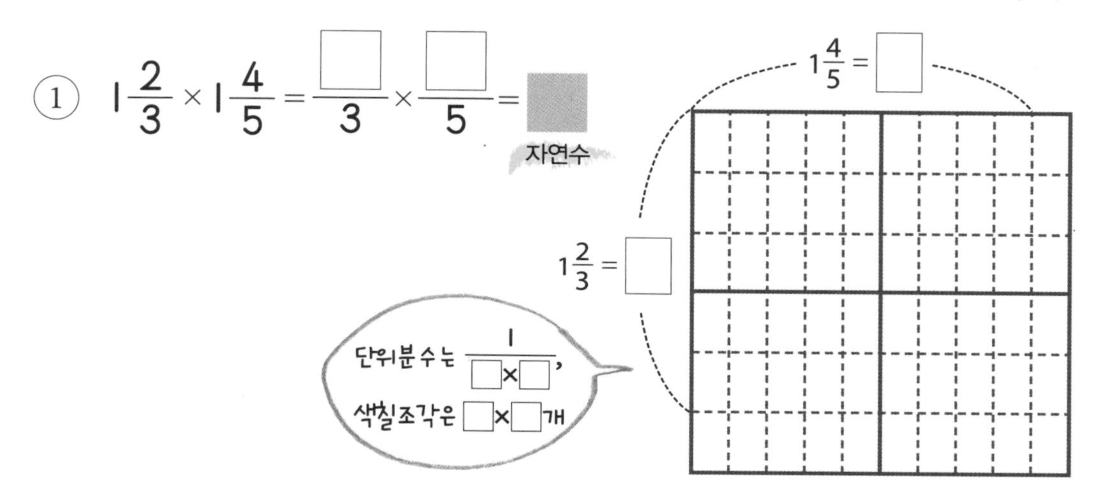

② $2\frac{2}{3} \times 1\frac{3}{5} = \frac{\square}{3} \times \frac{\square}{5} = \square$

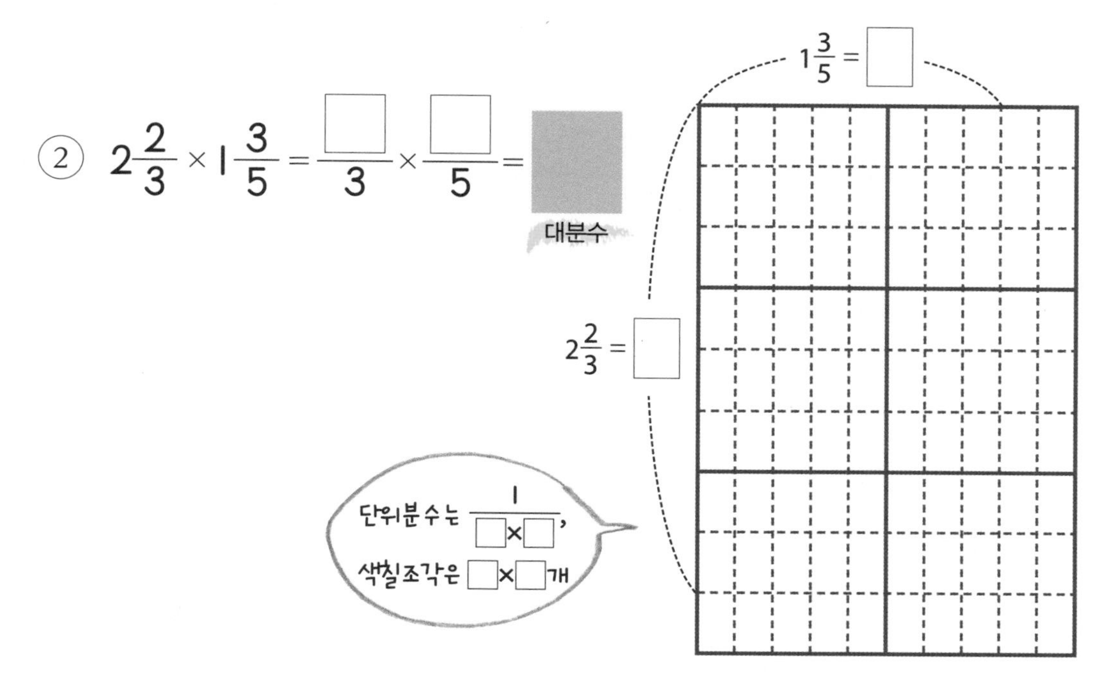

분수와 분수의 곱셈

도전문제(2)

다음 직사각형에 분수만큼 색칠을 하여 넓이를 구하고, 빈칸에 알맞은 수를 쓰세요.

①

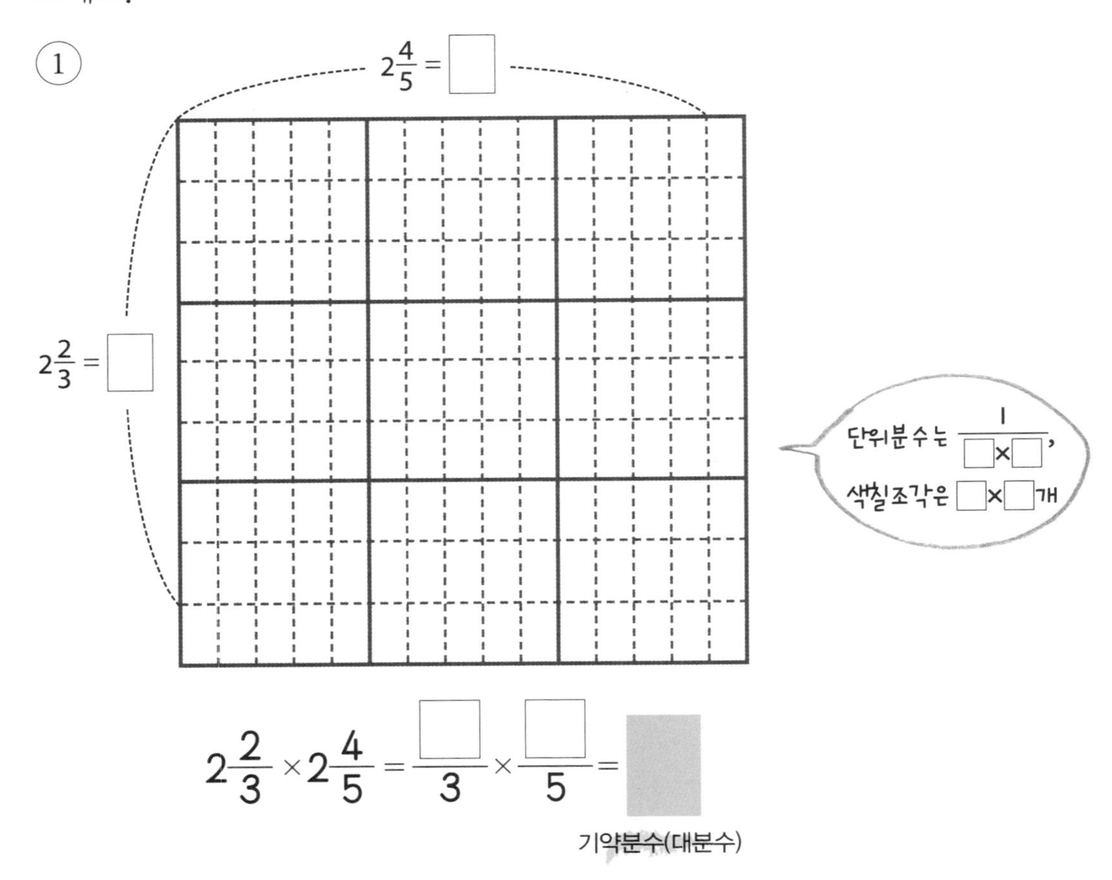

$$2\frac{2}{3}\times2\frac{4}{5}=\frac{\square}{3}\times\frac{\square}{5}=\square$$

기약분수(대분수)

다음 직사각형에 분수만큼 색칠을 하여 넓이를 구하고, 빈칸에 알맞은 수를 쓰세요.

①

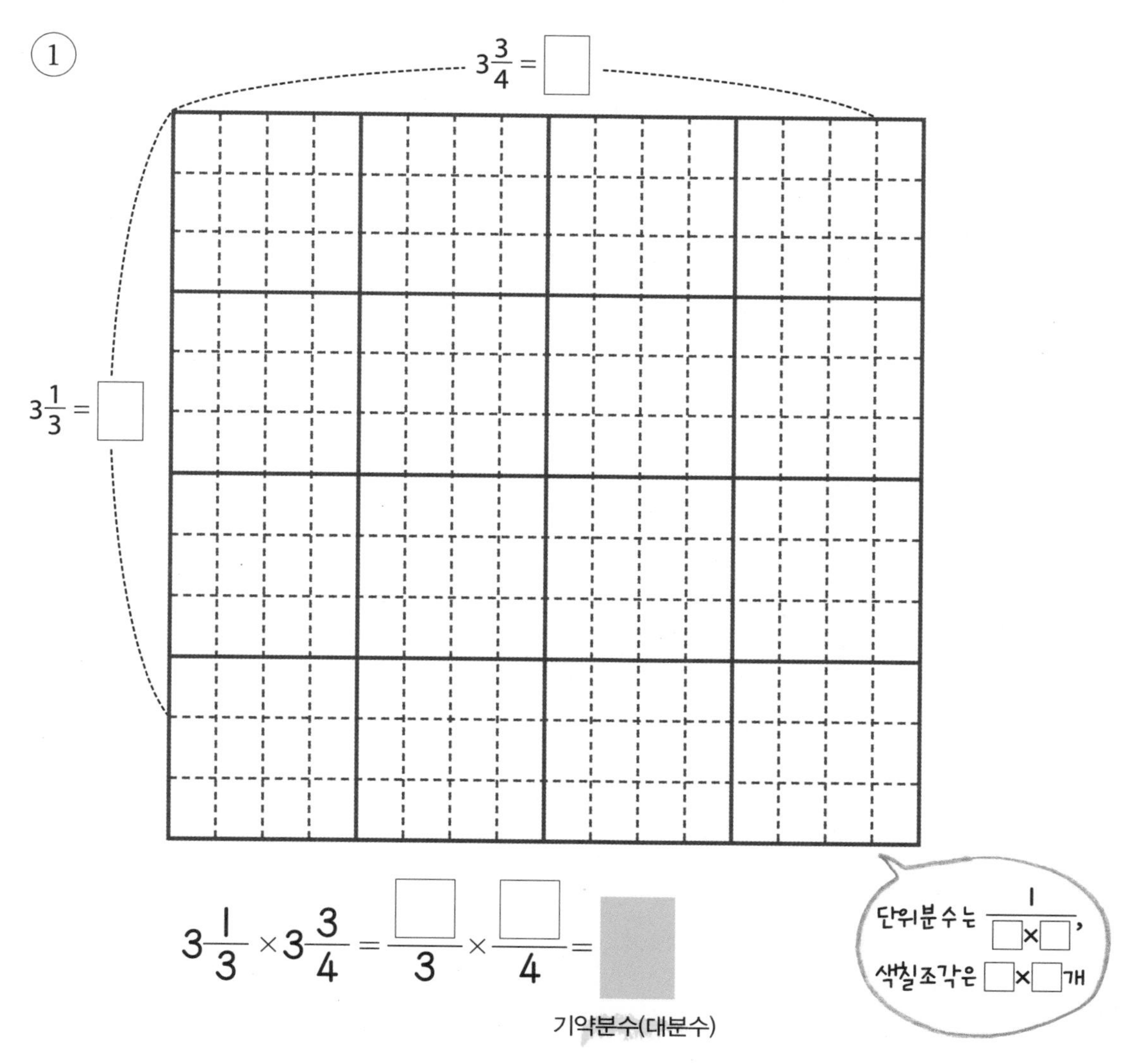

분수와 분수의 곱셈

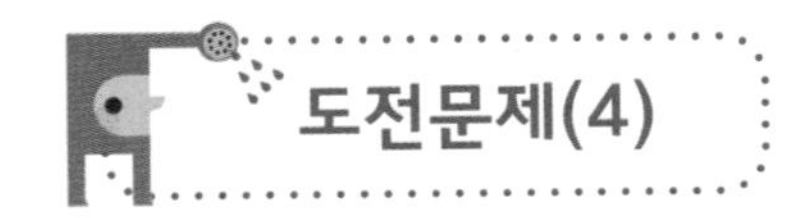

다음 빈칸에 알맞은 수를 쓰세요.(단, 계산 결과는 약분해서 가분수로 쓰세요.)

① $2\frac{3}{4} \times \frac{3}{7} = \frac{\square \times \square}{\square \times \square} = \square$

② $1\frac{2}{5} \times 1\frac{1}{3} = \frac{\square \times \square}{\square \times \square} = \square$

③ $4\frac{1}{2} \times 1\frac{3}{8} = \frac{\square \times \square}{\square \times \square} = \square$

④ $1\frac{7}{8} \times 3\frac{2}{5} = \frac{\square \times \square}{\square \times \square} = \square$

⑤ $3\frac{7}{10} \times 5\frac{1}{6} = \frac{\square \times \square}{\square \times \square} = \square$

⑥ $2\frac{2}{15} \times 2\frac{1}{13} = \frac{\square \times \square}{\square \times \square} = \square$

⑦ $4\frac{4}{7} \times \frac{5}{3} = \square$

⑧ $2\frac{5}{6} \times 2\frac{1}{6} = \square$

⑨ $5\frac{2}{5} \times 1\frac{2}{7} = \square$

⑩ $1\frac{5}{9} \times 4\frac{4}{5} = \square$

⑪ $2\frac{5}{12} \times 1\frac{7}{15} = \square$

⑫ $3\frac{3}{5} \times 10\frac{1}{4} = \square$

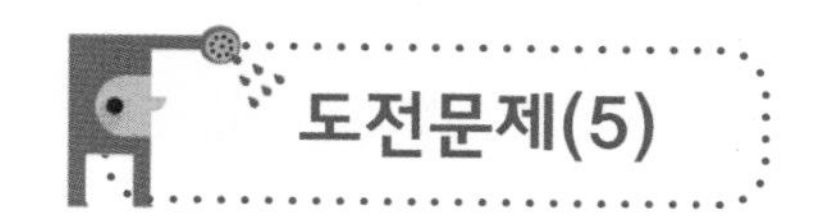

다음 문장을 곱셈식으로 나타내어 풀이 과정을 쓰고, 빈칸에 알맞은 수를 쓰세요. (단, 계산 결과는 약분해서 대분수로 쓰세요.)

① **문장** : 직사각형의 세로가 $5\frac{8}{9}$이고 가로가 $6\frac{3}{4}$일 때, 넓이는 ☐ 입니다.

풀이과정 : ______________________________

② **문장** : 직사각형의 세로가 $4\frac{1}{5}$이고 가로가 $7\frac{1}{7}$일 때, 넓이는 ☐ 입니다.

풀이과정 : ______________________________

③ **문장** : 직사각형의 세로가 $1\frac{5}{12}$이고 가로가 $\frac{11}{4}$일 때, 넓이는 ☐ 입니다.

풀이과정 : ______________________________

④ **문장** : 직사각형의 세로가 $9\frac{4}{9}$이고 가로가 $3\frac{3}{5}$일 때, 넓이는 ☐ 입니다.

풀이과정 : ______________________________

⑤ **문장** : 직사각형의 세로가 $3\frac{3}{11}$이고 가로가 $9\frac{1}{6}$일 때, 넓이는 ☐ 입니다.

풀이과정 : ______________________________

분수와 분수의 곱셈

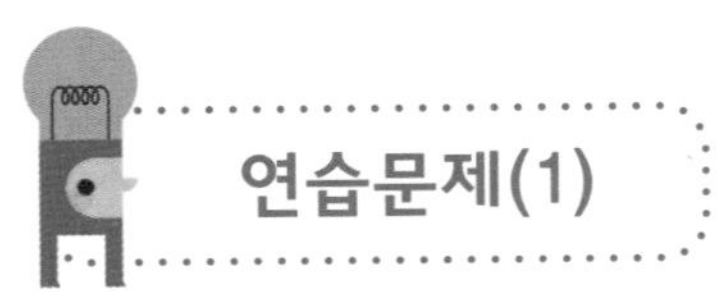

빈칸에 알맞은 수를 쓰세요.

① $\frac{1}{2} \times \frac{1}{5} = \square$

② $\frac{1}{3} \times \frac{1}{7} = \square$

③ $\frac{1}{6} \times \frac{1}{4} = \square$

④ $\frac{1}{3} \times \frac{1}{3} = \square$

⑤ $\frac{1}{4} \times \frac{1}{9} = \square$

⑥ $\frac{1}{7} \times \frac{1}{7} = \square$

⑦ $\frac{1}{5} \times \frac{1}{10} = \square$

⑧ $\frac{1}{20} \times \frac{1}{7} = \square$

⑨ $\frac{1}{14} \times \frac{1}{9} = \square$

⑩ $\frac{1}{11} \times \frac{1}{12} = \square$

⑪ $\frac{1}{13} \times \frac{1}{15} = \square$

⑫ $\frac{1}{24} \times \frac{1}{13} = \square$

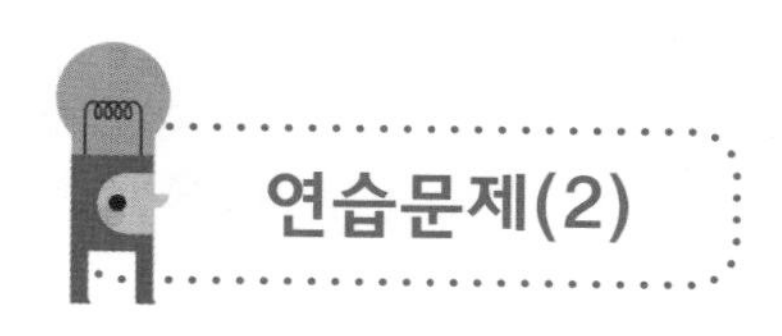

빈칸에 알맞은 수를 쓰세요.(단, 계산 결과는 기약분수로 쓰세요.)

① $\frac{1}{4} \times \frac{2}{7} = \square$

② $\frac{1}{36} \times \frac{4}{5} = \square$

③ $\frac{1}{3} \times \frac{3}{5} = \square$

④ $\frac{1}{4} \times \frac{4}{9} = \square$

⑤ $\frac{3}{6} \times \frac{2}{9} = \square$

⑥ $\frac{2}{3} \times \frac{7}{8} = \square$

⑦ $\frac{4}{5} \times \frac{5}{8} = \square$

⑧ $\frac{3}{4} \times \frac{2}{9} = \square$

⑨ $\frac{5}{12} \times \frac{7}{10} = \square$

⑩ $\frac{7}{15} \times \frac{3}{14} = \square$

⑪ $\frac{7}{24} \times \frac{8}{21} = \square$

⑫ $\frac{11}{25} \times \frac{5}{22} = \square$

분수와 분수의 곱셈

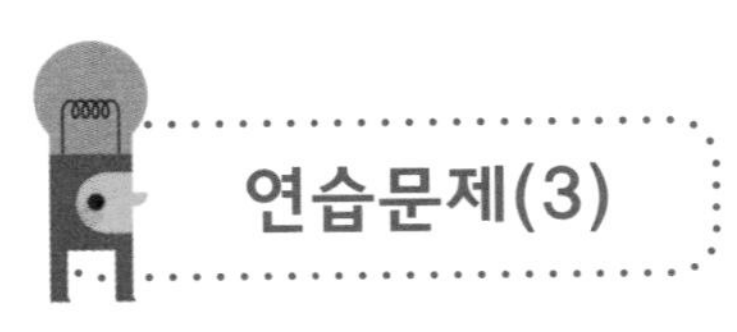

빈칸에 알맞은 수를 쓰세요.(단, 계산 결과는 반드시 약분하세요.)

① $\frac{5}{3} \times \frac{6}{5} = \square$

② $\frac{7}{4} \times \frac{8}{7} = \square$

③ $\frac{5}{3} \times \frac{6}{7} = \square$ 또는 $\square$

④ $\frac{7}{4} \times \frac{6}{8} = \square$ 또는 $\square$

⑤ $\frac{8}{9} \times \frac{4}{3} = \square$ 또는 $\square$

⑥ $\frac{9}{8} \times \frac{5}{3} = \square$ 또는 $\square$

⑦ $\frac{11}{6} \times \frac{12}{5} = \square$ 또는 $\square$

⑧ $\frac{11}{6} \times \frac{23}{22} = \square$ 또는 $\square$

⑨ $\frac{10}{9} \times \frac{27}{20} = \square$ 또는 $\square$

⑩ $\frac{10}{9} \times \frac{25}{21} = \square$ 또는 $\square$

⑪ $\frac{13}{7} \times \frac{14}{26} = \square$

⑫ $\frac{13}{7} \times \frac{12}{25} = \square$

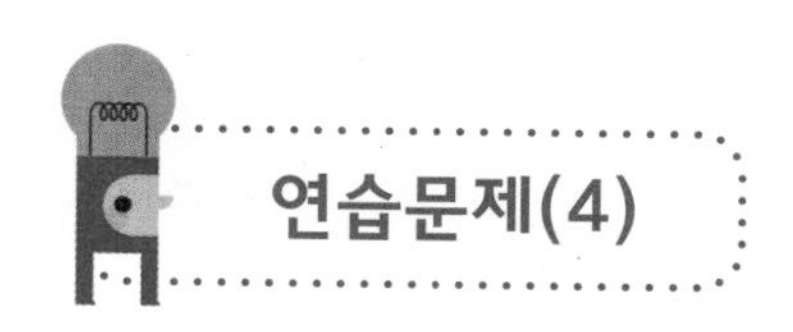

빈칸에 알맞은 수를 쓰세요.(단, 계산 결과는 반드시 약분하세요.)

① $2\frac{2}{5} \times 1\frac{3}{4} = (2 \times 1) + (2 \times \square) + (\square \times 1) + (\square \times \square) = \blacksquare$

② $2\frac{1}{7} \times 2\frac{3}{5} = (2 \times 2) + (2 \times \square) + (\square \times 2) + (\square \times \square) = \blacksquare$

③ $3\frac{1}{5} \times 2\frac{3}{4} = (3 \times 2) + (3 \times \square) + (\square \times 2) + (\square \times \square) = \blacksquare$

④ $1\frac{2}{3} \times 3\frac{1}{3} = (1 \times 3) + (1 \times \square) + (\square \times 3) + (\square \times \square) = \blacksquare$

⑤ $1\frac{7}{8} \times 2\frac{2}{3} = (1 \times 2) + (1 \times \square) + (\square \times 2) + (\square \times \square) = \blacksquare$

⑥ $4\frac{4}{5} \times 1\frac{4}{5} = (4 \times 1) + (4 \times \square) + (\square \times 1) + (\square \times \square) = \blacksquare$

분수와 분수의 곱셈

빈칸에 알맞은 수를 쓰세요.(단, 계산 결과는 반드시 약분하세요.)

① $1\frac{1}{2} \times 1\frac{1}{3} = \square$

② $4\frac{2}{7} \times 2\frac{4}{5} = \square$

③ $6\frac{1}{4} \times 4\frac{4}{5} = \square$

④ $7\frac{2}{3} \times 1\frac{1}{23} = \square$

⑤ $9\frac{1}{5} \times 5\frac{10}{23} = \square$

⑥ $10\frac{2}{7} \times 6\frac{2}{9} = \square$

⑦ $2\frac{1}{2} \times 1\frac{2}{5} = \square$ 또는 $\square$

⑧ $1\frac{3}{4} \times 2\frac{3}{7} = \square$ 또는 $\square$

⑨ $2\frac{3}{4} \times 1\frac{3}{5} = \square$ 또는 $\square$

⑩ $2\frac{2}{5} \times 3\frac{1}{6} = \square$ 또는 $\square$

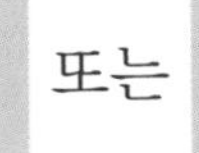

⑪ $3\frac{1}{4} \times 1\frac{5}{7} = \square$ 또는 $\square$

⑫ $2\frac{2}{5} \times 2\frac{2}{9} = \square$ 또는 $\square$

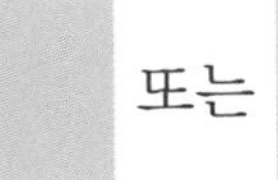

몫이 자연수인 나눗셈

몫이 자연수인 나눗셈

(1) (자연수)÷(자연수)

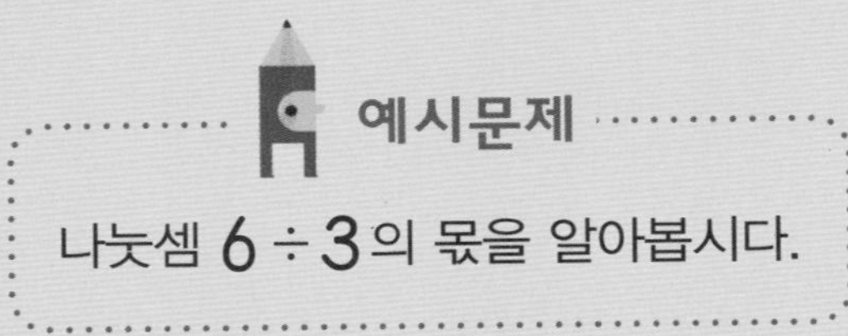

1단계 **직사각형 그리기**

넓이가 6이고 세로가 3인 직사각형을 그립니다.

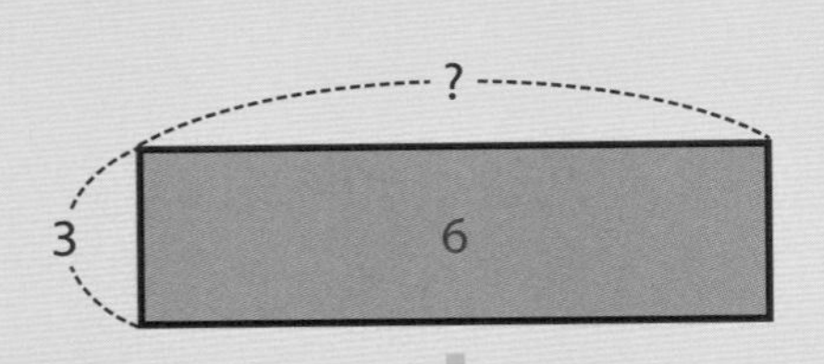

2단계 **가로로 1씩 잘라 내기**

이 직사각형을 가로로 1씩 잘라 냅니다.

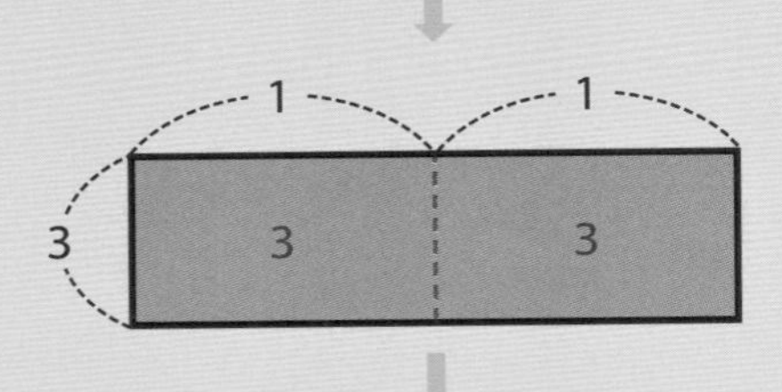

3단계 **전체 가로 구하기**

최대 2번까지 잘라 낼 수 있고 나머지는 없습니다.

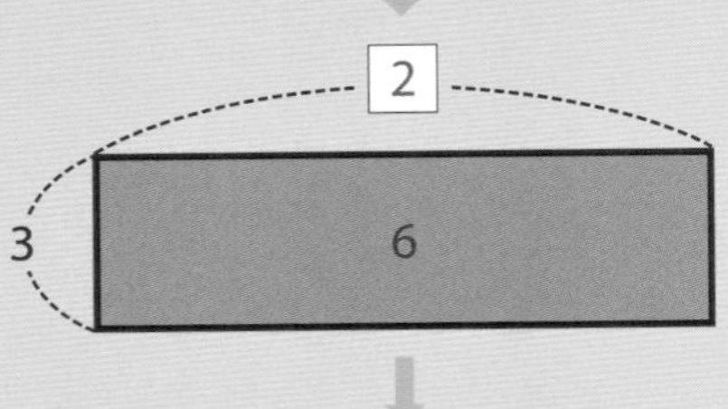

4단계 **몫 구하기**

6÷3= 2

핵심 포인트 나눗셈의 몫을 분수로 나타낼 수 있어요. $6 \div 3 = \frac{6}{3}$

도전문제(1)

나눗셈 8 ÷ 4의 몫을 알아봅시다.

1단계 **직사각형 그리기**

넓이가 **8**이고 세로가 **4**인 직사각형을 그립니다.

2단계 **가로로 1씩 잘라 내기**

이 직사각형을 가로로 **1**씩 잘라 냅니다.

3단계 **전체 가로 구하기**

최대 ☐ 번까지 잘라 낼 수 있고 나머지는 없습니다.

4단계 **몫 구하기**

$8 \div 4 =$ ☐

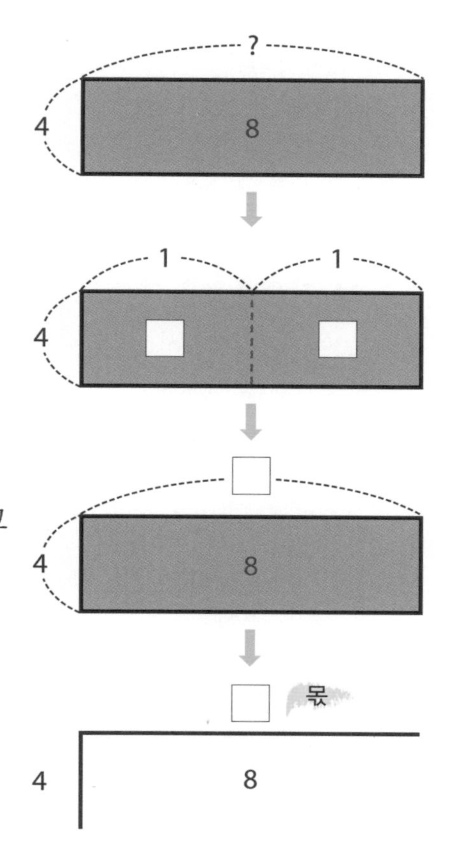

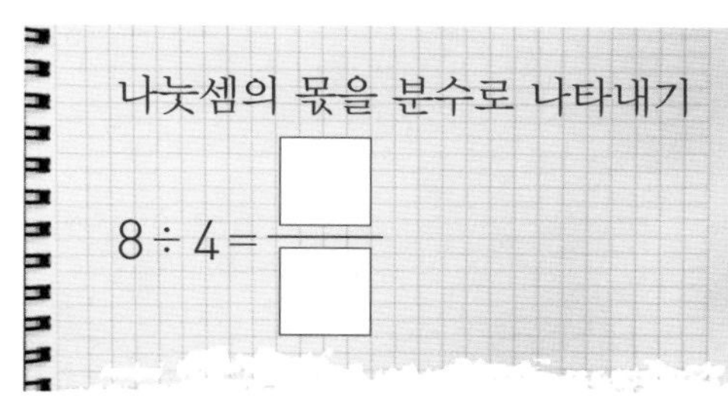

나눗셈의 몫을 분수로 나타내기

$8 \div 4 = \frac{\square}{\square}$

몫이 자연수인 나눗셈

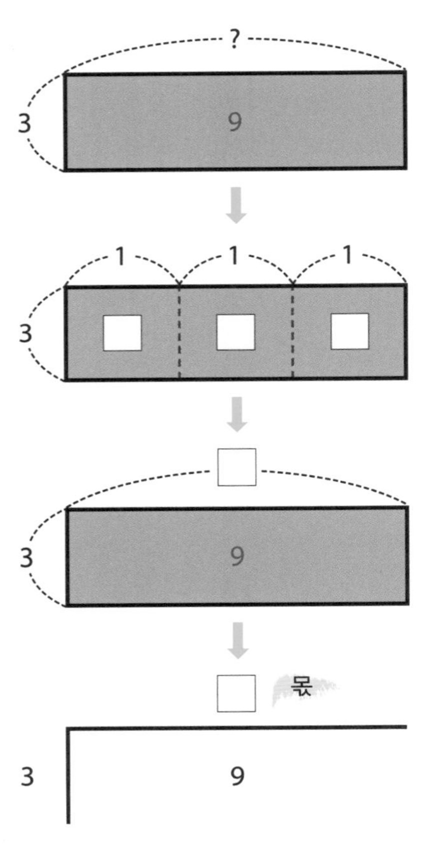

1단계 **직사각형 그리기**

넓이가 9이고 세로가 3인 직사각형을 그립니다.

2단계 **가로로 1씩 잘라 내기**

이 직사각형을 가로로 1씩 잘라 냅니다.

3단계 **전체 가로 구하기**

최대 ☐ 번까지 잘라 낼 수 있고 나머지는 없습니다.

4단계 **몫 구하기**

9 ÷ 3 = ☐

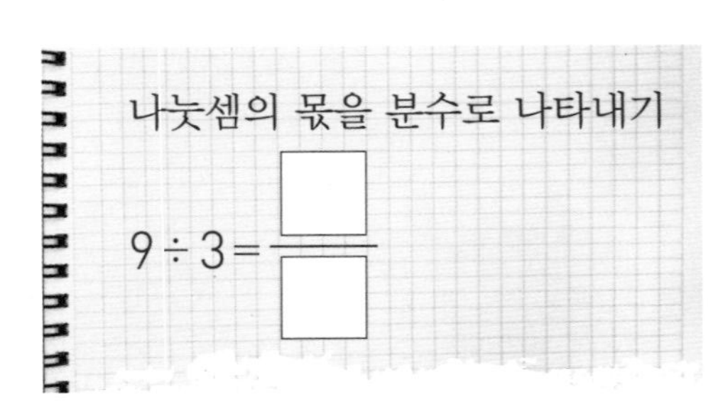

1단계 **직사각형 그리기**

넓이가 8이고 세로가 2인 직사각형을 그립니다.

2단계 **가로로 1씩 잘라 내기**

이 직사각형을 가로로 1씩 잘라 냅니다.

3단계 **전체 가로 구하기**

최대 □ 번까지 잘라 낼 수 있고 나머지는 없습니다.

4단계 **몫 구하기**

8 ÷ 2 = □

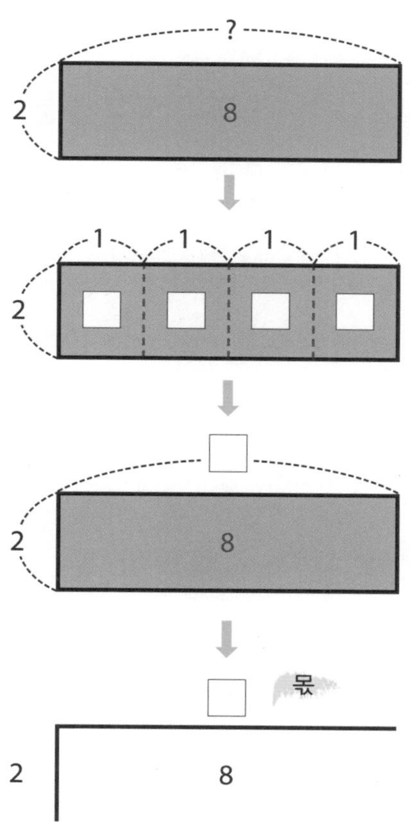

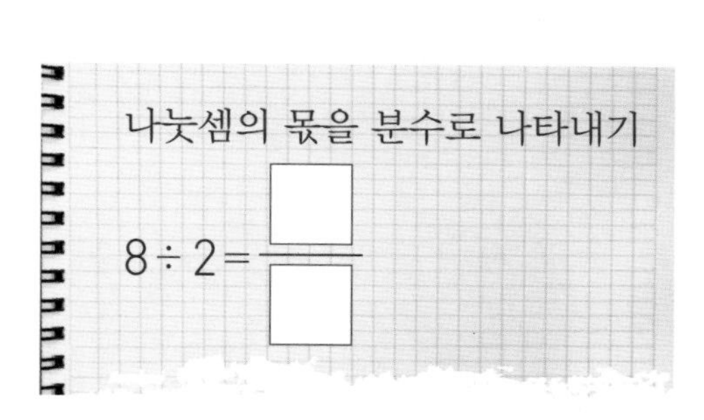

몫이 자연수인 나눗셈

(2) (자연수)÷(분수)

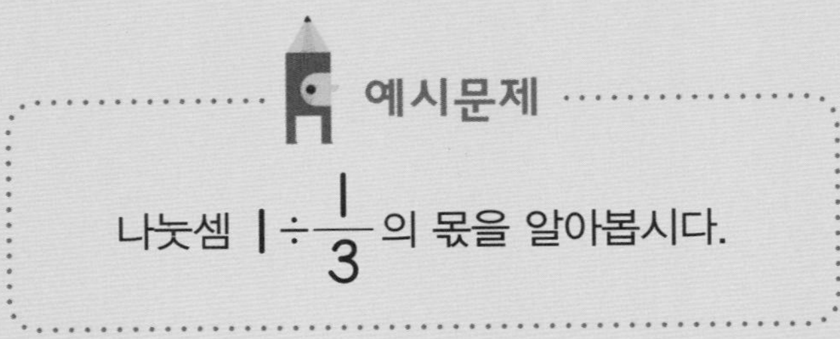

나눗셈 $1 \div \frac{1}{3}$ 의 몫을 알아봅시다.

1단계 **직사각형 그리고 통분하기**

넓이가 1이고 세로가 $\frac{1}{3}$인 직사각형을 그린 다음, 통분합니다.

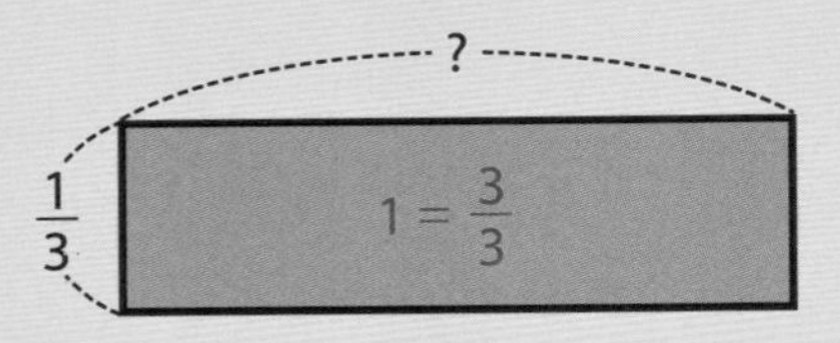

2단계 **가로로 1씩 잘라 내기**

이 직사각형을 가로로 1씩 잘라 냅니다.

3단계 **전체 가로 구하기**

최대 3번까지 잘라 낼 수 있고 나머지는 없습니다.

4단계 **몫 구하기**

$1 \div \frac{1}{3} = $ 3

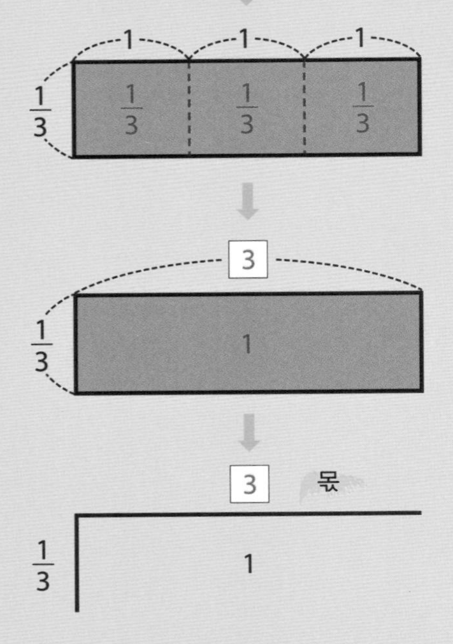

몫이 자연수인 나눗셈

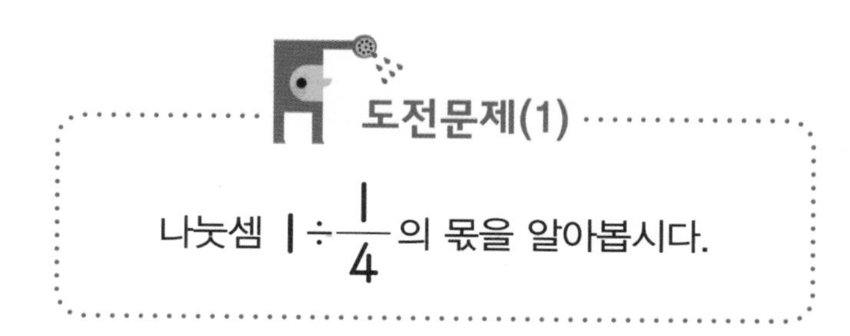

나눗셈 $1 \div \frac{1}{4}$의 몫을 알아봅시다.

1단계 **직사각형 그리고 통분하기**

넓이가 1이고 세로가 $\frac{1}{4}$인 직사각형을 그린 다음, 통분합니다.

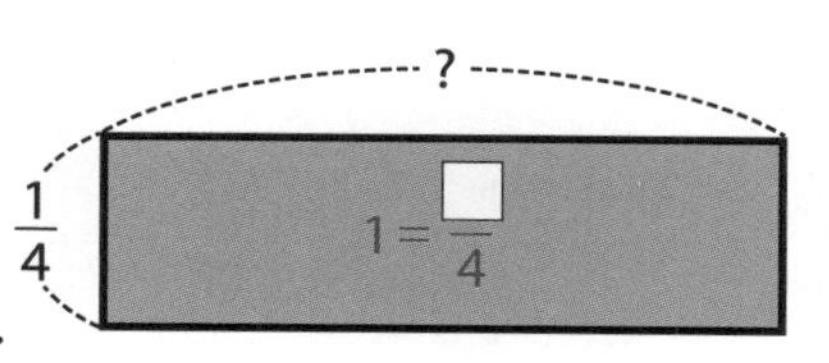

2단계 **가로로 1씩 잘라 내기**

이 직사각형을 가로로 1씩 잘라 냅니다.

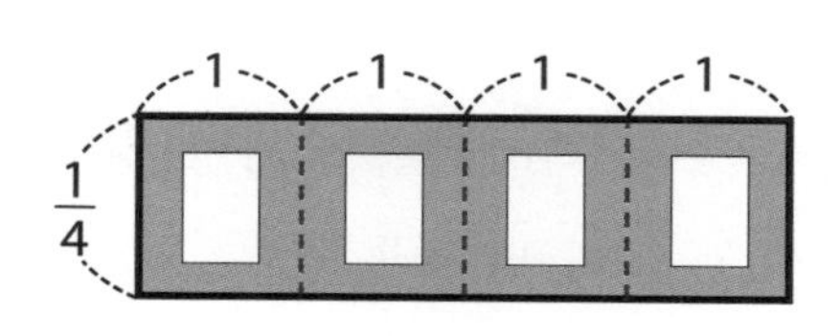

3단계 **전체 가로 구하기**

최대 □ 번까지 잘라 낼 수 있고 나머지는 없습니다.

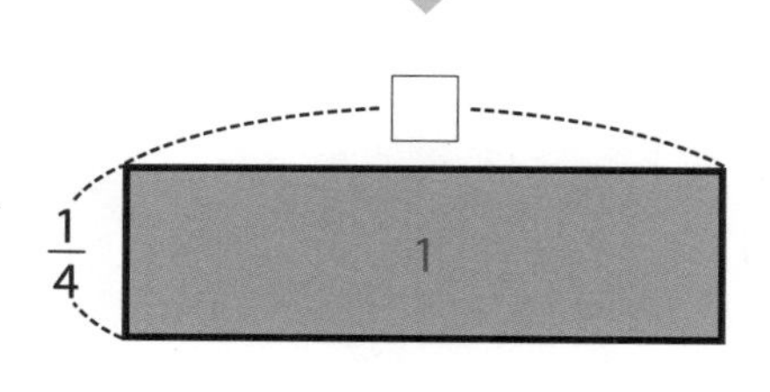

4단계 **몫 구하기**

$1 \div \frac{1}{4} =$ □

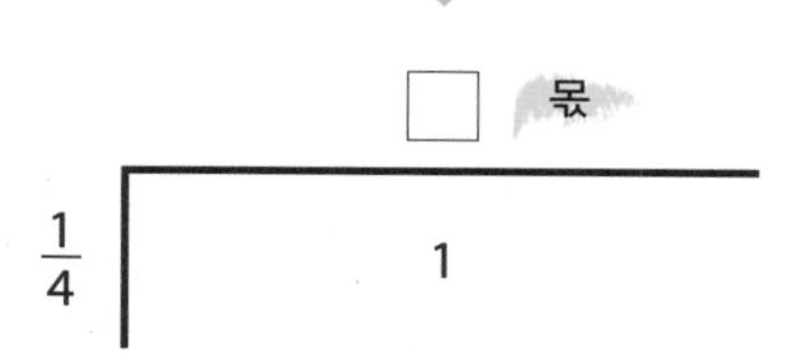

몫이 자연수인 나눗셈

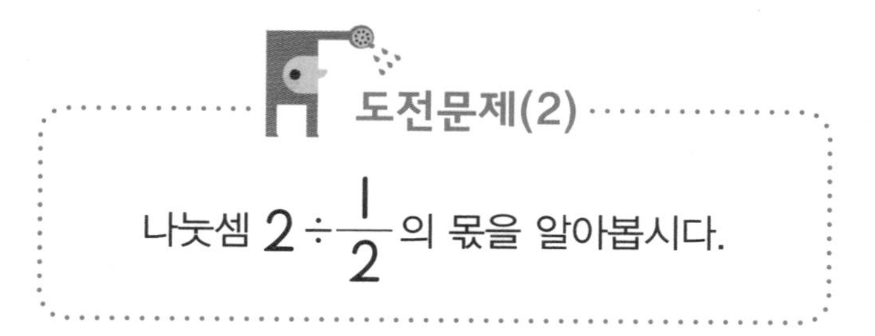

도전문제(2)

나눗셈 $2 \div \frac{1}{2}$의 몫을 알아봅시다.

1단계 **직사각형 그리고 통분하기**

넓이가 2이고 세로가 $\frac{1}{2}$인

직사각형을 그린 다음, 통분합니다.

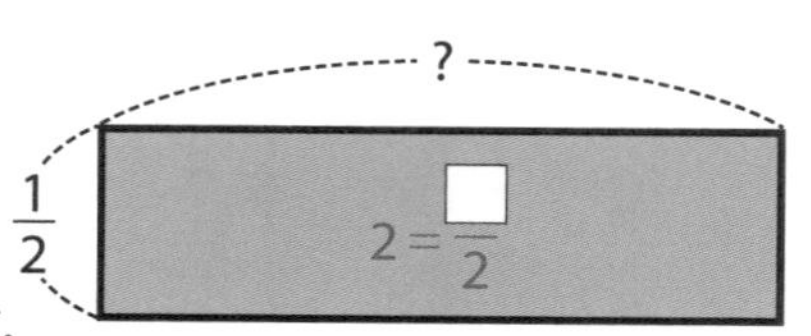

2단계 **가로로 1씩 잘라 내기**

이 직사각형을 가로로 1씩

잘라 냅니다.

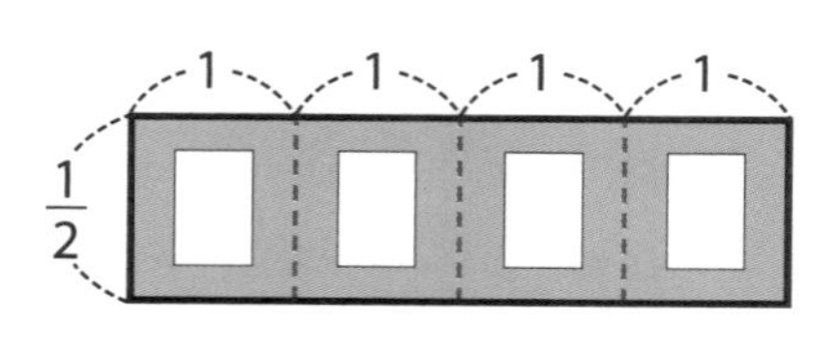

3단계 **전체 가로 구하기**

최대 □ 번까지 잘라 낼 수 있고

나머지는 없습니다.

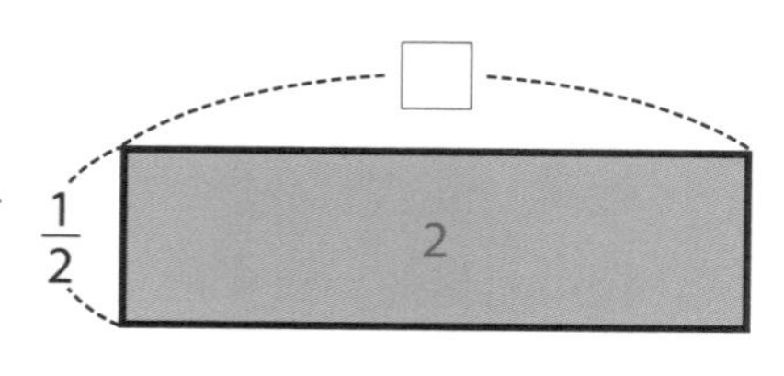

4단계 **몫 구하기**

$2 \div \frac{1}{2} =$ □

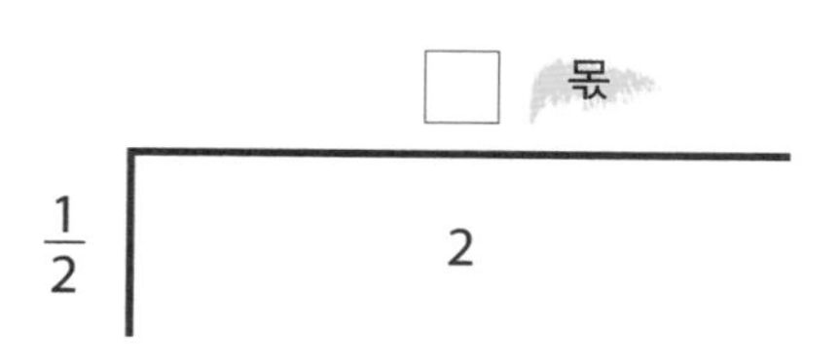

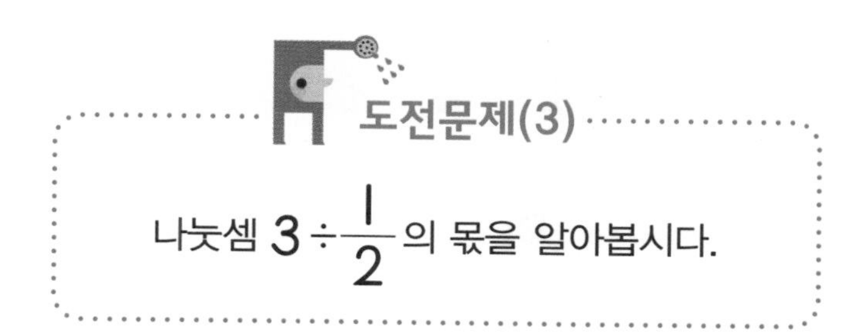

도전문제(3)

나눗셈 $3 \div \frac{1}{2}$ 의 몫을 알아봅시다.

1단계 **직사각형 그리고 통분하기**

넓이가 3이고 세로가 $\frac{1}{2}$인 직사각형을 그린 다음, 통분합니다.

2단계 **가로로 1씩 잘라 내기**

이 직사각형을 가로로 1씩 잘라 냅니다.

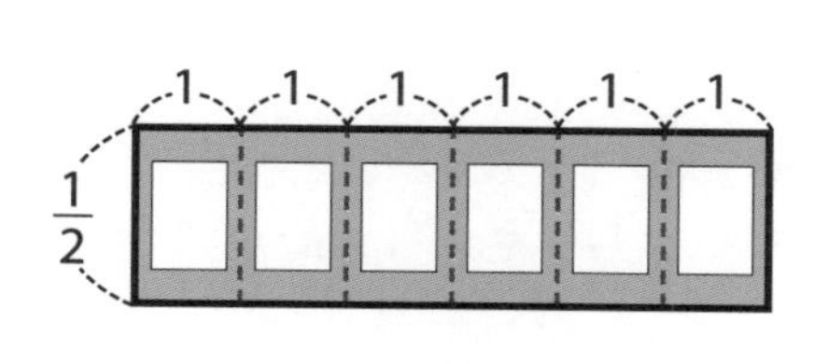

3단계 **전체 가로 구하기**

최대 ☐ 번까지 잘라 낼 수 있고 나머지는 없습니다.

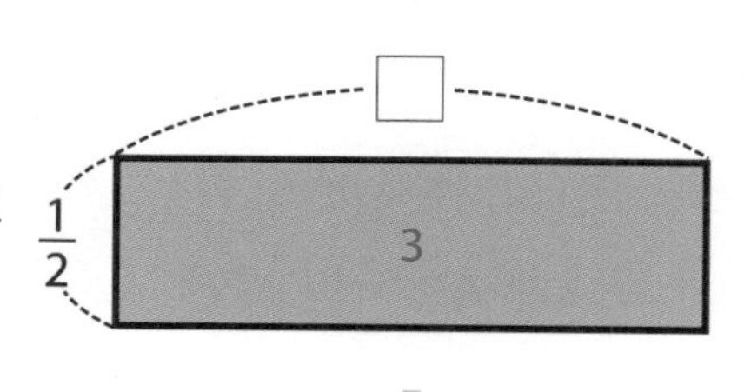

4단계 **몫 구하기**

$3 \div \frac{1}{2} =$ ☐

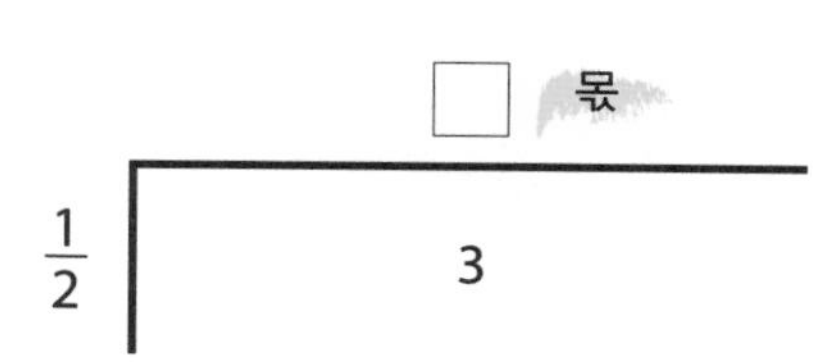

몫이 자연수인 나눗셈

(3) (분수)÷(분수) ① 분모가 같은 경우

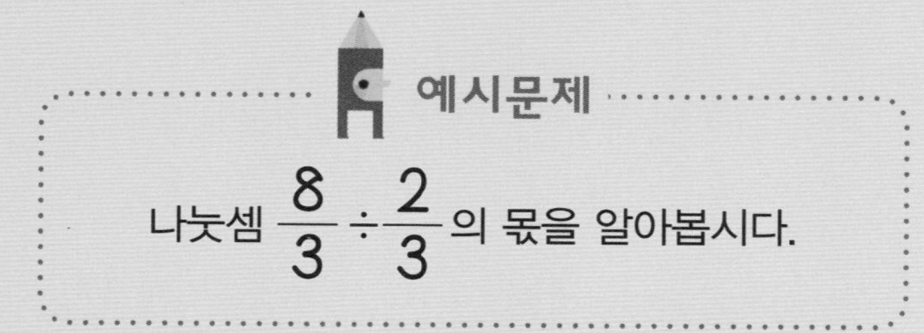

1단계 **직사각형 그리기**

넓이가 $\frac{8}{3}$이고 세로가 $\frac{2}{3}$인 직사각형을 그립니다.

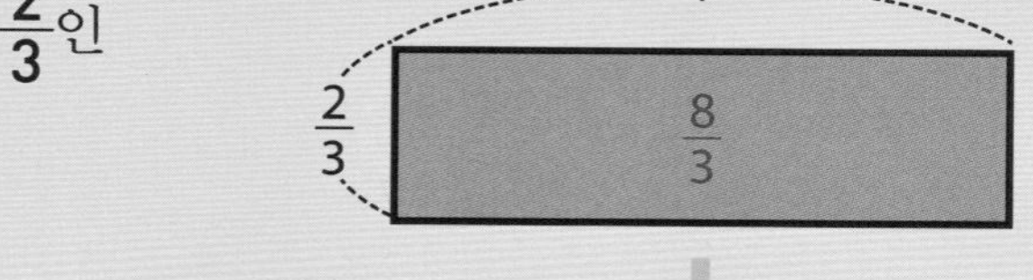

2단계 **가로로 1씩 잘라 내기**

이 직사각형을 가로로 1씩 잘라 냅니다.

3단계 **전체 가로 구하기**

최대 4번까지 잘라 낼 수 있고 나머지는 없습니다.

4단계 **몫 구하기**

$\frac{8}{3} \div \frac{2}{3} =$ 4

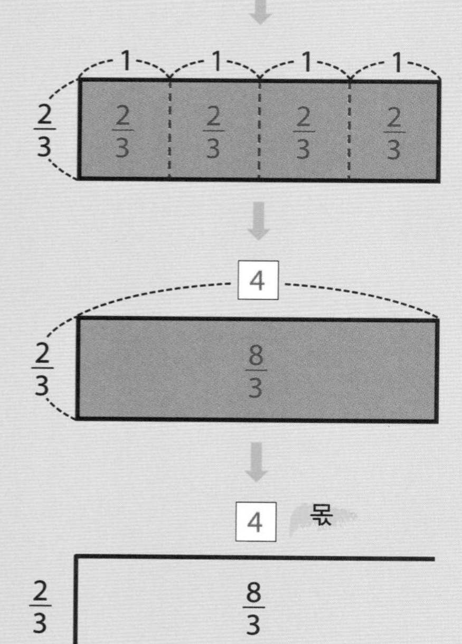

몫이 자연수인 나눗셈

도전문제(1)

나눗셈 $\frac{5}{6} \div \frac{1}{6}$의 몫을 알아봅시다.

1단계 **직사각형 그리기**

넓이가 $\frac{5}{6}$이고 세로가 $\frac{1}{6}$인 직사각형을 그립니다.

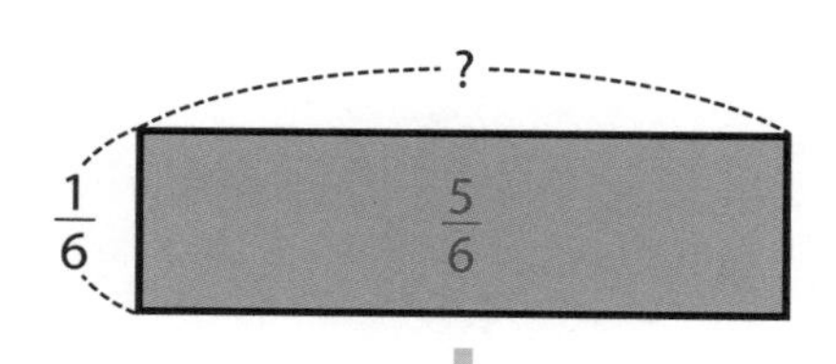

2단계 **가로로 1씩 잘라 내기**

이 직사각형을 가로로 1씩 잘라 냅니다.

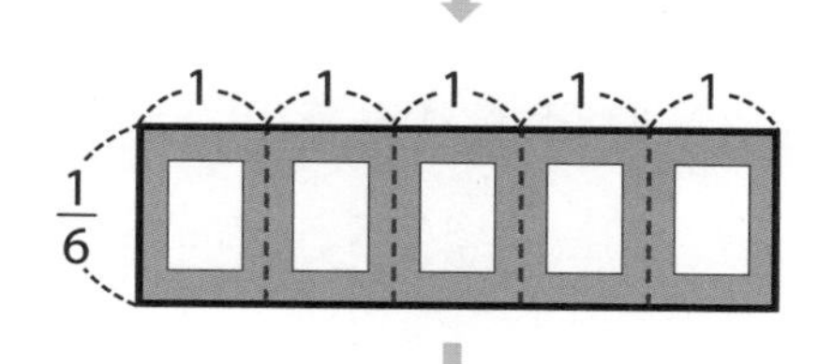

3단계 **전체 가로 구하기**

최대 □ 번까지 잘라 낼 수 있고 나머지는 없습니다.

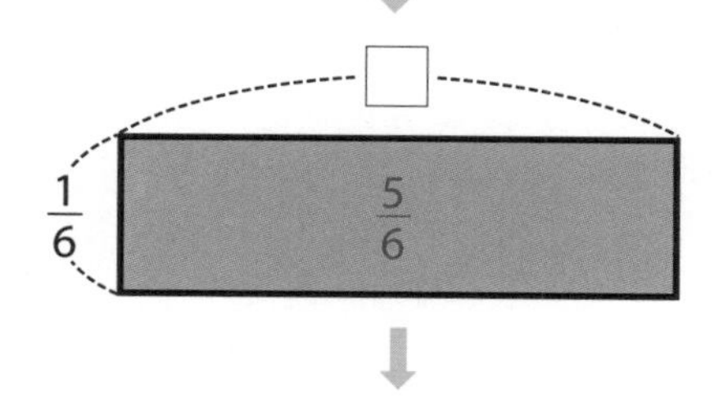

4단계 **몫 구하기**

$\frac{5}{6} \div \frac{1}{6} =$ □

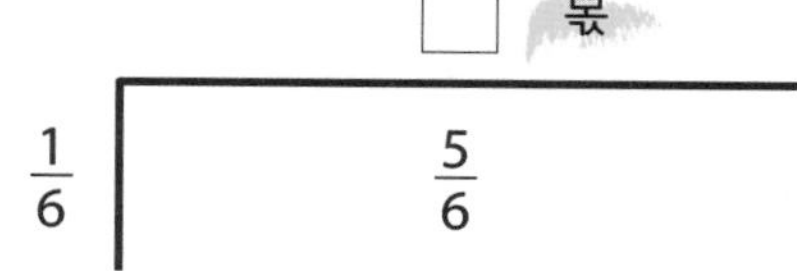

몫이 자연수인 나눗셈

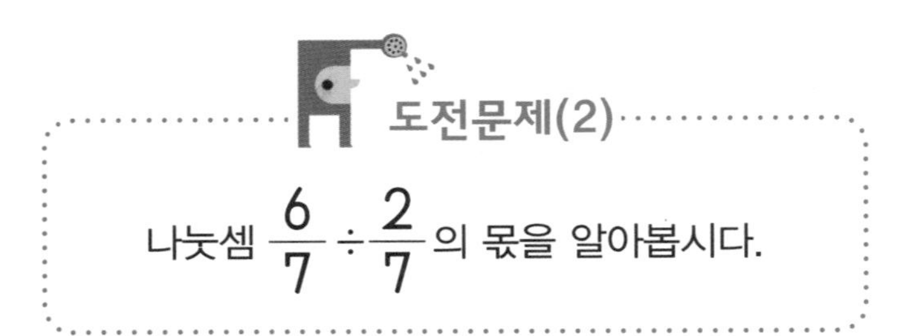

나눗셈 $\frac{6}{7} \div \frac{2}{7}$의 몫을 알아봅시다.

1단계 **직사각형 그리기**

넓이가 $\frac{6}{7}$이고 세로가 $\frac{2}{7}$인 직사각형을 그립니다.

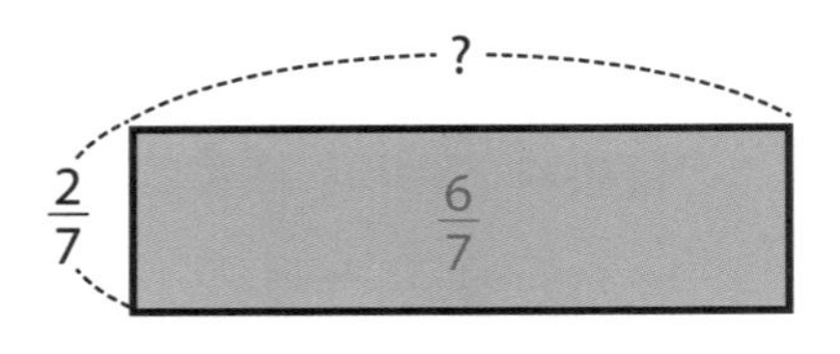

2단계 **가로로 1씩 잘라 내기**

이 직사각형을 가로로 1씩 잘라 냅니다.

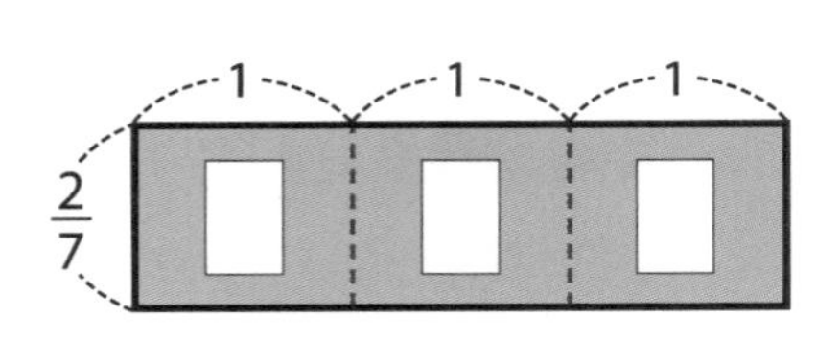

3단계 **전체 가로 구하기**

최대 ☐번까지 잘라 낼 수 있고 나머지는 없습니다.

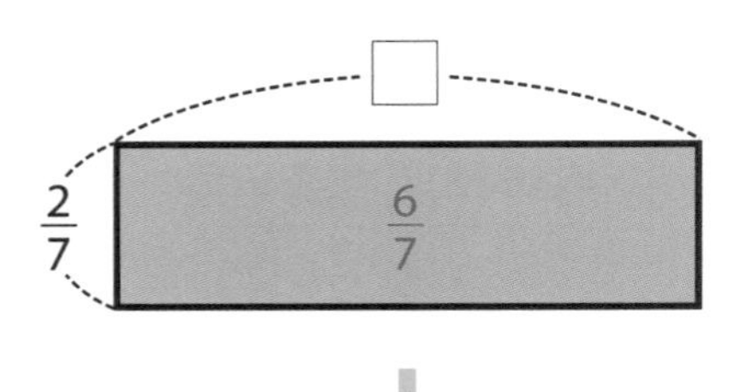

4단계 **몫 구하기**

$\frac{6}{7} \div \frac{2}{7} =$ ☐

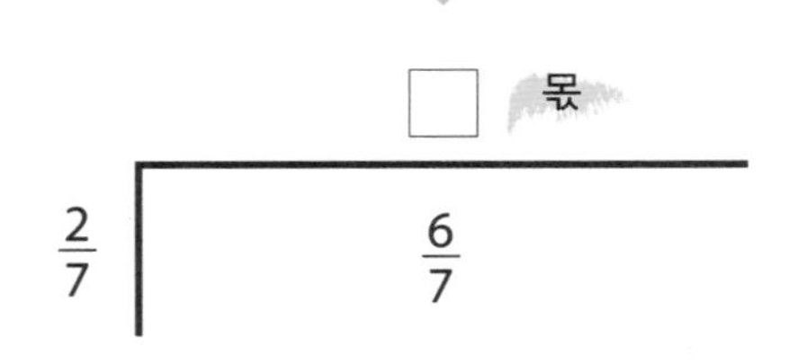

도전문제(3)

나눗셈 $\frac{6}{9} \div \frac{2}{9}$ 의 몫을 알아봅시다.

1단계 **직사각형 그리기**

넓이가 $\frac{6}{9}$이고 세로가 $\frac{2}{9}$인 직사각형을 그립니다.

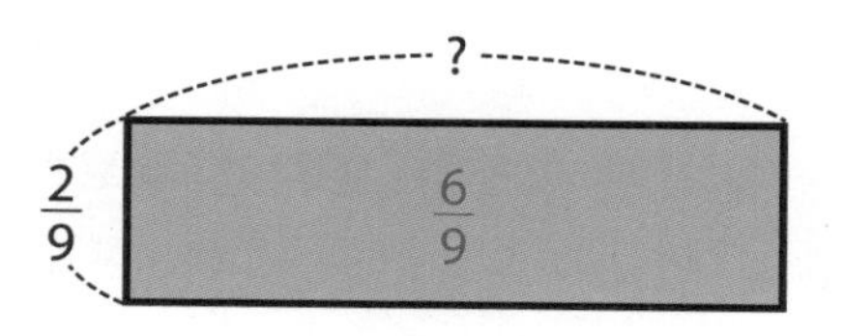

2단계 **가로로 1씩 잘라 내기**

이 직사각형을 가로로 1씩 잘라 냅니다.

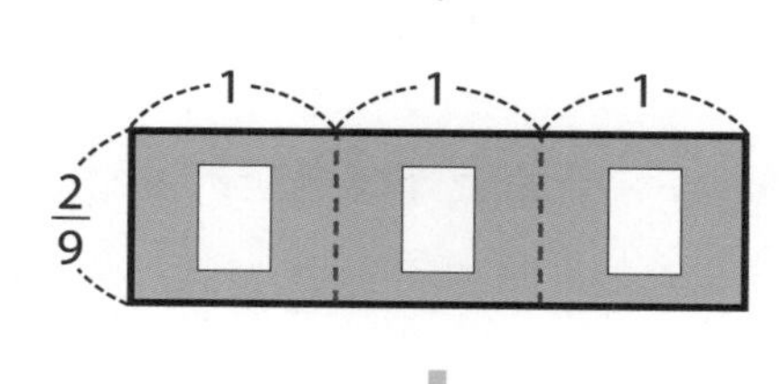

3단계 **전체 가로 구하기**

최대 ☐ 번까지 잘라 낼 수 있고 나머지는 없습니다.

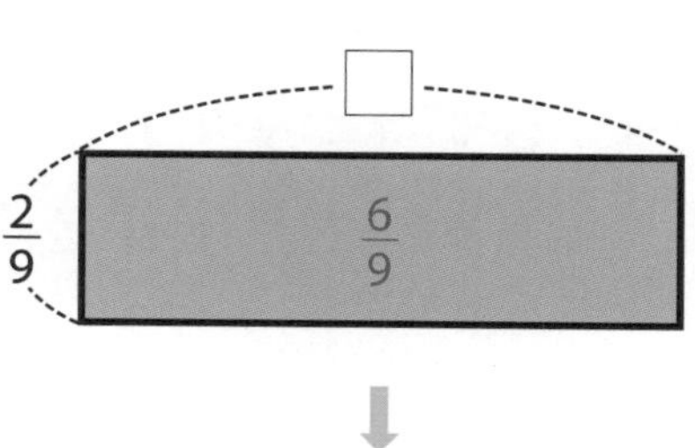

4단계 **몫 구하기**

$\frac{6}{9} \div \frac{2}{9} =$ ☐

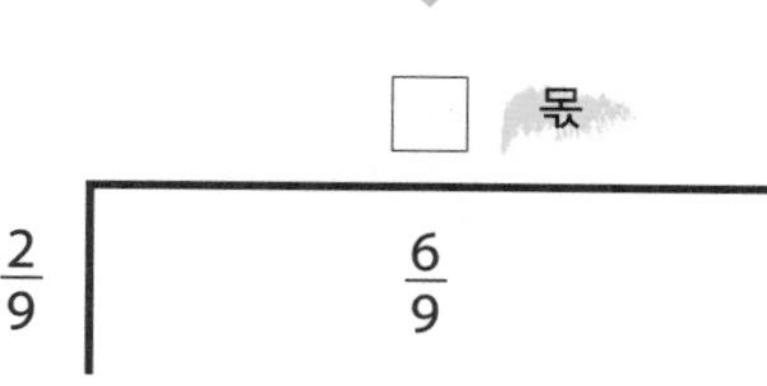

몫이 자연수인 나눗셈

(4) (분수)÷(분수) ② 분모가 다른 경우

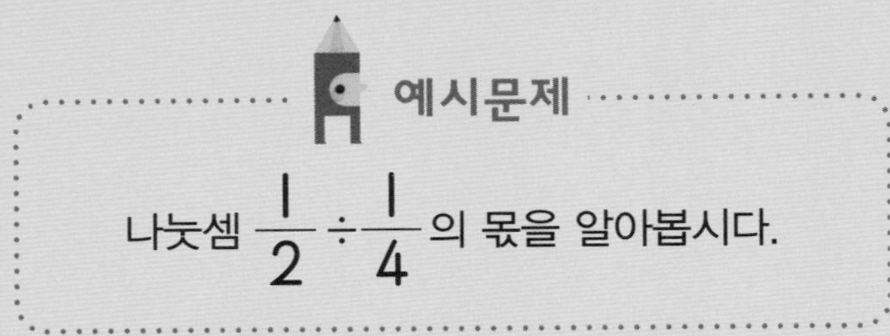
예시문제

나눗셈 $\frac{1}{2} \div \frac{1}{4}$의 몫을 알아봅시다.

1단계 **직사각형 그리고 통분하기**

넓이가 $\frac{1}{2}$이고 세로가 $\frac{1}{4}$인 직사각형을 그린 다음, 통분합니다.

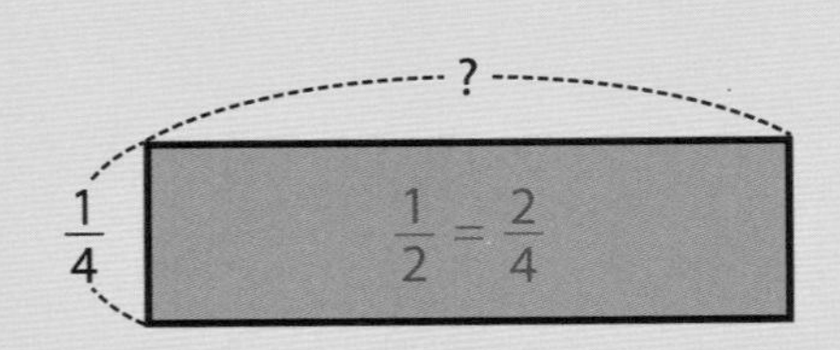

2단계 **가로로 1씩 잘라 내기**

이 직사각형을 가로로 1씩 잘라 냅니다.

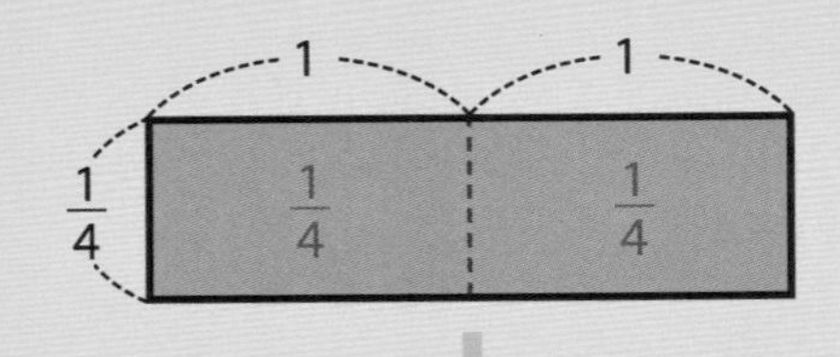

3단계 **전체 가로 구하기**

최대 2번까지 잘라 낼 수 있고 나머지는 없습니다.

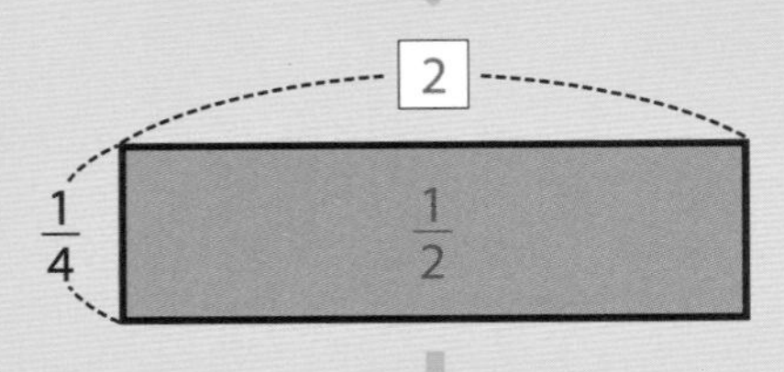

4단계 **몫 구하기**

$\frac{1}{2} \div \frac{1}{4} =$ 2

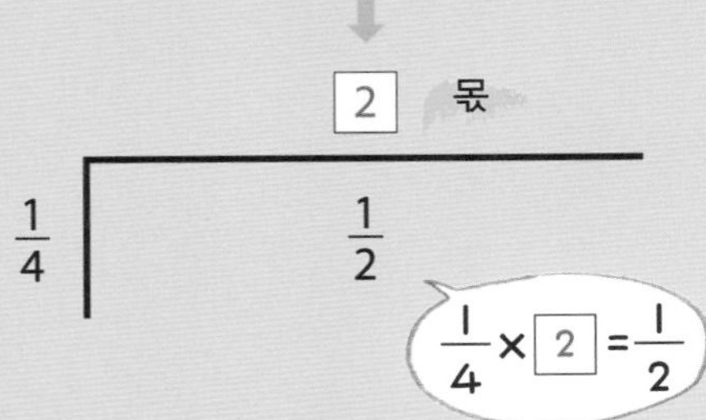

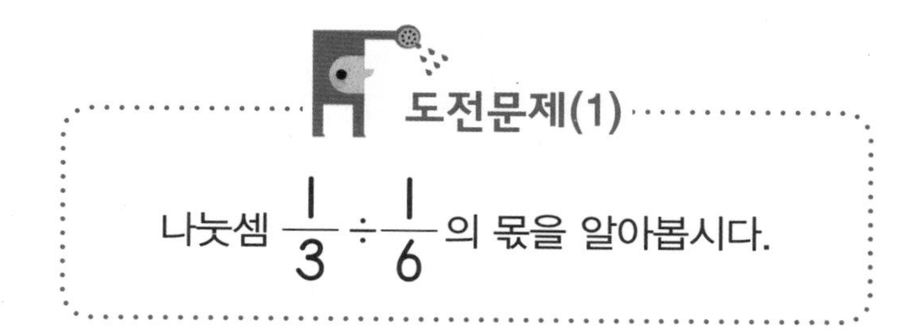

1단계 **직사각형 그리고 통분하기**

넓이가 $\frac{1}{3}$이고 세로가 $\frac{1}{6}$인 직사각형을 그린 다음, 통분합니다.

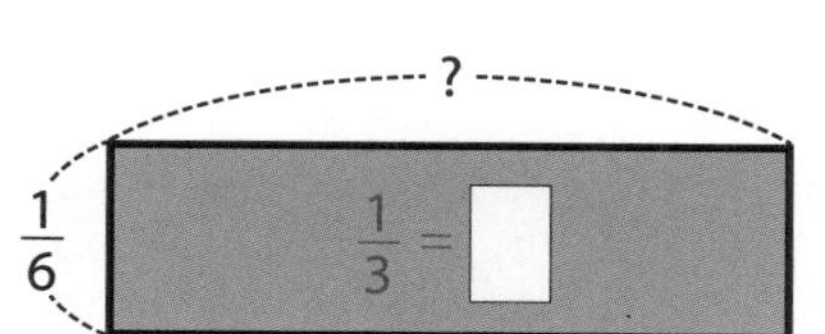

2단계 **가로로 1씩 잘라 내기**

이 직사각형을 가로로 1씩 잘라 냅니다.

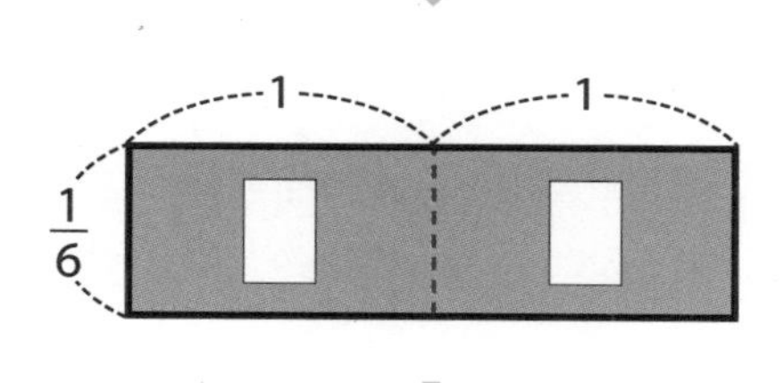

3단계 **전체 가로 구하기**

최대 ☐번까지 잘라 낼 수 있고 나머지는 없습니다.

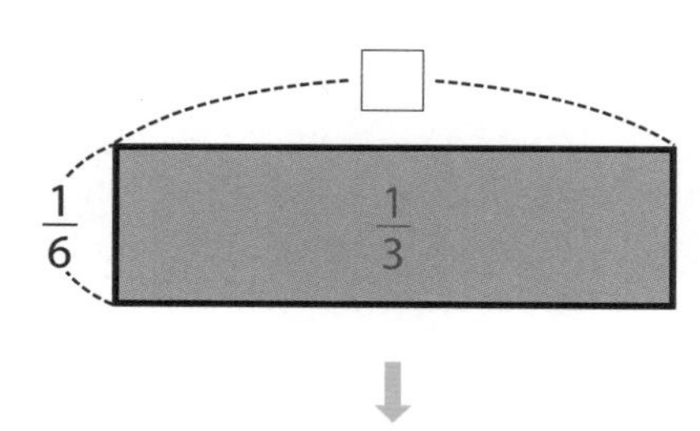

4단계 **몫 구하기**

$\frac{1}{3} \div \frac{1}{6} =$ ☐

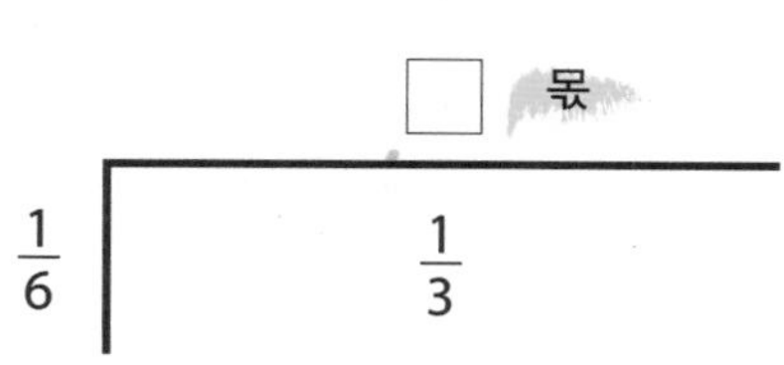

몫이 자연수인 나눗셈

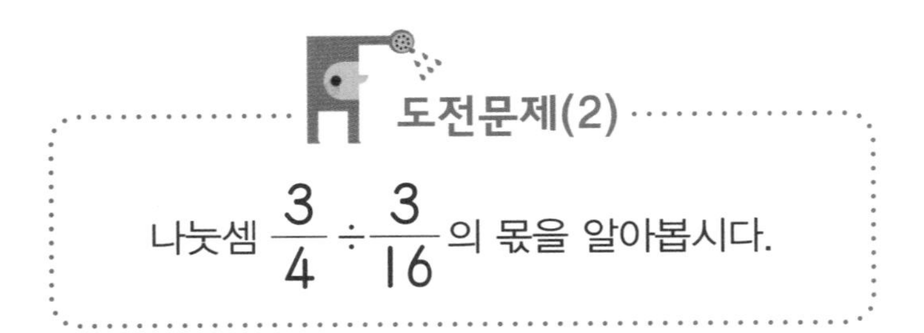

나눗셈 $\frac{3}{4} \div \frac{3}{16}$의 몫을 알아봅시다.

1단계 **직사각형 그리고 통분하기**

넓이가 $\frac{3}{4}$이고 세로가 $\frac{3}{16}$인 직사각형을 그린 다음, 통분합니다.

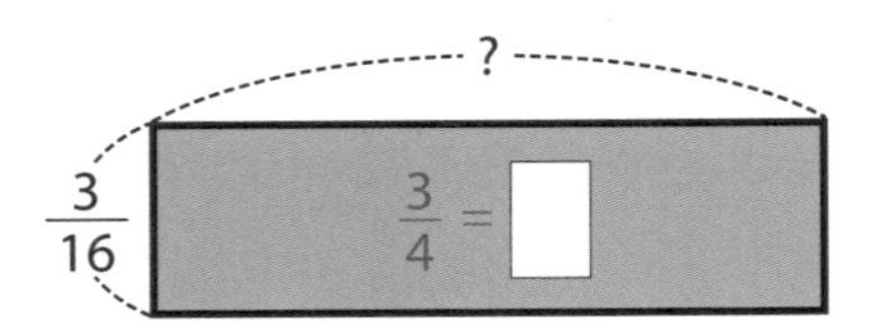

2단계 **가로로 1씩 잘라 내기**

이 직사각형을 가로로 1씩 잘라 냅니다.

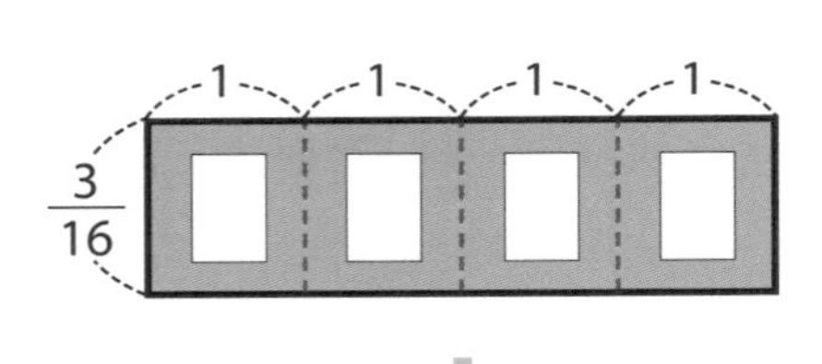

3단계 **전체 가로 구하기**

최대 ☐ 번까지 잘라 낼 수 있고 나머지는 없습니다.

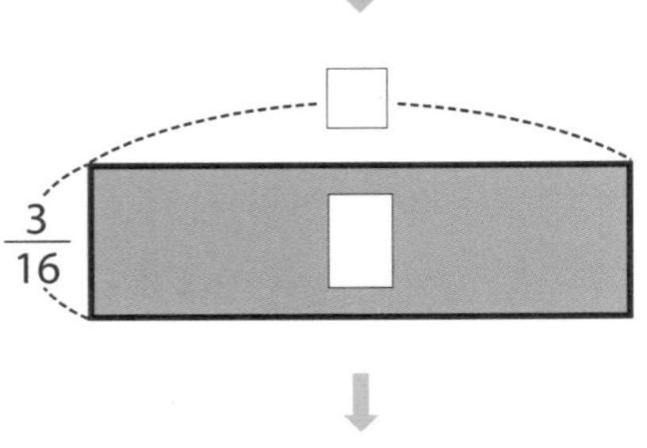

4단계 **몫 구하기**

$\frac{3}{4} \div \frac{3}{16} =$ ☐

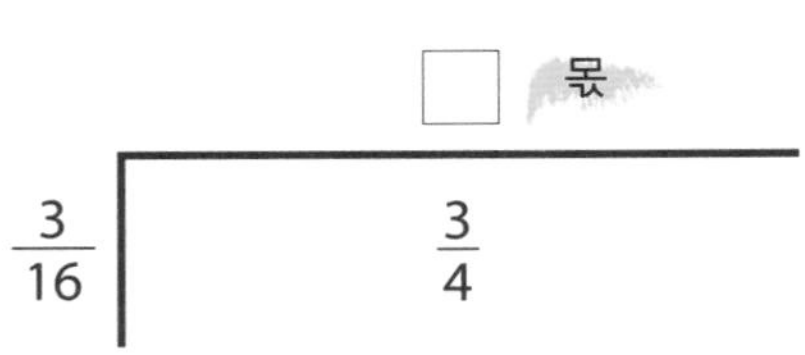

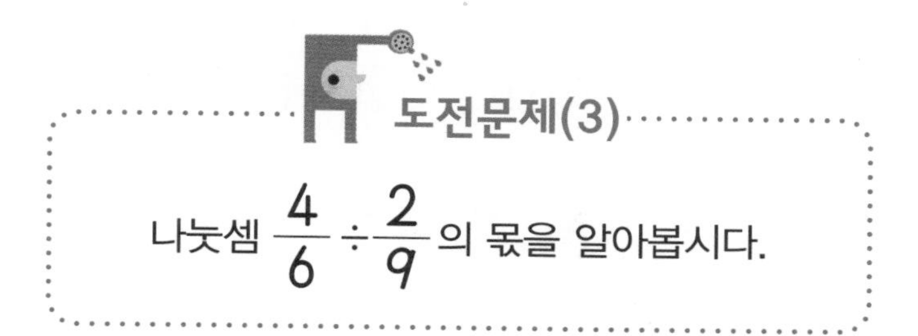

1단계 **직사각형 그리고 통분하기**

넓이가 $\frac{4}{6}$이고 세로가 $\frac{2}{9}$인 직사각형을 그린 다음, 통분합니다.

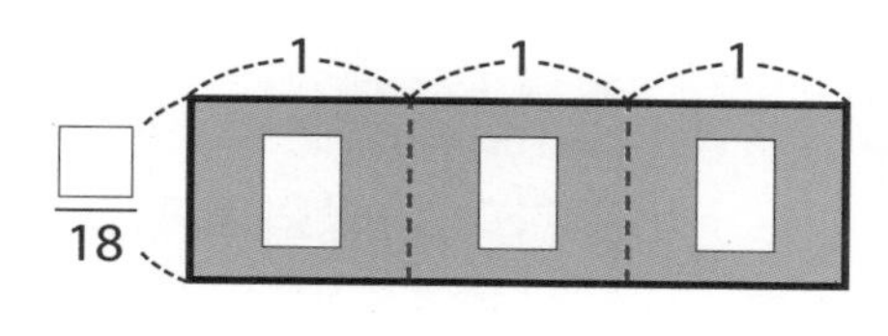

2단계 **가로로 1씩 잘라 내기**

이 직사각형을 가로로 1씩 잘라 냅니다.

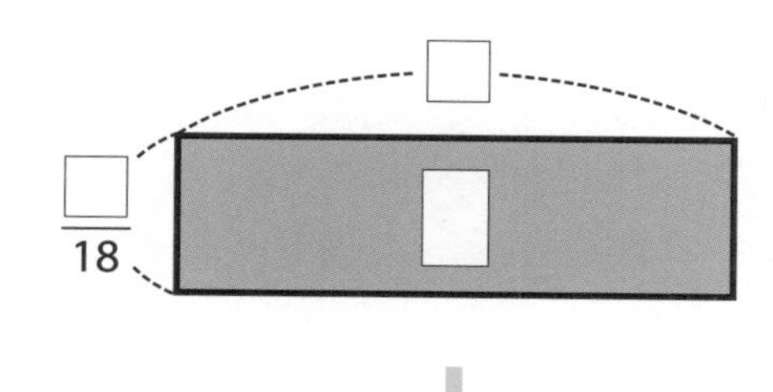

3단계 **전체 가로 구하기**

최대 $\square$번까지 잘라 낼 수 있고 나머지는 없습니다.

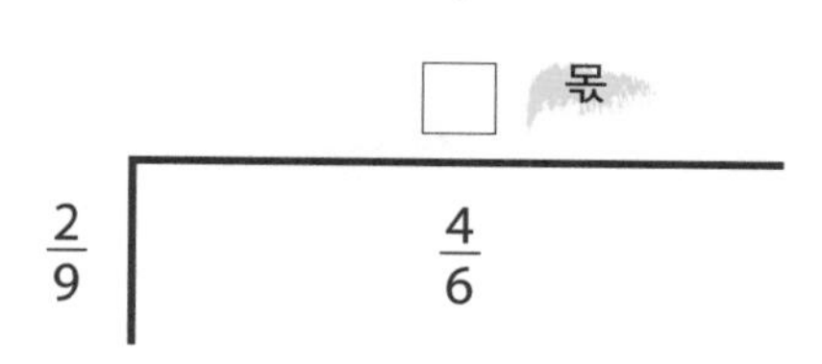

4단계 **몫 구하기**

$\frac{4}{6} \div \frac{2}{9} = \square$

몫이 자연수인 나눗셈

(5) 나눗셈을 곱셈으로 나타내기 ① (자연수)÷(자연수)

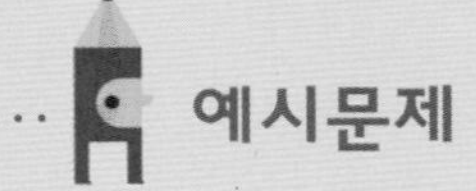

나눗셈 $8 \div 4$를 곱셈으로 나타냅시다.

1단계 나눗셈의 몫을 분수로 나타내기

나눗셈의 몫을 하나의 분수로 나타낼 수 있습니다.

2단계 분모, 분자에 같은 수 곱하기

분모가 1이 되도록 하기 위해 분모와 분자에 똑같이 분모 4의 역수인 $\frac{1}{4}$을 곱합니다.

3단계 분모 계산하기

분모를 계산하면 1이 됩니다.

4단계 분모 1 생략하기

5단계 $8 \div 4 = 8 \times \frac{1}{4}$

$$8 \div 4 = \frac{8}{4}$$

↓

$$= \frac{8 \times \frac{1}{4}}{4 \times \frac{1}{4}}$$

↓

$$= \frac{8 \times \frac{1}{4}}{1}$$

↓

$$= 8 \times \frac{1}{4}$$

핵심 포인트

- 분수의 성질 : 분모와 분자에 같은 수를 곱하거나 나누어도 분수의 크기는 똑같다.
- 역수 : 서로 곱해서 1을 만드는 두 수. 예 3의 역수는 $\frac{1}{3}$, $\frac{1}{5}$의 역수는 $\frac{5}{1}$

몫이 자연수인 나눗셈

도전문제

나눗셈 $6 \div 2$를 곱셈으로 나타냅시다.

1단계 나눗셈의 몫을 분수로 나타내기

나눗셈의 몫을 하나의 분수로 나타낼 수 있습니다.

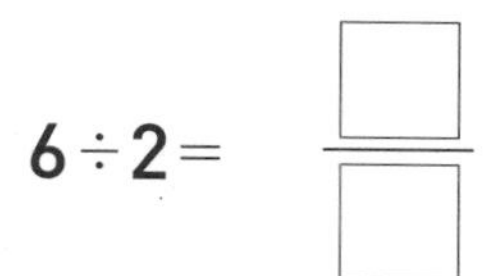

2단계 분모, 분자에 같은 수 곱하기

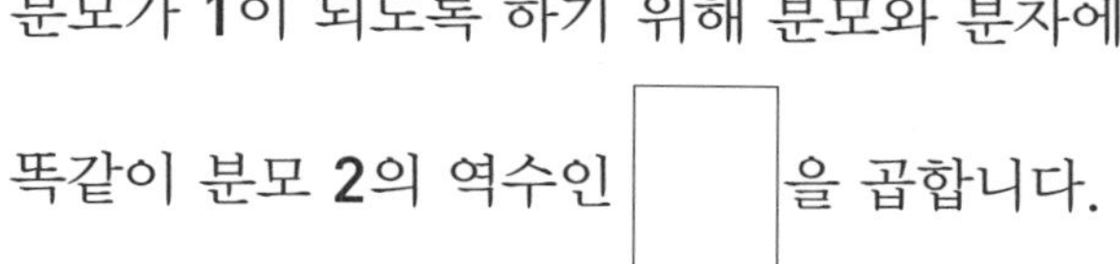

분모가 1이 되도록 하기 위해 분모와 분자에 똑같이 분모 2의 역수인 □을 곱합니다.

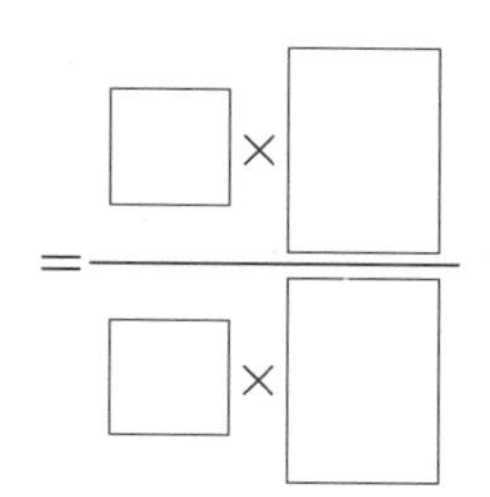

3단계 분모 계산하기

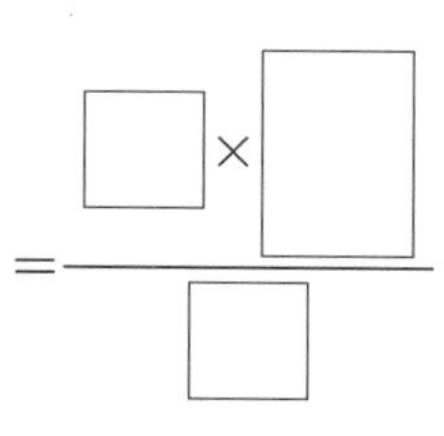

4단계 분모 1 생략하기

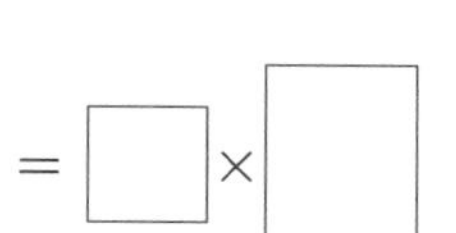

5단계 $6 \div 2 =$ □ $\times$ □

몫이 자연수인 나눗셈

(6) 나눗셈을 곱셈으로 나타내기 ② (자연수)÷(분수)

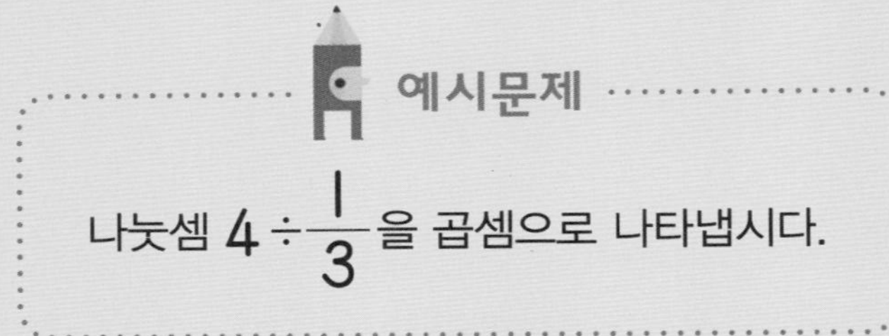

1단계 **나눗셈의 몫을 분수로 나타내기**

나눗셈의 몫을 하나의 분수로 나타낼 수 있습니다.

$$4 \div \frac{1}{3} = \frac{4}{\frac{1}{3}}$$

2단계 **분모, 분자에 같은 수 곱하기**

분모가 1이 되도록 하기 위해 분모와 분자에 똑같이 분모 $\frac{1}{3}$의 역수인 $\frac{3}{1}$을 곱합니다.

$$= \frac{4 \times \frac{3}{1}}{\frac{1}{3} \times \frac{3}{1}}$$

3단계 **분모 계산하기**

분모를 계산하면 1이 됩니다.

$$= \frac{4 \times \frac{3}{1}}{1}$$

4단계 **분모 1 생략하기**

$$= 4 \times \frac{3}{1}$$

5단계 $4 \div \frac{1}{3} = 4 \times \frac{3}{1}$

핵심 포인트 분모나 분자 자리에 분수가 들어 있을 때 '번분수'라고 부릅니다.

몫이 자연수인 나눗셈

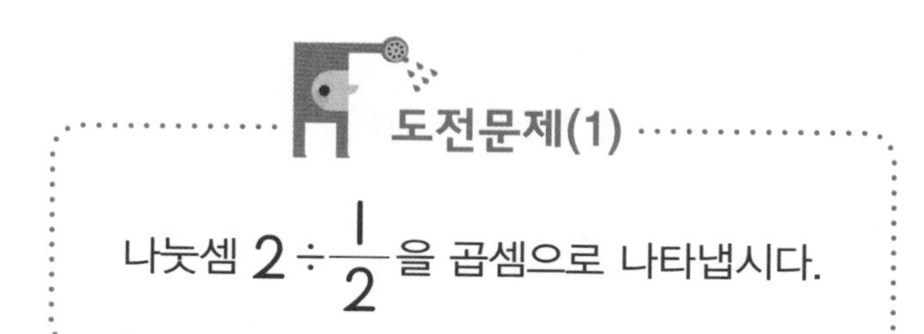

도전문제(1)

나눗셈 $2 \div \frac{1}{2}$을 곱셈으로 나타냅시다.

1단계 **나눗셈의 몫을 분수로 나타내기**

나눗셈의 몫을 하나의 분수로 나타낼 수 있습니다.

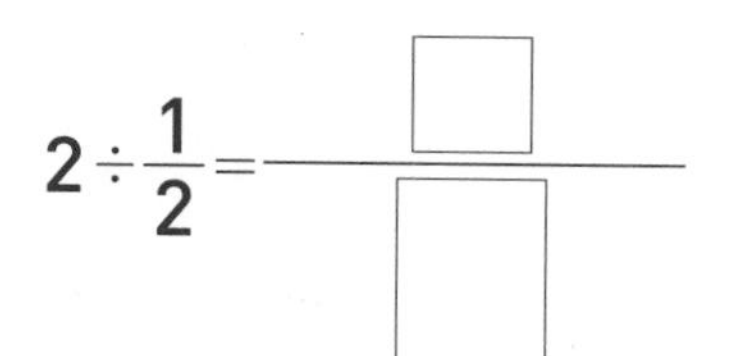

2단계 **분모, 분자에 같은 수 곱하기**

분모가 1이 되도록 하기 위해 분모와 분자에 똑같이 분모 $\frac{1}{2}$의 역수인 □를 곱합니다.

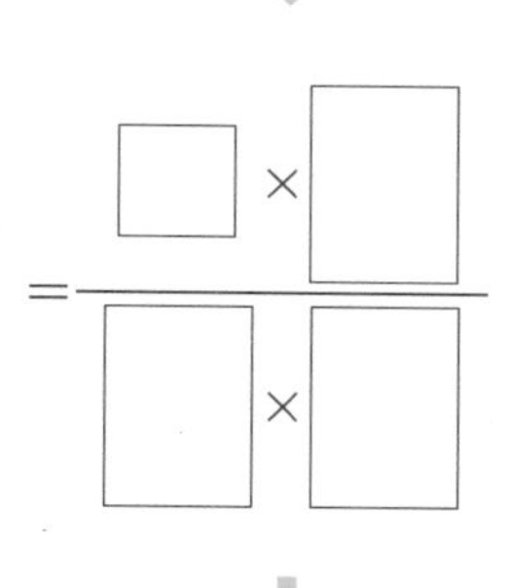

3단계 **분모 계산하기**

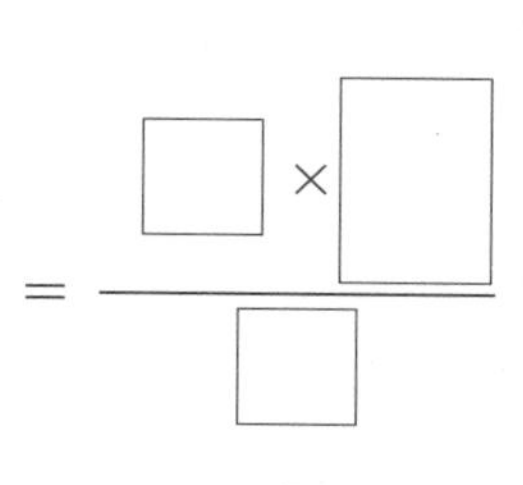

4단계 **분모 1 생략하기**

5단계 $2 \div \frac{1}{2} = □ \times □$

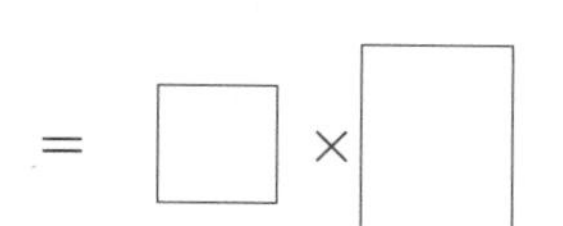

몫이 자연수인 나눗셈

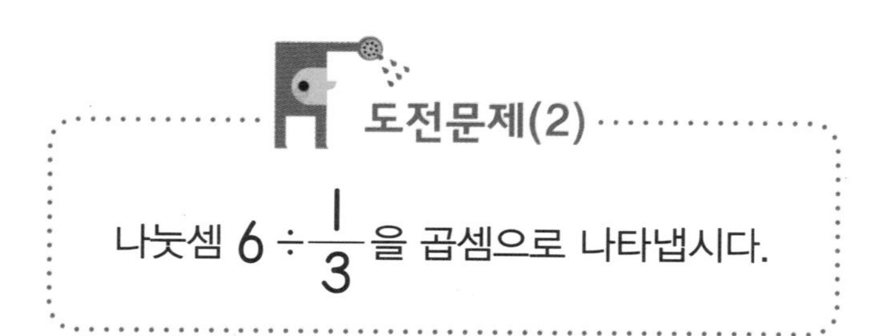

1단계 **나눗셈의 몫을 분수로 나타내기**

나눗셈의 몫을 하나의 분수로 나타낼 수 있습니다.

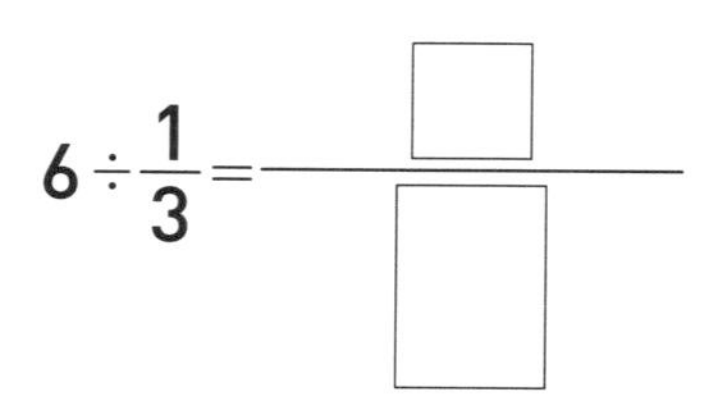

2단계 **분모, 분자에 같은 수 곱하기**

분모가 1이 되도록 하기 위해 분모와 분자에 똑같이 분모의 역수인 □을 곱합니다.

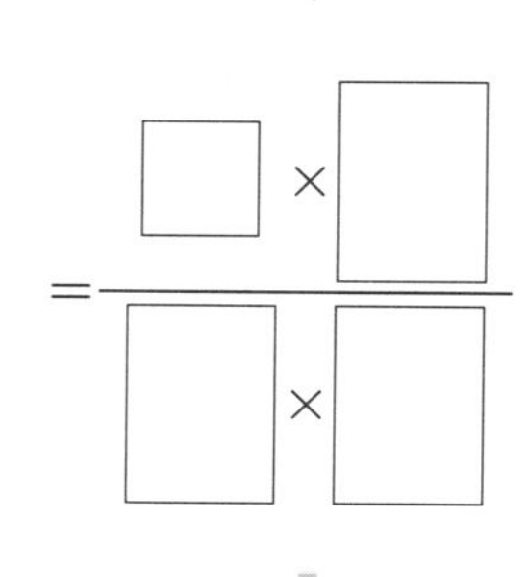

3단계 **분모 계산하기**

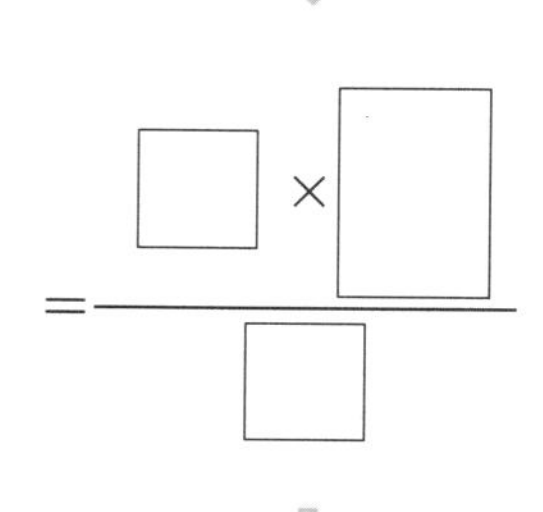

4단계 **분모 1 생략하기**

5단계 $6 \div \frac{1}{3} =$ □ $\times$ □

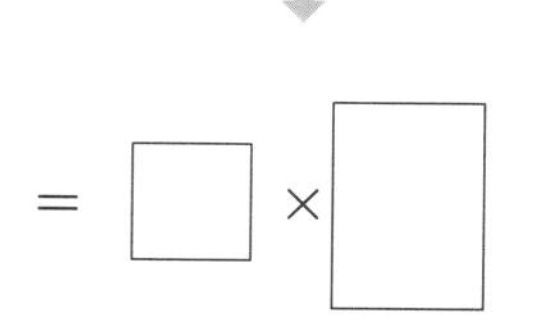

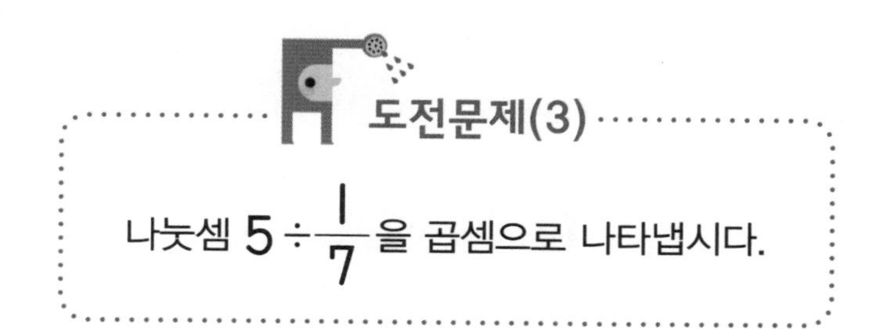

1단계 **나눗셈의 몫을 분수로 나타내기**

나눗셈의 몫을 하나의 분수로 나타낼 수 있습니다.

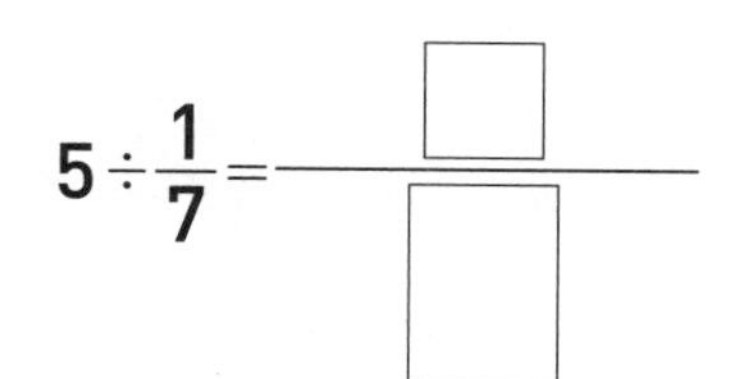

2단계 **분모, 분자에 같은 수 곱하기**

분모가 1이 되도록 하기 위해 분모와 분자에 똑같이 분모의 역수인 □ 를 곱합니다.

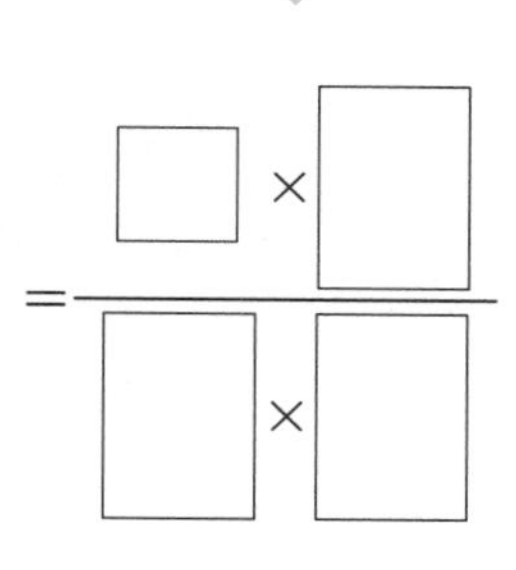

3단계 **분모 계산하기**

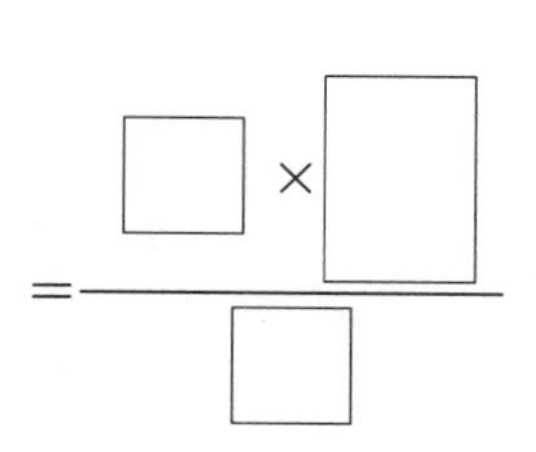

4단계 **분모 1 생략하기**

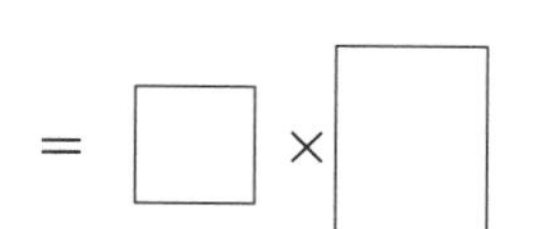

5단계 $5 \div \frac{1}{7} =$ □ × □

몫이 자연수인 나눗셈

(7) 나눗셈을 곱셈으로 나타내기 ③ (분수)÷(분수)

예시문제

나눗셈 $\frac{4}{3} \div \frac{2}{9}$를 곱셈으로 나타냅시다.

1단계 **나눗셈의 몫을 분수로 나타내기**

나눗셈의 몫을 하나의 분수로 나타낼 수 있습니다.

2단계 **분모, 분자에 같은 수 곱하기**

분모가 1이 되도록 하기 위해 분모와 분자에 똑같이 분모 $\frac{2}{9}$의 역수인 $\frac{9}{2}$를 곱합니다.

3단계 **분모 계산하기**

분모를 계산하면 1이 됩니다.

4단계 **분모 1 생략하기**

5단계 $\frac{4}{3} \div \frac{2}{9} = \frac{4}{3} \times \frac{9}{2}$

$$\frac{4}{3} \div \frac{2}{9} = \frac{\frac{4}{3}}{\frac{2}{9}}$$

$$= \frac{\frac{4}{3} \times \frac{9}{2}}{\frac{2}{9} \times \frac{9}{2}}$$

$$= \frac{\frac{4}{3} \times \frac{9}{2}}{1}$$

$$= \frac{4}{3} \times \frac{9}{2}$$

핵심 포인트 나눗셈을 곱셈으로 만든 다음에는 분수 곱셈 계산 방법으로 계산하면 됩니다.

나눗셈 $\frac{8}{5} \div \frac{2}{5}$ 를 곱셈으로 나타냅시다.

1단계 나눗셈의 몫을 분수로 나타내기

나눗셈의 몫을 하나의 분수로 나타낼 수 있습니다.

$\frac{8}{5} \div \frac{2}{5} = \frac{\square}{\square}$

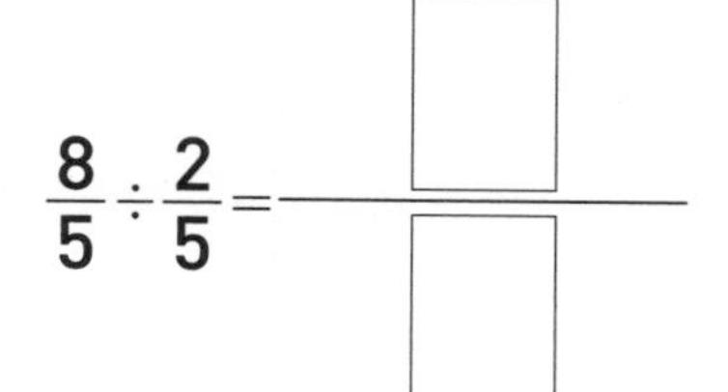

2단계 분모, 분자에 같은 수 곱하기

분모가 1이 되도록 하기 위해 분모와 분자에 똑같이 분모의 역수인 □를 곱합니다.

$= \frac{\square \times \square}{\square \times \square}$

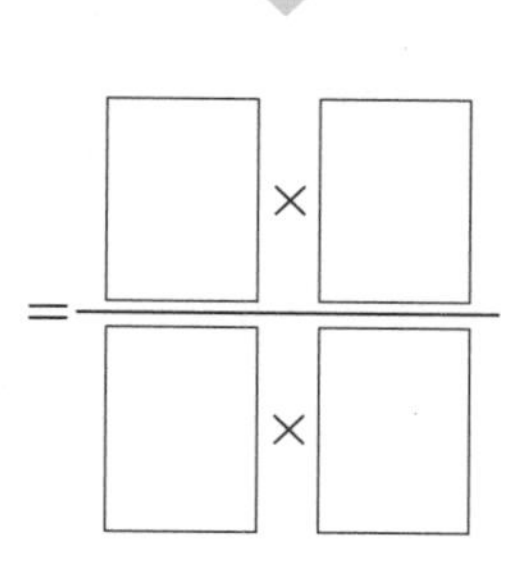

3단계 분모 계산하기

$= \frac{\square \times \square}{\square}$

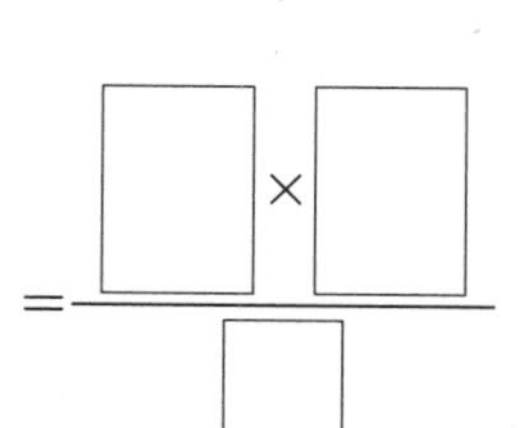

4단계 분모 1 생략하기

5단계 $\frac{8}{5} \div \frac{2}{5} = \square \times \square$

$= \square \times \square$

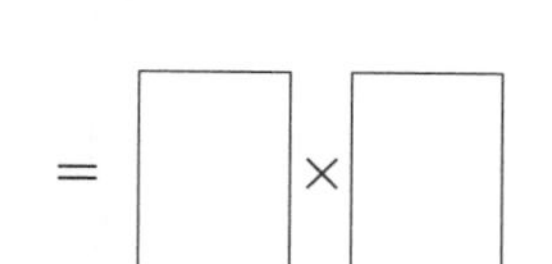

몫이 자연수인 나눗셈

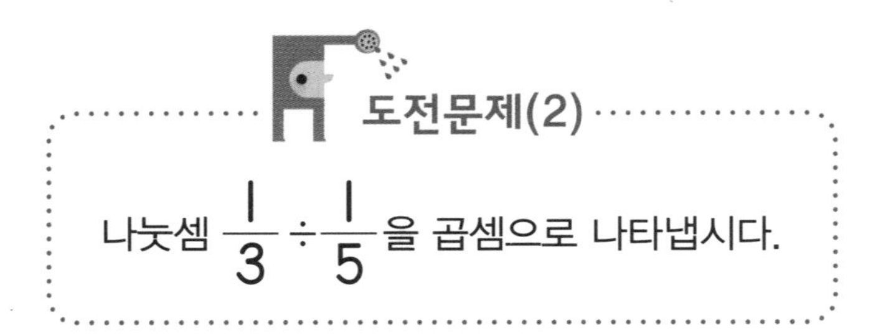

도전문제(2)

나눗셈 $\frac{1}{3} \div \frac{1}{5}$을 곱셈으로 나타냅시다.

1단계 **나눗셈의 몫을 분수로 나타내기**

나눗셈의 몫을 하나의 분수로 나타낼 수 있습니다.

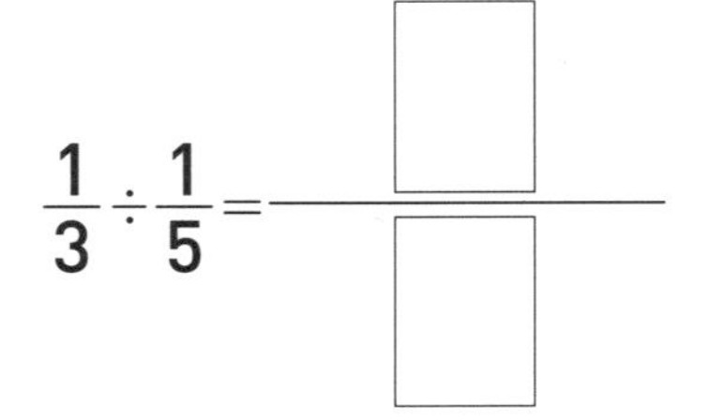

2단계 **분모, 분자에 같은 수 곱하기**

분모가 1이 되도록 하기 위해 분모와 분자에 똑같이 분모의 역수인 □를 곱합니다.

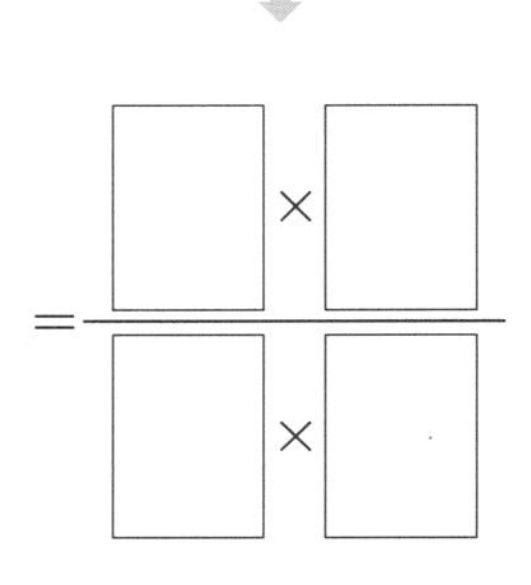

3단계 **분모 계산하기**

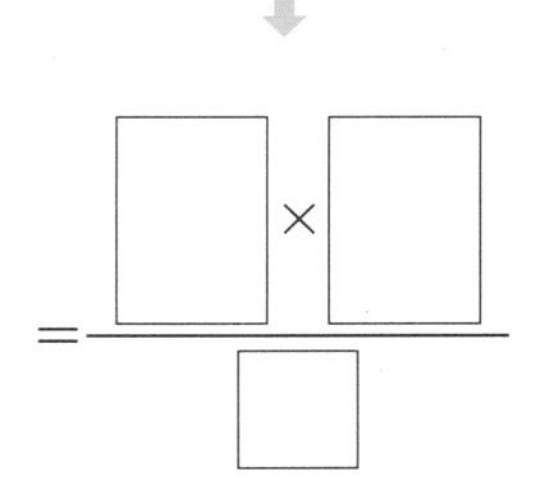

4단계 **분모 1 생략하기**

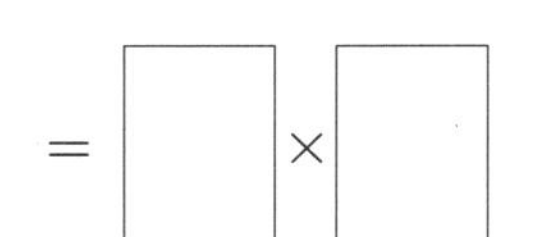

5단계 $\frac{1}{3} \div \frac{1}{5} =$ □ × □

몫이 자연수인 나눗셈

나눗셈 $\frac{7}{2} \div \frac{21}{4}$ 을 곱셈으로 나타냅시다.

1단계 **나눗셈의 몫을 분수로 나타내기**

나눗셈의 몫을 하나의 분수로 나타낼 수 있습니다.

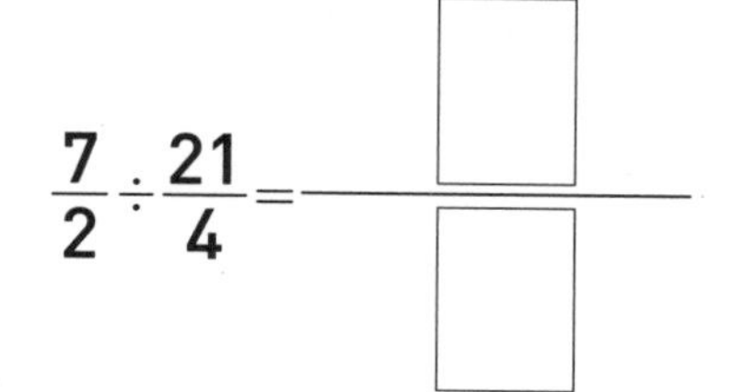

2단계 **분모, 분자에 같은 수 곱하기**

분모가 1이 되도록 하기 위해 분모와 분자에 똑같이 분모의 역수인 $\square$ 를 곱합니다.

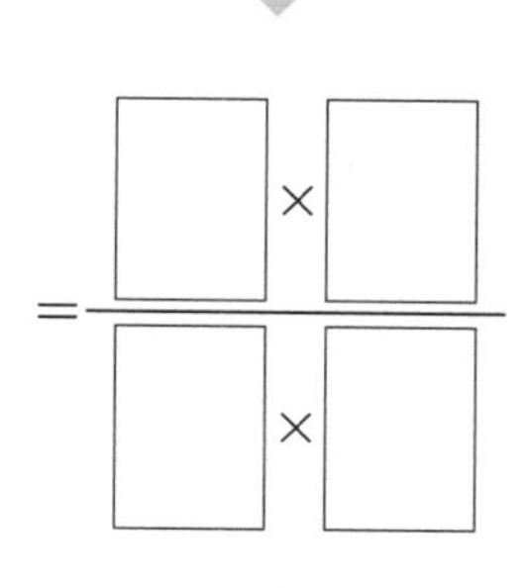

3단계 **분모 계산하기**

4단계 **분모 1 생략하기**

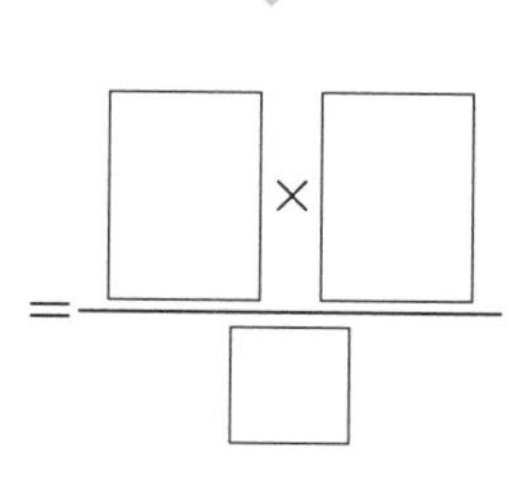

5단계 $\frac{7}{2} \div \frac{21}{4} = \square \times \square$

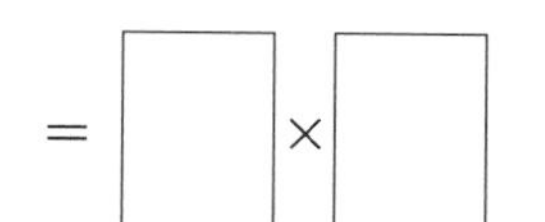

몫이 자연수인 나눗셈

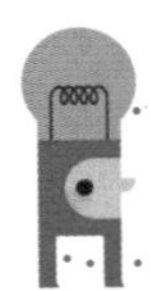

연습문제(1)

다음 빈칸에 알맞은 수를 쓰세요.

① $1 \div 1 = \square$

② $10 \div 5 = \square$

③ $16 \div 4 = \square$

④ $8 \div 4 = \square$

⑤ $9 \div 3 = \square$

⑥ $12 \div 2 = \square$

⑦ $8 \div 2 = \square$

⑧ $18 \div 6 = \square$

⑨ $15 \div 3 = \square$

⑩ $21 \div 3 = \square$

⑪ $12 \div 3 = \square$

⑫ $24 \div 6 = \square$

⑬ $20 \div 4 = \square$

⑭ $9 \div 1 = \square$

⑮ $35 \div 5 = \square$

⑯ $10 \div 1 = \square$

⑰ $2 \div 2 = \square$

⑱ $25 \div 5 = \square$

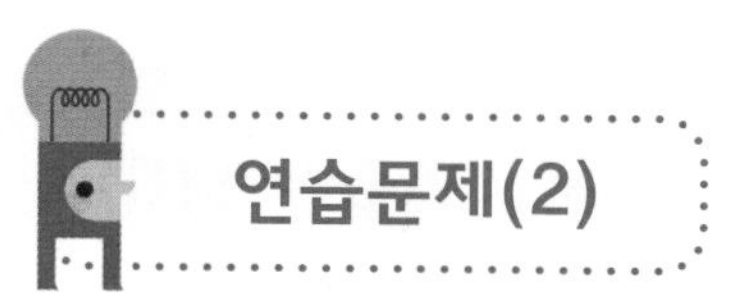

다음 빈칸에 알맞은 수를 쓰세요.

① $2\div\frac{1}{5}=\square$

② $3\div\frac{1}{5}=\square$

③ $5\div\frac{1}{5}=\square$

④ $2\div\frac{1}{6}=\square$

⑤ $6\div\frac{1}{6}=\square$

⑥ $4\div\frac{1}{6}=\square$

⑦ $2\div\frac{1}{7}=\square$

⑧ $3\div\frac{1}{4}=\square$

⑨ $7\div\frac{1}{7}=\square$

⑩ $2\div\frac{1}{8}=\square$

⑪ $3\div\frac{1}{8}=\square$

⑫ $4\div\frac{1}{8}=\square$

⑬ $2\div\frac{1}{9}=\square$

⑭ $3\div\frac{1}{9}=\square$

⑮ $5\div\frac{1}{9}=\square$

⑯ $2\div\frac{1}{10}=\square$

⑰ $3\div\frac{1}{100}=\square$

⑱ $9\div\frac{1}{108}=\square$

몫이 자연수인 나눗셈

다음 빈칸에 알맞은 수를 쓰세요.

① $\frac{3}{6} \div \frac{1}{6} = \square$　② $\frac{4}{8} \div \frac{2}{8} = \square$　③ $\frac{2}{4} \div \frac{1}{4} = \square$

④ $\frac{12}{8} \div \frac{2}{8} = \square$　⑤ $\frac{9}{2} \div \frac{3}{2} = \square$　⑥ $\frac{8}{9} \div \frac{2}{9} = \square$

⑦ $\frac{21}{7} \div \frac{3}{7} = \square$　⑧ $\frac{15}{3} \div \frac{5}{3} = \square$　⑨ $\frac{16}{2} \div \frac{8}{2} = \square$

⑩ $\frac{18}{5} \div \frac{2}{5} = \square$　⑪ $\frac{12}{4} \div \frac{3}{4} = \square$　⑫ $\frac{9}{10} \div \frac{3}{10} = \square$

⑬ $\frac{16}{3} \div \frac{2}{3} = \square$　⑭ $\frac{36}{2} \div \frac{9}{2} = \square$　⑮ $\frac{66}{55} \div \frac{11}{55} = \square$

⑯ $\frac{24}{11} \div \frac{6}{11} = \square$　⑰ $\frac{12}{34} \div \frac{2}{34} = \square$　⑱ $\frac{56}{30} \div \frac{8}{30} = \square$

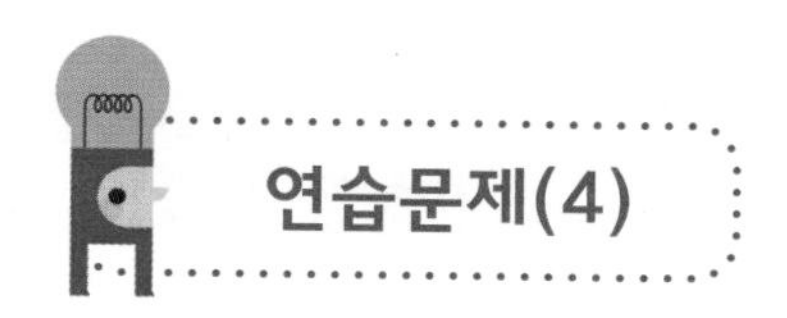

다음 빈칸에 알맞은 수를 쓰세요.

① $\frac{9}{2} \div \frac{3}{8} = \frac{\frac{9}{2}}{\square} = \frac{\square \times \square}{\square \times \square} = \square$

② $4\frac{1}{2} \div \frac{3}{4} = \square \div \frac{3}{4} = \frac{\frac{9}{2}}{\square} = \frac{\square \times \square}{\square \times \square} = \square$

③ $\frac{8}{3} \div 1\frac{1}{3} = \frac{8}{3} \div \square = \frac{\square}{\frac{4}{3}} = \frac{\square \times \square}{\square \times \square} = \square$

④ $4\frac{1}{5} \div \frac{7}{10} = \square \div \frac{7}{10} = \frac{\frac{21}{5}}{\square} = \frac{\square \times \square}{\square \times \square} = \square$

⑤ $4\frac{2}{3} \div \frac{7}{18} = \square \div \frac{7}{18} = \frac{\frac{14}{3}}{\square} = \frac{\square \times \square}{\square \times \square} = \square$

몫이 자연수인 나눗셈

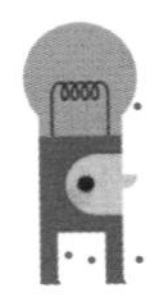

연습문제(5)

다음 빈칸에 알맞은 수를 쓰세요.

① $\frac{4}{3} \div \frac{2}{6} = \square$

② $\frac{1}{5} \div \frac{1}{10} = \square$

③ $\frac{7}{5} \div \frac{7}{10} = \square$

④ $\frac{1}{8} \div \frac{1}{16} = \square$

⑤ $\frac{2}{3} \div \frac{2}{15} = \square$

⑥ $\frac{2}{7} \div \frac{2}{21} = \square$

⑦ $\frac{7}{8} \div \frac{14}{32} = \square$

⑧ $\frac{7}{12} \div \frac{14}{48} = \square$

⑨ $\frac{9}{4} \div \frac{18}{24} = \square$

⑩ $\frac{18}{3} \div \frac{4}{8} = \square$

⑪ $1\frac{1}{4} \div \frac{5}{8} = \square$

⑫ $\frac{6}{18} \div \frac{1}{9} = \square$

⑬ $1\frac{2}{7} \div \frac{9}{21} = \square$

⑭ $1\frac{3}{4} \div \frac{7}{24} = \square$

⑮ $\frac{21}{6} \div \frac{42}{24} = \square$

⑯ $1\frac{2}{10} \div \frac{3}{5} = \square$

⑰ $3\frac{2}{6} \div 1\frac{1}{9} = \square$

⑱ $\frac{5}{12} \div \frac{10}{24} = \square$

몫이 분수인 나눗셈

몫이 분수인 나눗셈

(1) (자연수)÷(자연수) ① 몫이 진분수인 경우

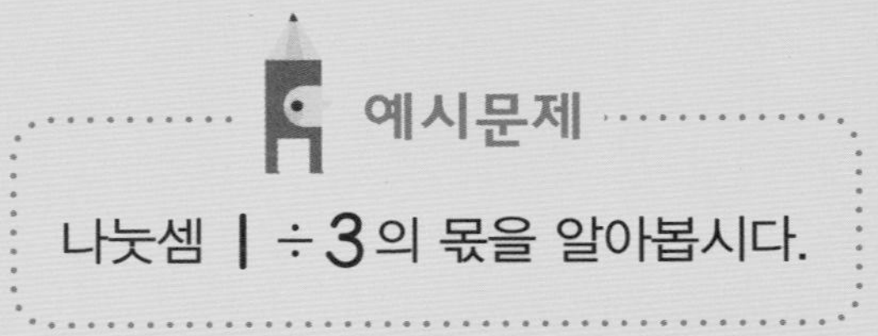

예시문제

나눗셈 $1 \div 3$의 몫을 알아봅시다.

1단계 **직사각형 그리기**

넓이가 1이고 세로가 3인 직사각형을 그립니다.

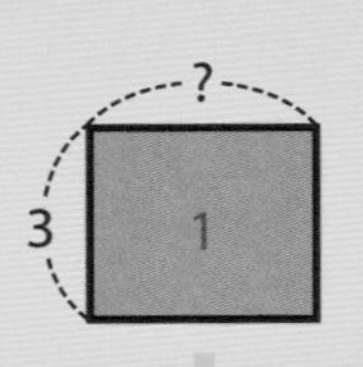

2단계 **가로가 1인 직사각형 그리기**

세로가 3이고 가로가 1인 직사각형의 넓이는 3입니다.

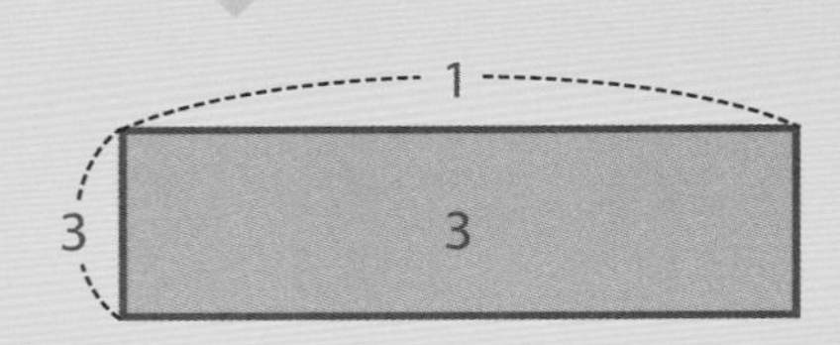

3단계 **처음 직사각형 가로 구하기**

2단계 직사각형과 비교하면 1단계 직사각형의 가로 길이는 $\frac{1}{3}$입니다.

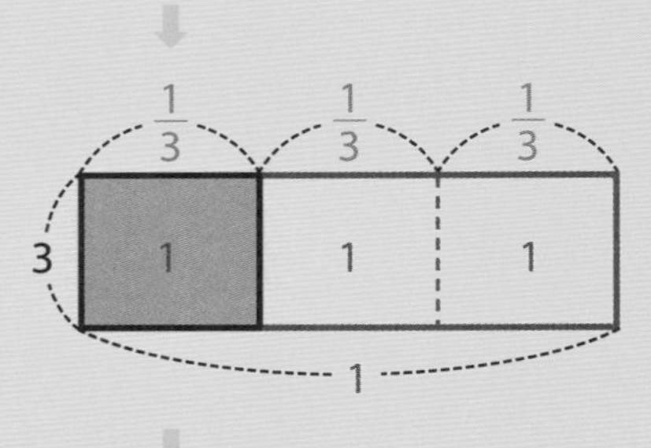

4단계 **몫 구하기**

$1 \div 3 = \frac{1}{3}$

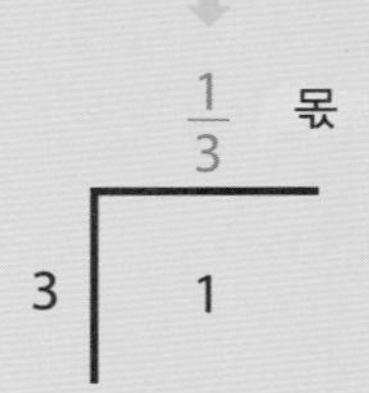

핵심 포인트 나눗셈의 몫을 분수로 나타낼 수 있어요. $1 \div 3 = \frac{1}{3}$

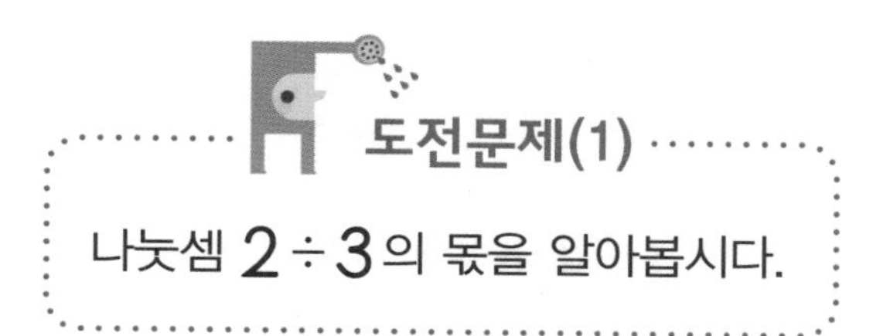

나눗셈 $2 \div 3$의 몫을 알아봅시다.

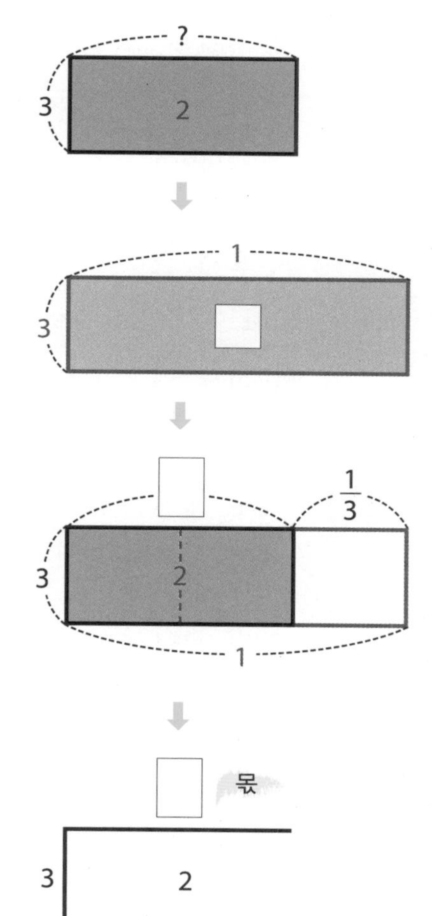

1단계 **직사각형 그리기**

넓이가 2이고 세로가 3인 직사각형을 그립니다.

2단계 **가로가 1인 직사각형 그리기**

세로가 3이고 가로가 1인 직사각형의 넓이는 ☐ 입니다.

3단계 **처음 직사각형 가로 구하기**

2단계 직사각형과 비교하면 1단계 직사각형의 가로 길이는 ☐ 입니다.

4단계 **몫 구하기**

$2 \div 3 =$ ☐

몫이 분수인 나눗셈

나눗셈 $3 \div 4$의 몫을 알아봅시다.

1단계 **직사각형 그리기**

넓이가 3이고 세로가 4인 직사각형을 그립니다.

2단계 **가로가 1인 직사각형 그리기**

세로가 4이고 가로가 1인 직사각형의 넓이는 □ 입니다.

3단계 **처음 직사각형 가로 구하기**

2단계 직사각형과 비교하면 1단계 직사각형의 가로 길이는 □ 입니다.

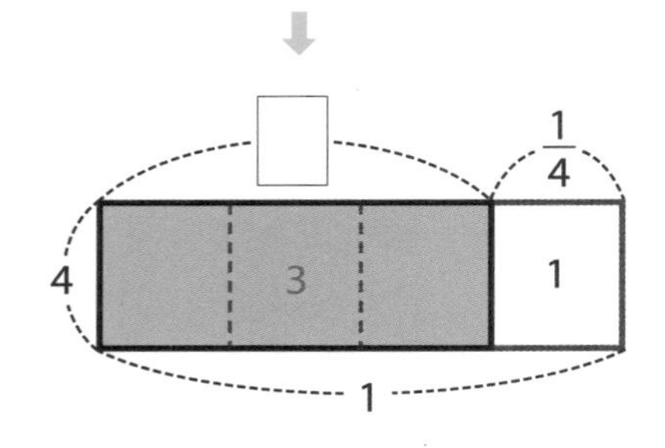

4단계 **몫 구하기**

$3 \div 4 =$

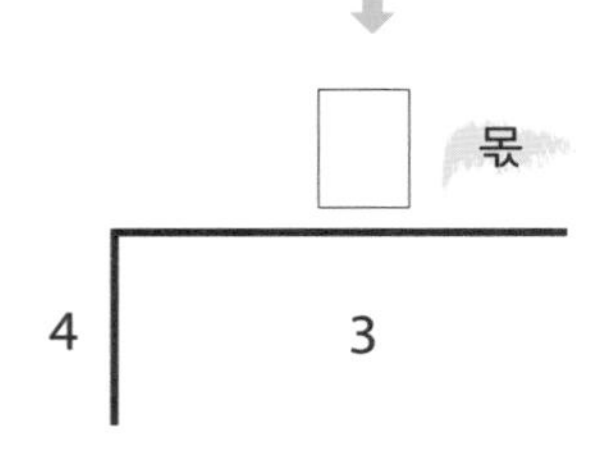

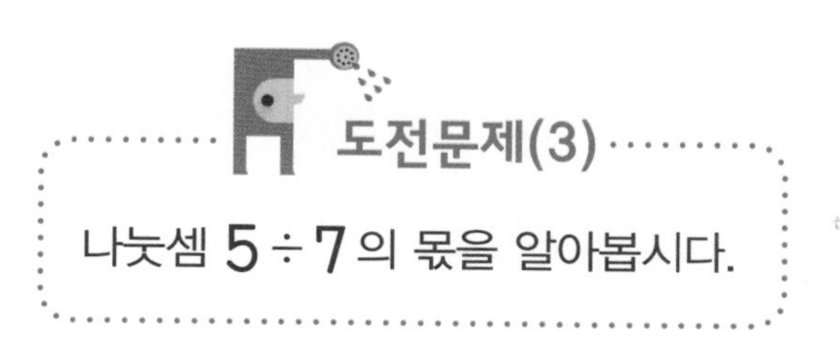

나눗셈 $5 \div 7$의 몫을 알아봅시다.

1단계 **직사각형 그리기**

넓이가 5이고 세로가 7인 직사각형을 그립니다.

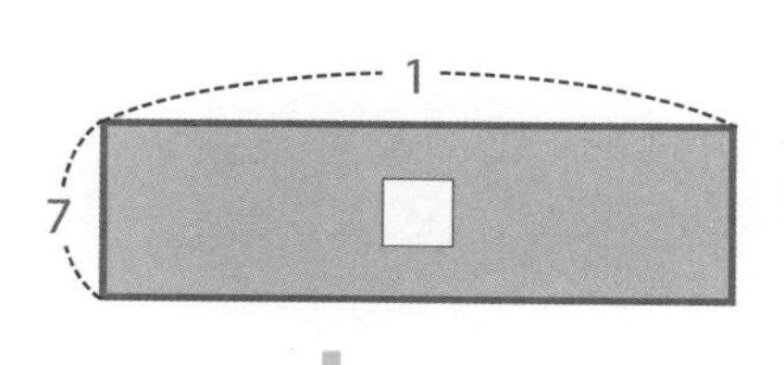

2단계 **가로가 1인 직사각형 그리기**

세로가 7이고 가로가 1인 직사각형의 넓이는 ☐ 입니다.

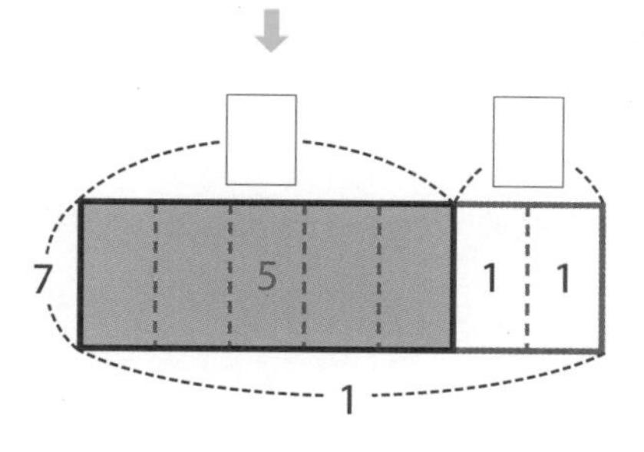

3단계 **처음 직사각형 가로 구하기**

2단계 직사각형과 비교하면 1단계 직사각형의 가로 길이는 ☐ 입니다.

4단계 **몫 구하기**

$5 \div 7 =$ ☐

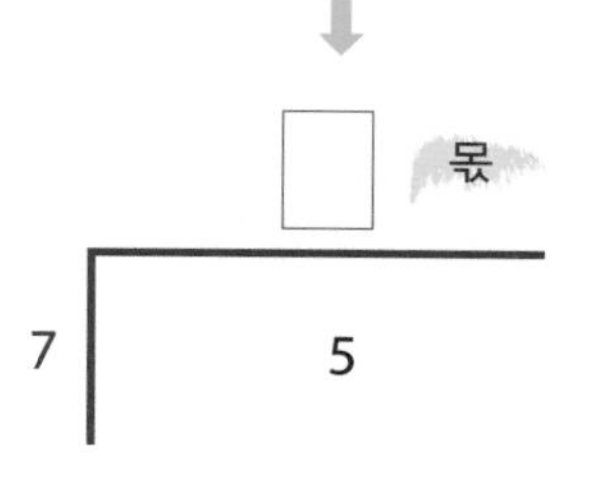

몫이 분수인 나눗셈

(2) (자연수)÷(자연수) ② 몫이 가분수인 경우

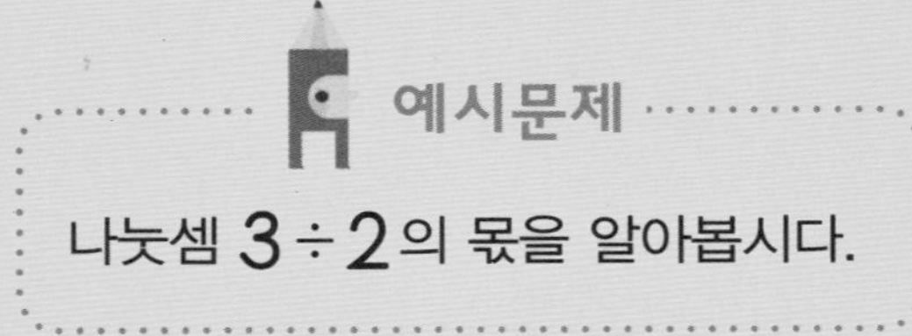

예시문제

나눗셈 $3 \div 2$의 몫을 알아봅시다.

1단계 **직사각형 그리기**

넓이가 3이고 세로가 2인 직사각형을 그립니다.

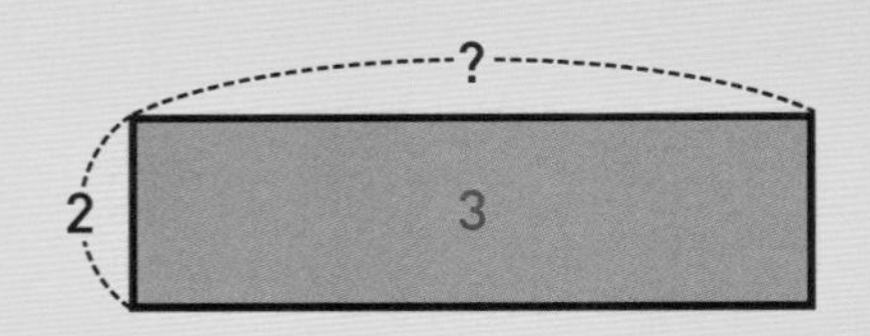

2단계 **가로로 1씩 잘라 내기**

이 직사각형을 가로로 1씩 잘라 내면 최대 1번 자를 수 있고, 1이 남아요.

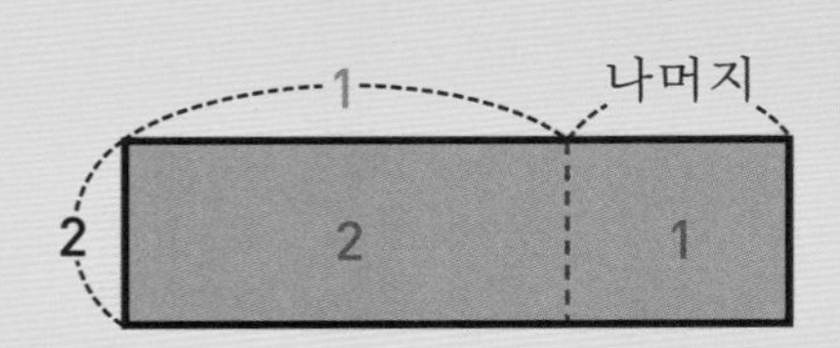

3단계 **나머지의 몫 구하기**

넓이가 2인 직사각형의 가로가 1일 때, 넓이가 1인 나머지의 가로는 $\frac{1}{2}$.

4단계 **가로 구하기**

처음 직사각형의 가로 전체 길이는 $1\frac{1}{2}$, 즉 $\frac{3}{2}$입니다.

5단계 **몫 구하기**

$3 \div 2 = \frac{3}{2}$

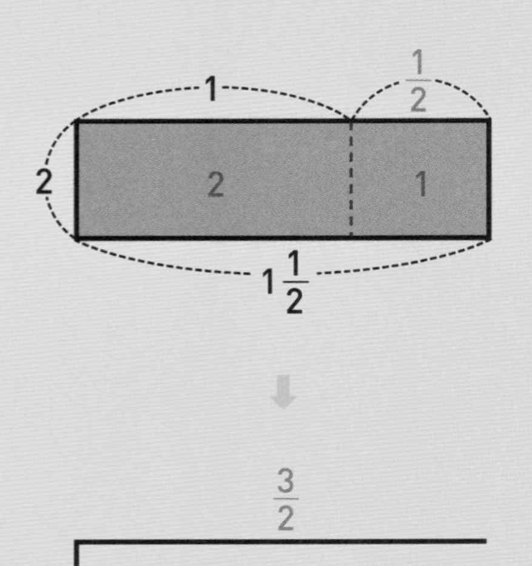

도전문제(1)

나눗셈 $5 \div 4$의 몫을 알아봅시다.

1단계 **직사각형 그리기**

넓이가 5이고 세로가 4인 직사각형을 그립니다.

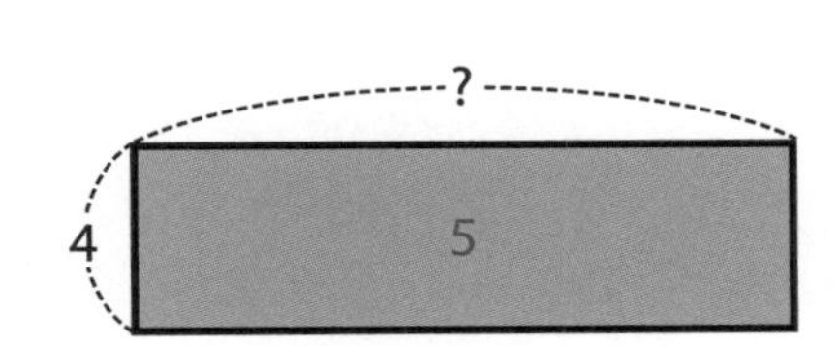

2단계 **가로로 1씩 잘라 내기**

이 직사각형을 가로로 1씩 잘라 내면 최대 ☐번까지 잘라 낼 수 있고, ☐이 남아요.

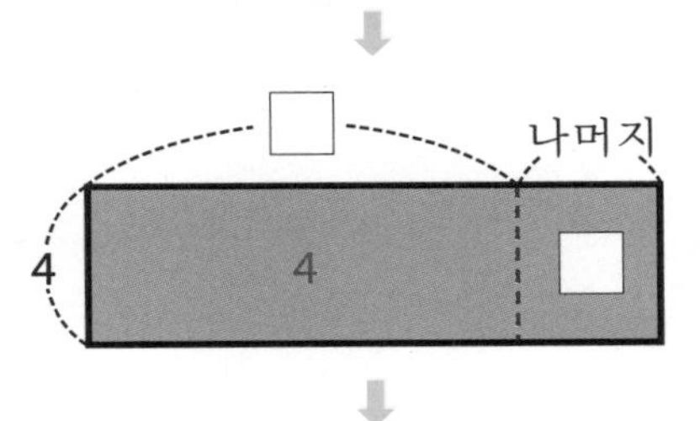

3단계 **나머지의 몫 구하기**

넓이가 4인 직사각형의 가로가 1일 때 넓이가 1인 나머지의 가로는 ☐.

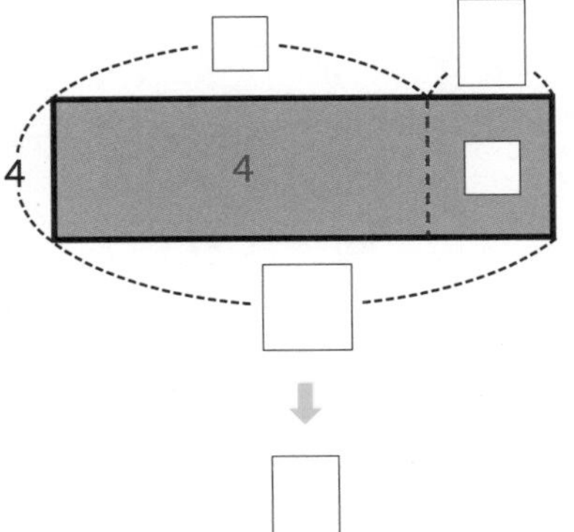

4단계 **가로 구하기**

처음 직사각형의 가로 전체 길이는 ☐, 즉 ☐입니다.

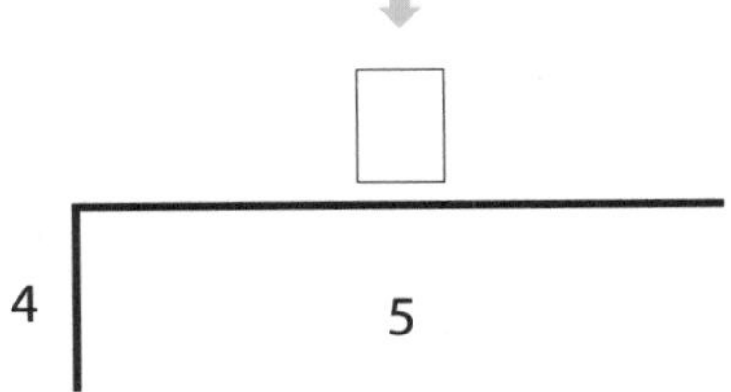

5단계 **몫 구하기**

$5 \div 4 =$ ☐

몫이 분수인 나눗셈

나눗셈 $6 \div 5$의 몫을 알아봅시다.

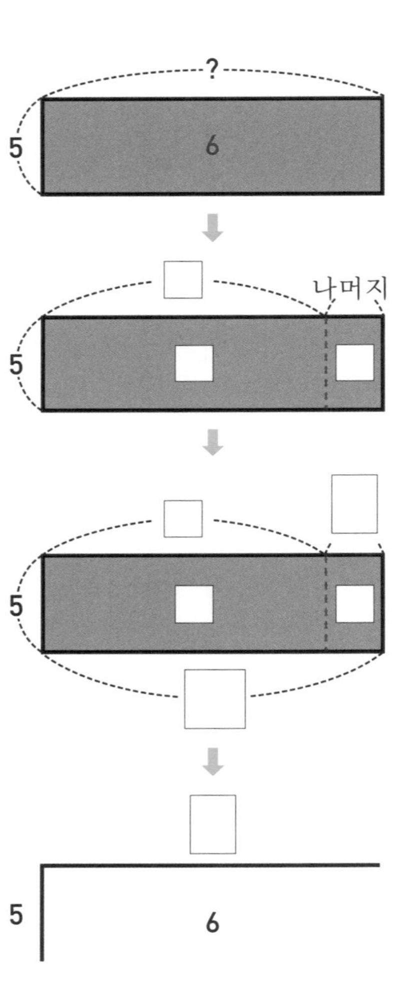

1단계 **직사각형 그리기**

넓이가 6이고 세로가 5인 직사각형을 그립니다.

2단계 **가로로 1씩 잘라 내기**

이 직사각형을 가로로 1씩 잘라 내면 최대 ☐ 번까지 잘라 낼 수 있고, ☐ 이 남아요.

3단계 **나머지의 몫 구하기**

넓이가 5인 직사각형의 가로가 1일때 넓이가 1인 나머지의 가로는 ☐.

4단계 **가로 구하기**

처음 직사각형의 가로 전체 길이는 ☐, 즉 ☐ 입니다.

5단계 **몫 구하기**

$6 \div 5 =$ ☐

나눗셈 $9 \div 5$의 몫을 알아봅시다.

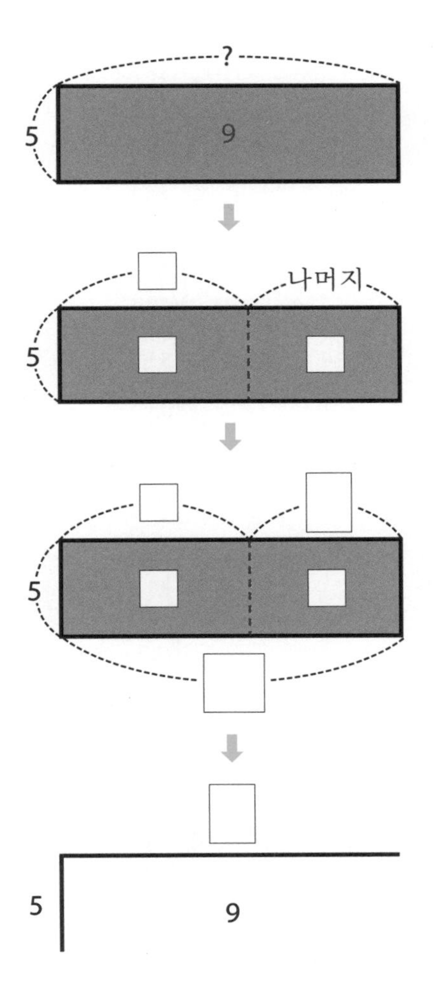

1단계 **직사각형 그리기**

넓이가 9이고 세로가 5인 직사각형을 그립니다.

2단계 **가로로 1씩 잘라 내기**

이 직사각형을 가로로 1씩 잘라 내면 최대 ☐번까지 잘라 낼 수 있고, ☐가 남아요.

3단계 **나머지의 몫 구하기**

넓이가 5인 직사각형의 가로가 1일때 넓이가 4인 나머지의 가로는 ☐.

4단계 **가로 구하기**

처음 직사각형의 가로 전체 길이는 ☐, 즉 ☐입니다.

5단계 **몫 구하기**

$9 \div 5 =$ ☐

몫이 분수인 나눗셈

(3) (자연수)÷(분수) ① 몫이 진분수인 경우

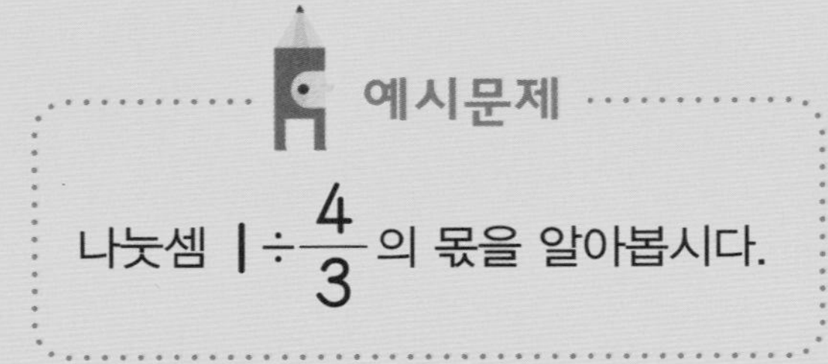

예시문제

나눗셈 $1 \div \frac{4}{3}$의 몫을 알아봅시다.

1단계 **직사각형 그리고 통분하기**

넓이가 1이고 세로가 $\frac{4}{3}$인 직사각형을 그린 다음 통분하세요.

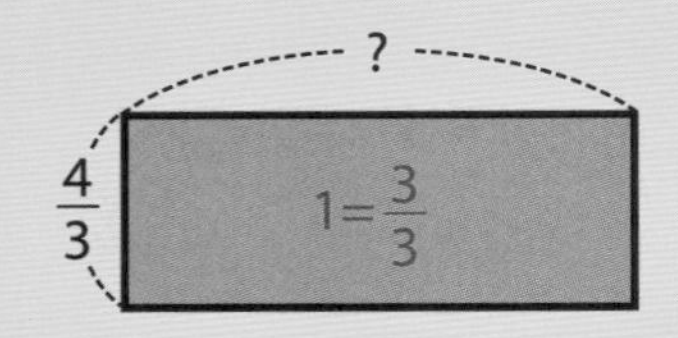

2단계 **가로가 1인 직사각형 그리기**

세로가 $\frac{4}{3}$이고 가로가 1인 직사각형의 넓이는 $\frac{4}{3}$입니다.

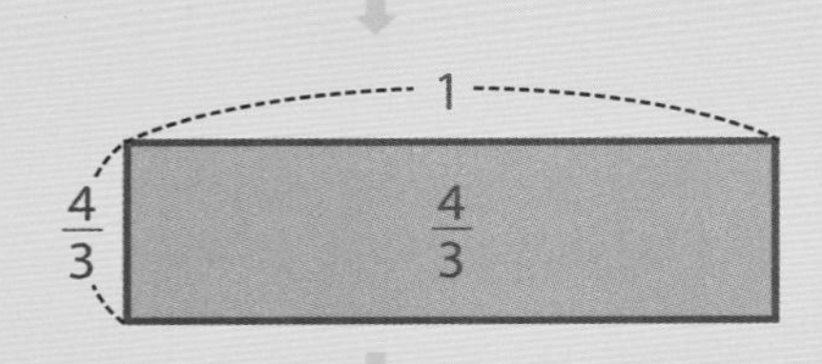

3단계 **처음 직사각형 가로 구하기**

2단계 직사각형과 비교하면 1단계 직사각형의 가로 길이는 $\frac{3}{4}$입니다.

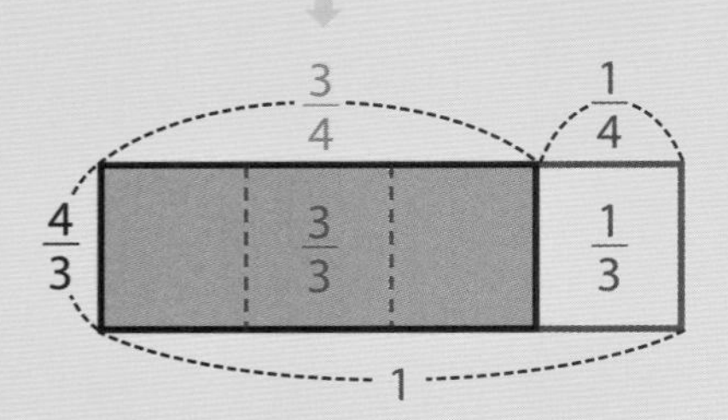

4단계 **몫 구하기**

$1 \div \frac{4}{3} = \frac{3}{4}$

$\frac{3}{4}$

$\frac{4}{3}$) 1

도전문제(1)

나눗셈 $1 \div \frac{7}{5}$의 몫을 알아봅시다.

1단계 직사각형 그리고 통분하기

넓이가 1이고 세로가 $\frac{7}{5}$인 직사각형을 그린 다음 통분하세요.

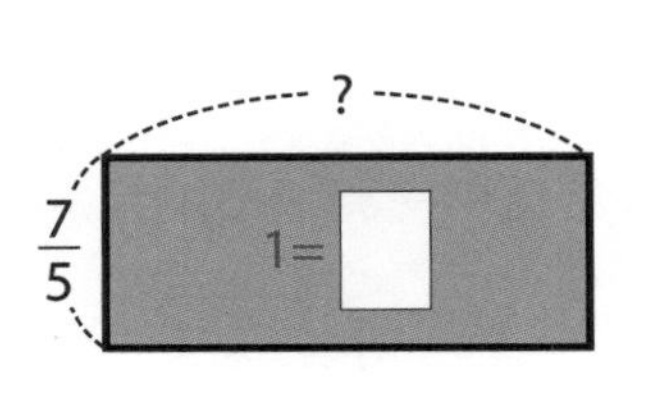

2단계 가로가 1인 직사각형 그리기

세로가 $\frac{7}{5}$이고 가로가 1인 직사각형을 그린 후, 넓이를 분수로 쓰세요.

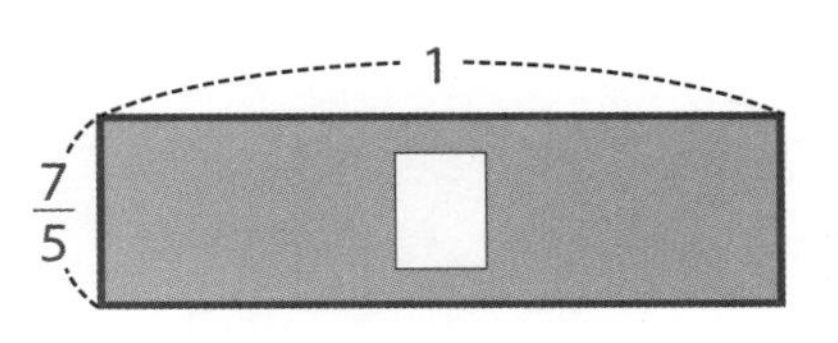

3단계 처음 직사각형 가로 구하기

2단계 직사각형과 비교하면 1단계 직사각형의 가로 길이는 ☐ 입니다.

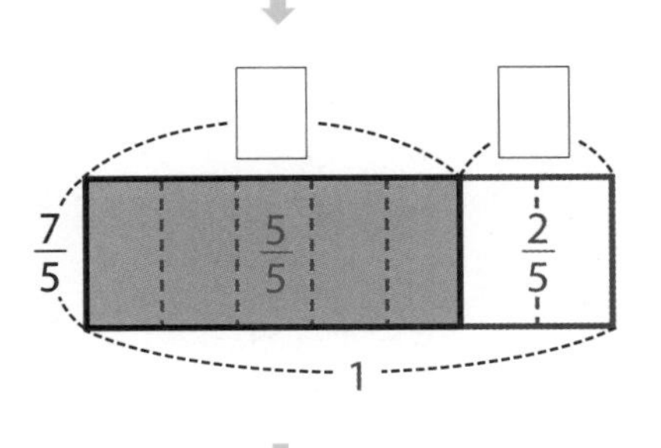

4단계 몫 구하기

$1 \div \frac{7}{5} =$ ☐

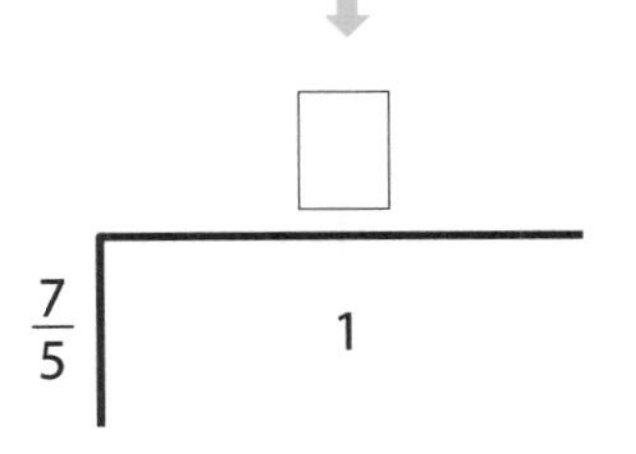

몫이 분수인 나눗셈

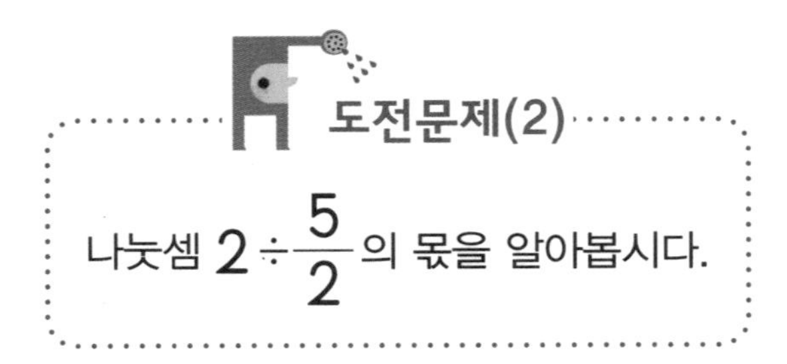

나눗셈 $2 \div \frac{5}{2}$의 몫을 알아봅시다.

1단계 **직사각형 그리고 통분하기**

넓이가 2이고 세로가 $\frac{5}{2}$인 직사각형을 그린 다음 통분하세요.

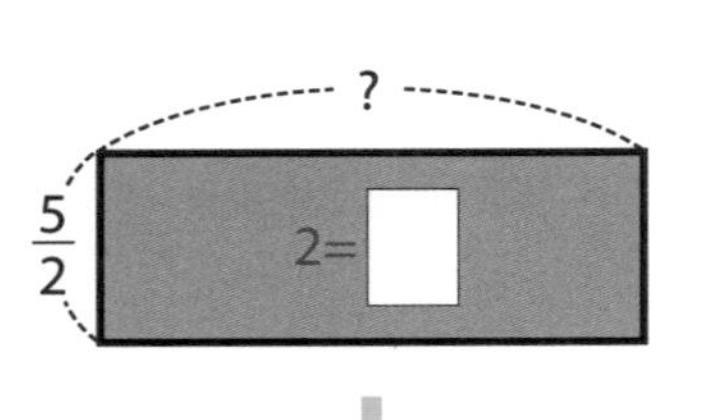

2단계 **가로가 1인 직사각형 그리기**

세로가 $\frac{5}{2}$이고 가로가 1인 직사각형을 그린 후, 넓이를 분수로 쓰세요.

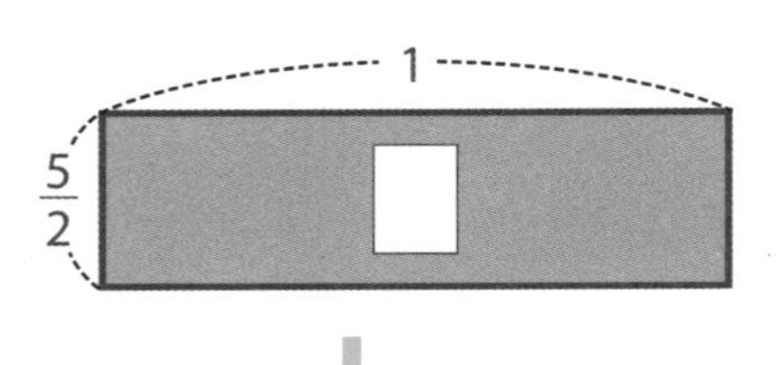

3단계 **처음 직사각형 가로 구하기**

2단계 직사각형과 비교하면 1단계 직사각형의 가로 길이는 ☐ 입니다.

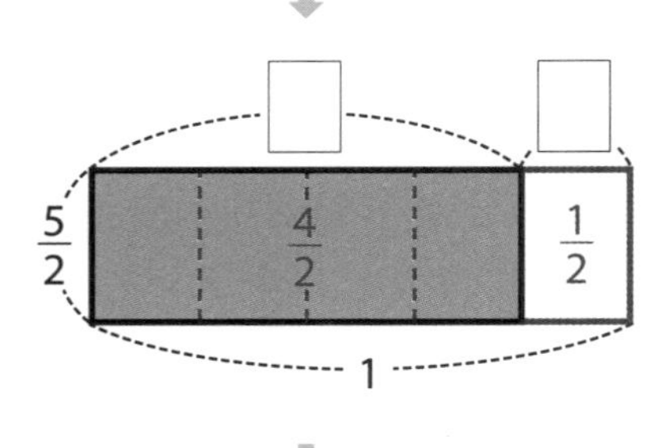

4단계 **몫 구하기**

$2 \div \frac{5}{2} =$ ☐

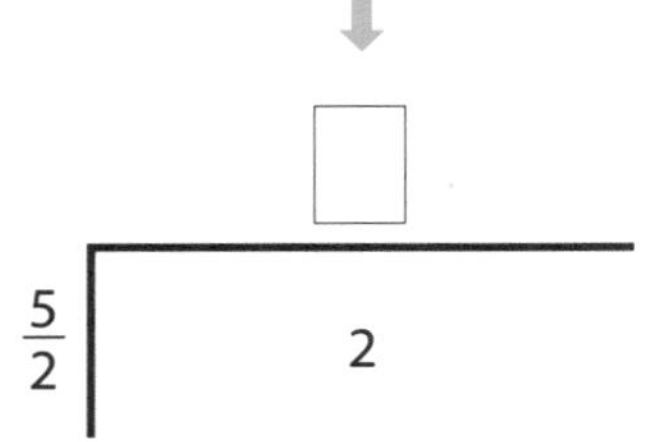

도전문제(3)

나눗셈 $2 \div \frac{7}{3}$ 의 몫을 알아봅시다.

1단계 **직사각형 그리고 통분하기**

넓이가 2이고 세로가 $\frac{7}{3}$인 직사각형을 그린 다음 통분하세요.

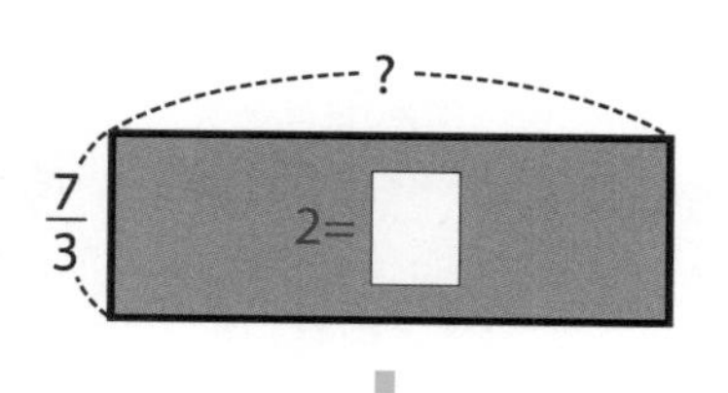

2단계 **가로가 1인 직사각형 그리기**

세로가 $\frac{7}{3}$이고 가로가 1인 직사각형을 그린 후, 넓이를 분수로 쓰세요.

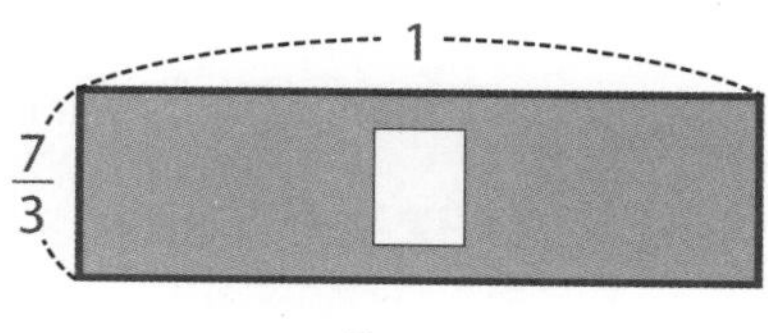

3단계 **처음 직사각형 가로 구하기**

2단계 직사각형과 비교하면 1단계 직사각형의 가로 길이는 ☐ 입니다.

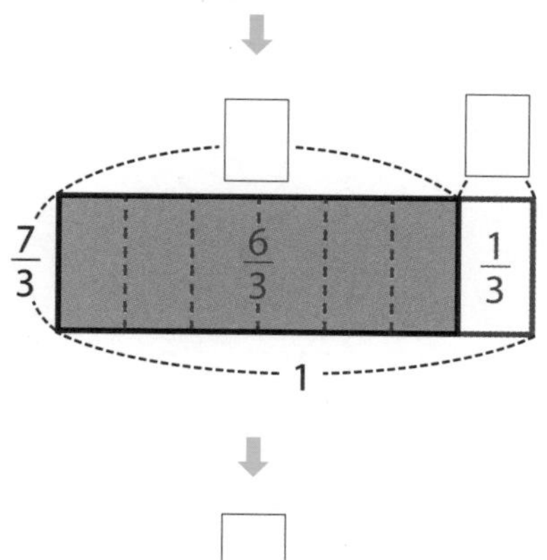

4단계 **몫 구하기**

$2 \div \frac{7}{3} =$ ☐

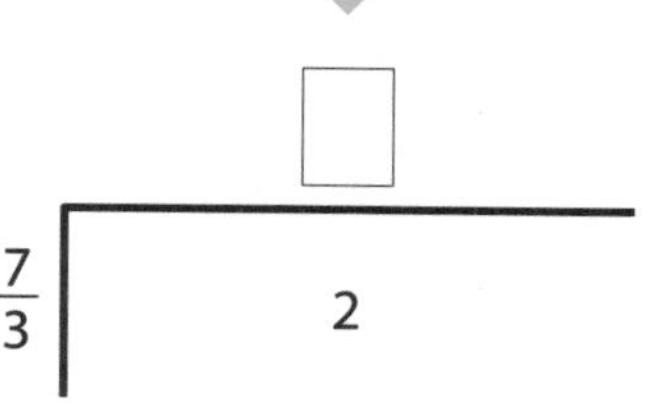

몫이 분수인 나눗셈

(4) (자연수)÷(분수) ② 몫이 가분수인 경우

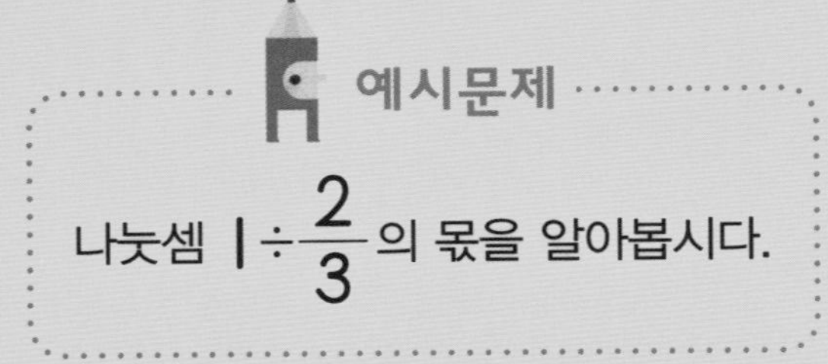

나눗셈 $1 \div \frac{2}{3}$의 몫을 알아봅시다.

1단계 **직사각형 그리고 통분하기**

넓이가 1, 세로가 $\frac{2}{3}$인

직사각형을 그린 다음 통분하세요.

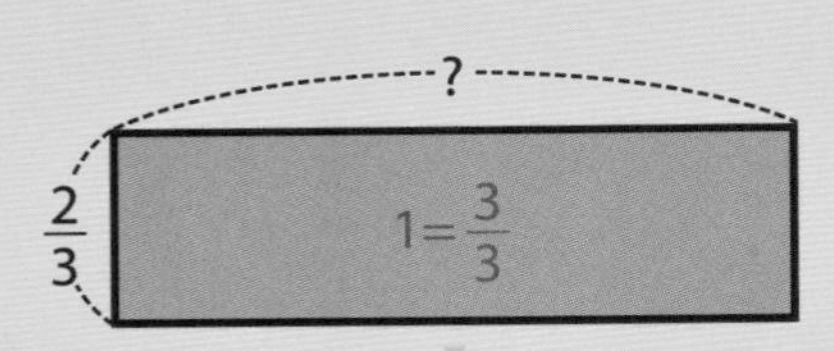

2단계 **가로로 1씩 잘라 내기**

가로로 1씩 잘라 내면 최대 1번까지

잘라 낼 수 있고, $\frac{1}{3}$이 남아요.

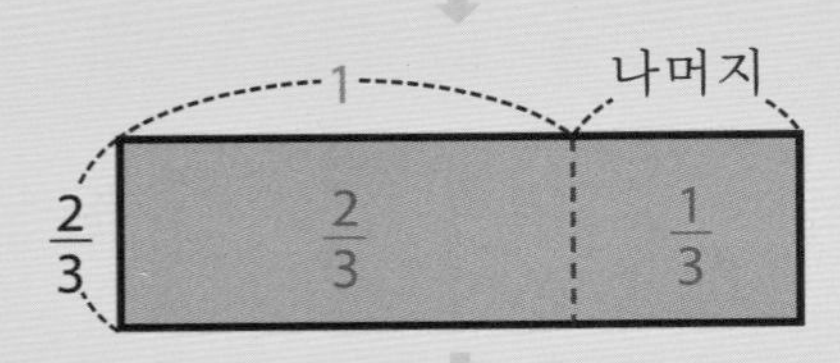

3단계 **나머지의 몫 구하기**

넓이가 $\frac{2}{3}$인 직사각형의 가로가 1일때,

넓이가 $\frac{1}{3}$인 나머지의 가로는 $\frac{1}{2}$.

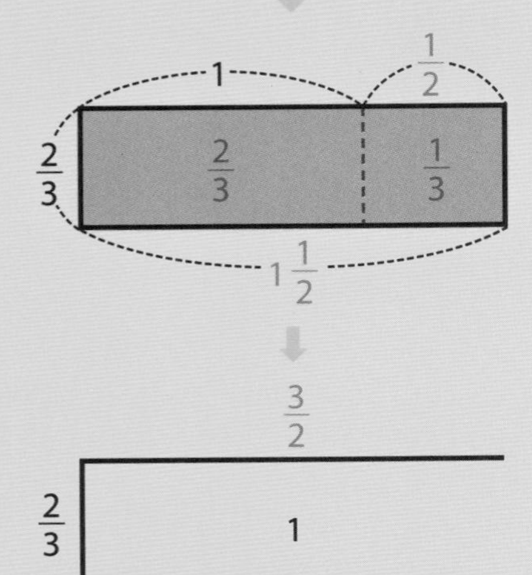

4단계 **가로 구하기**

처음 직사각형의 가로 전체 길이는

$1\frac{1}{2}$, 즉 $\frac{3}{2}$입니다.

5단계 **몫 구하기**

$1 \div \frac{2}{3} = \frac{3}{2}$

몫이 분수인 나눗셈

도전문제(1)

나눗셈 $4 \div \frac{3}{5}$의 몫을 알아봅시다.

1단계 **직사각형 그리고 통분하기**

넓이가 4, 세로가 $\frac{3}{5}$인

직사각형을 그린 다음 통분하세요.

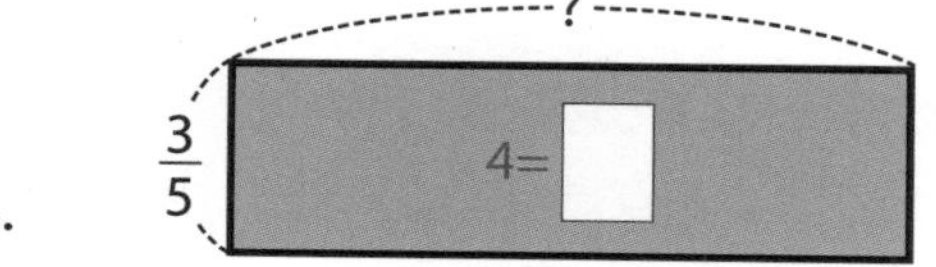

2단계 **가로로 1씩 잘라 내기**

이 직사각형을 가로로 1씩 잘라 내면

최대 ☐ 번까지 잘라 낼 수 있고,

☐ 가 남아요.

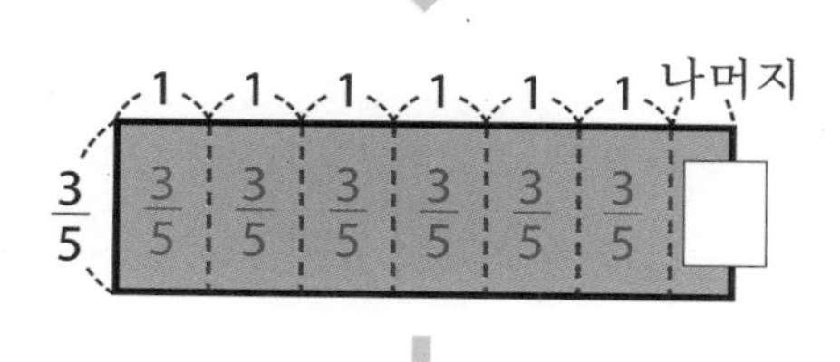

3단계 **나머지의 몫 구하기**

넓이가 $\frac{3}{5}$인 직사각형의 가로가 1일때,

넓이가 ☐ 인 나머지의 가로는 ☐.

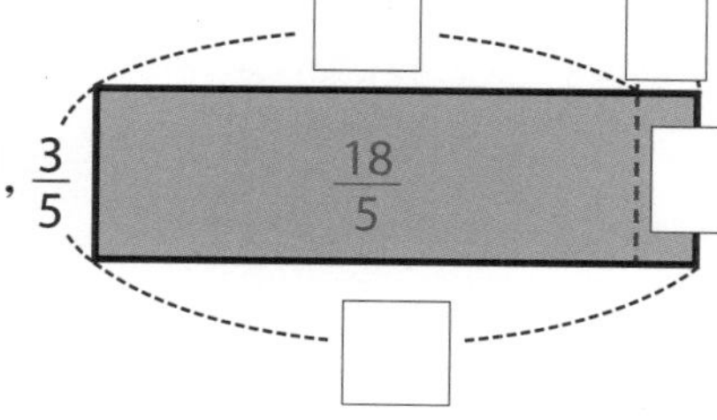

4단계 **가로 구하기**

처음 직사각형의 가로 전체 길이는

☐, 즉 ☐ 입니다.

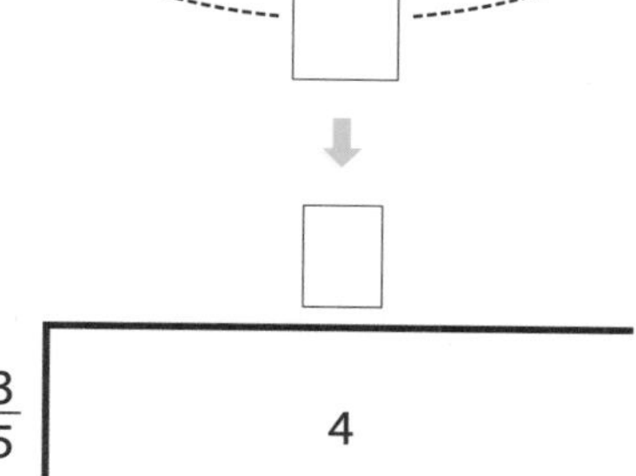

5단계 **몫 구하기**

$4 \div \frac{3}{5} =$ ☐

몫이 분수인 나눗셈

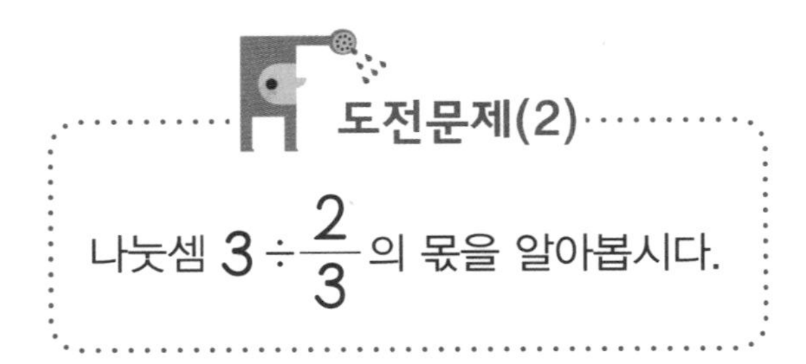

도전문제(2)

나눗셈 $3 \div \frac{2}{3}$의 몫을 알아봅시다.

1단계 직사각형 그리고 통분하기

넓이가 3, 세로가 $\frac{2}{3}$인 직사각형을 그린 다음 통분하세요.

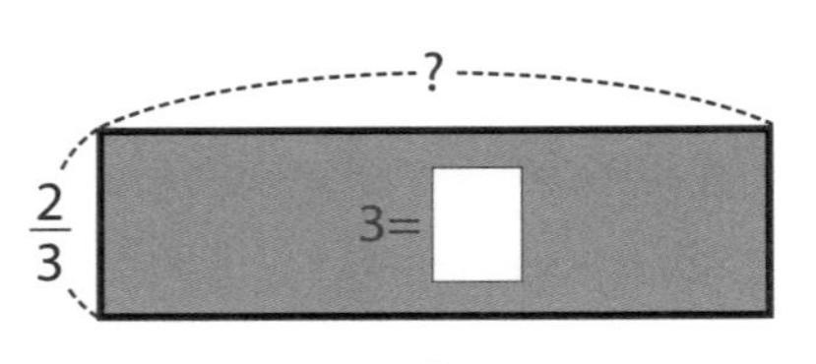

2단계 가로로 1씩 잘라 내기

이 직사각형을 가로로 1씩 잘라 내면 최대 □ 번까지 잘라 낼 수 있고, □ 이 남아요.

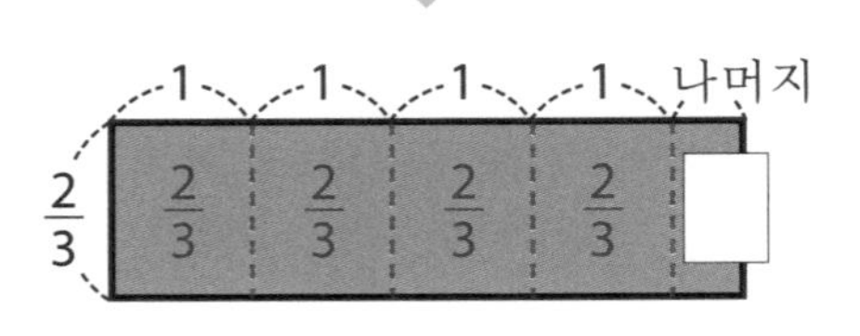

3단계 나머지의 몫 구하기

넓이가 $\frac{2}{3}$인 직사각형의 가로가 1일때,

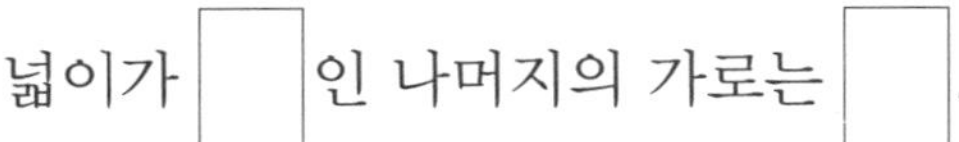

넓이가 □ 인 나머지의 가로는 □.

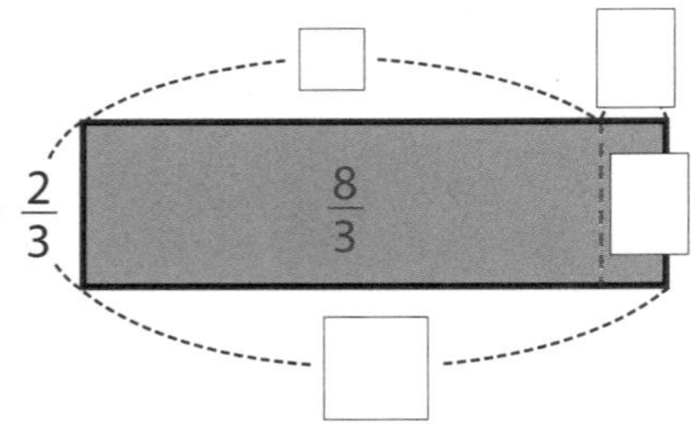

4단계 가로 구하기

처음 직사각형의 가로 전체 길이는

□, 즉 □ 입니다.

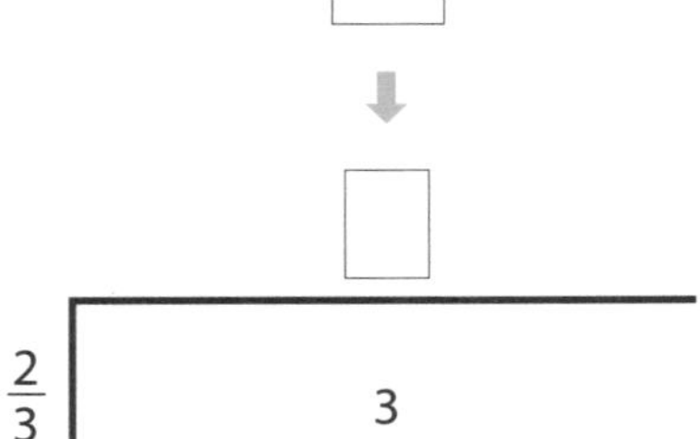

5단계 몫 구하기

$3 \div \frac{2}{3} =$ □

도전문제(3)

나눗셈 $5 \div \frac{3}{4}$ 의 몫을 알아봅시다.

1단계 **직사각형 그리고 통분하기**

넓이가 5, 세로가 $\frac{3}{4}$인 직사각형을 그린 다음 통분하세요.

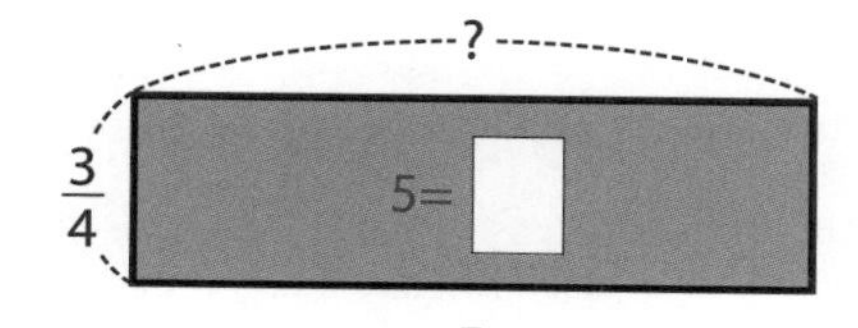

2단계 **가로로 1씩 잘라 내기**

이 직사각형을 가로로 1씩 잘라 내면 최대 ☐ 번까지 잘라 낼 수 있고, ☐ 가 남아요.

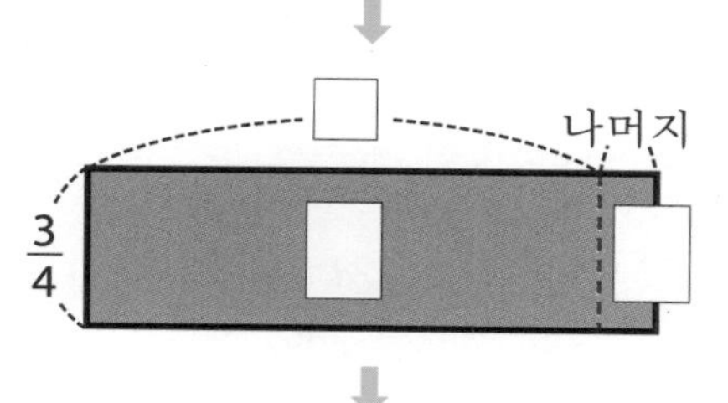

3단계 **나머지의 몫 구하기**

넓이가 $\frac{3}{4}$인 직사각형의 가로가 1일때, 넓이가 ☐ 인 나머지의 가로는 ☐.

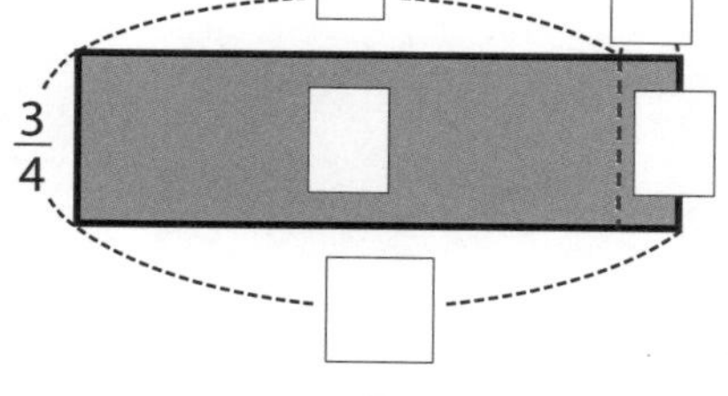

4단계 **가로 구하기**

처음 직사각형의 가로 전체 길이는 ☐, 즉 ☐ 입니다.

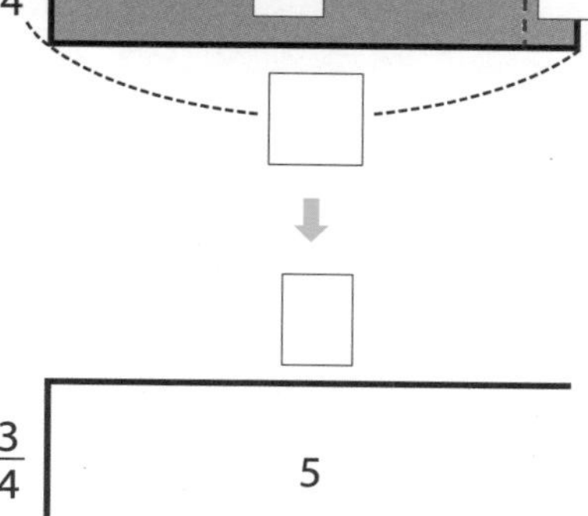

5단계 **몫 구하기**

$5 \div \frac{3}{4} =$ ☐

몫이 분수인 나눗셈

(5) (분수)÷(자연수)

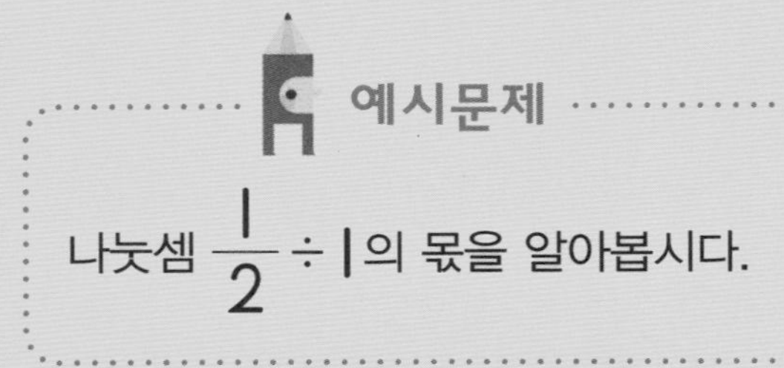

1단계 **직사각형 그리고 통분하기**

넓이가 $\frac{1}{2}$이고 세로가 1인
직사각형을 그린 다음 통분하세요.

?
$1 = \frac{2}{2}$
$\frac{1}{2}$

2단계 **가로가 1인 직사각형 그리기**

세로가 1이고 가로가 1인
직사각형의 넓이는 1입니다.

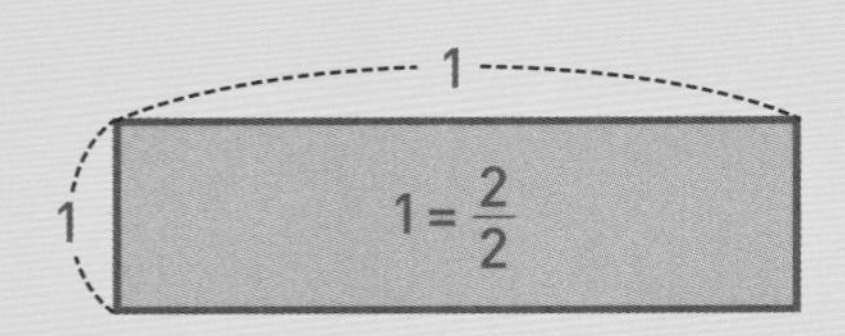

3단계 **처음 직사각형 가로 구하기**

2단계 직사각형과 비교하면 처음
직사각형의 가로 길이는 $\frac{1}{2}$입니다.

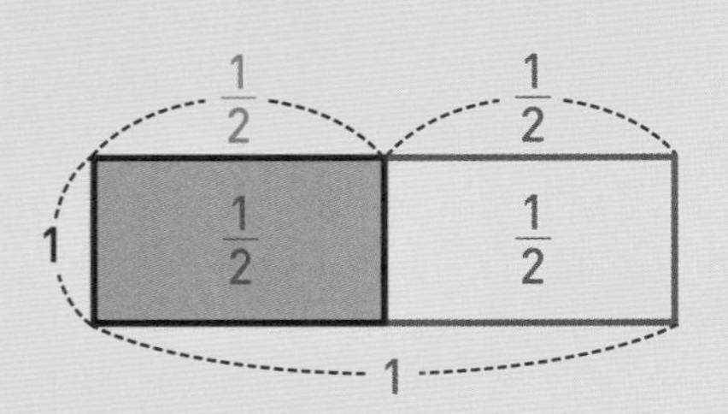

4단계 **몫 구하기**

$\frac{1}{2} \div 1 = \boxed{\frac{1}{2}}$

$\frac{1}{2}$ 몫

$1 \overline{)\ \frac{1}{2}\ }$

$1 \times \boxed{\frac{1}{2}} = \frac{1}{2}$

몫이 분수인 나눗셈

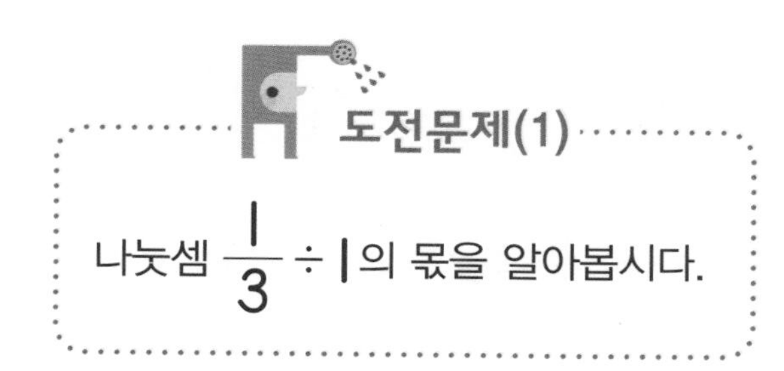

나눗셈 $\frac{1}{3} \div 1$의 몫을 알아봅시다.

1단계 **직사각형 그리고 통분하기**

넓이가 $\frac{1}{3}$이고 세로가 1인

직사각형을 그린 다음 통분하세요.

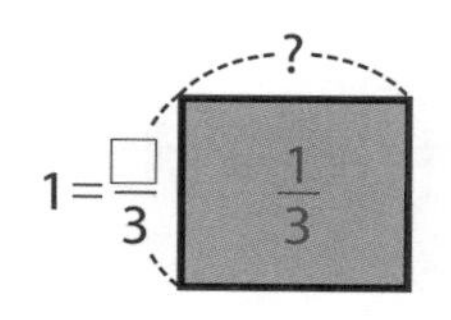

2단계 **가로가 1인 직사각형 그리기**

세로가 1이고 가로가 1인 직사각형을

그리고 넓이를 분수로 쓰세요.

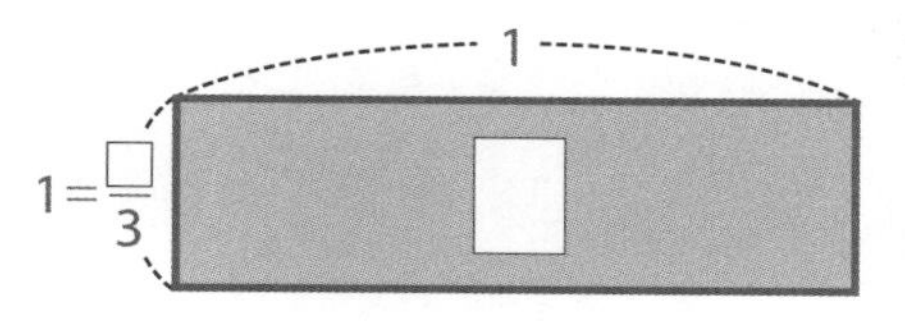

3단계 **처음 직사각형 가로 구하기**

2단계 직사각형과 비교하면 1단계

직사각형의 가로 길이는 □ 입니다.

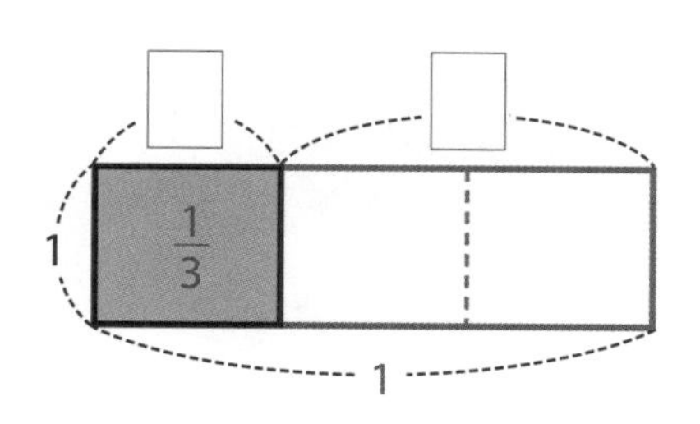

4단계 **몫 구하기**

$1 \div \frac{1}{3} =$ □

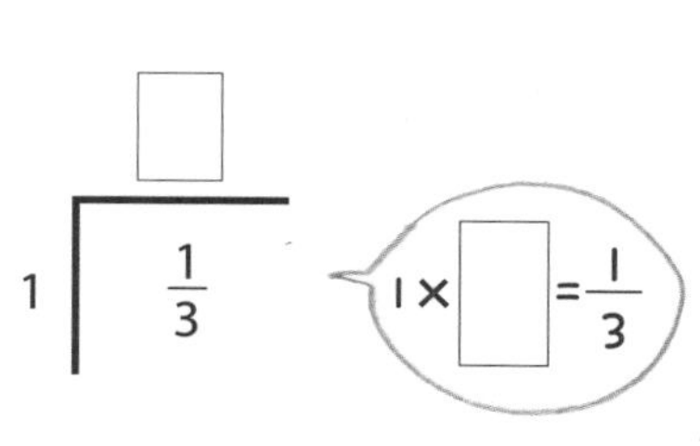

몫이 분수인 나눗셈

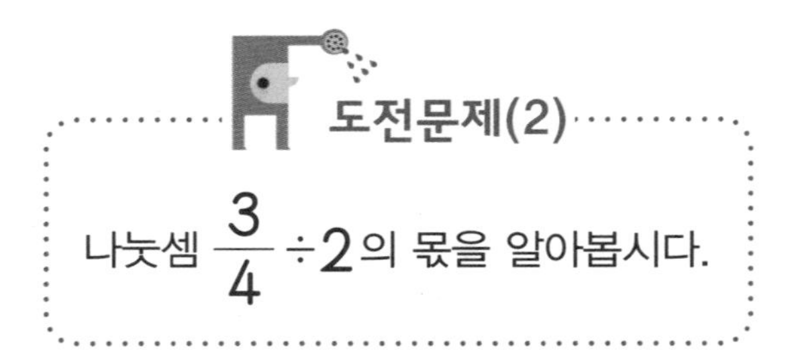

나눗셈 $\frac{3}{4} \div 2$의 몫을 알아봅시다.

1단계 **직사각형 그리고 통분하기**

넓이가 $\frac{3}{4}$이고 세로가 2인 직사각형을 그린 다음 통분하세요.

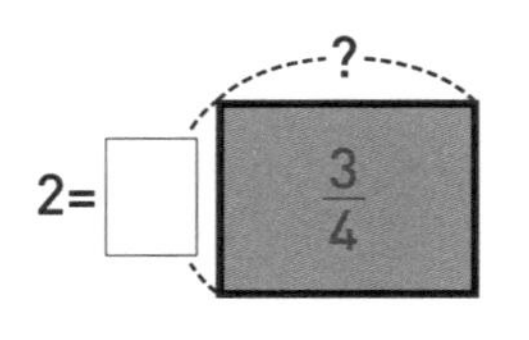

2단계 **가로가 1인 직사각형 그리기**

세로가 2이고 가로가 1인 직사각형을 그린 후, 넓이를 분수로 쓰세요.

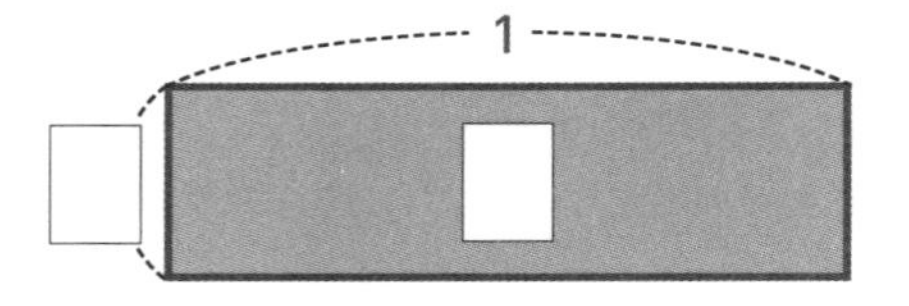

3단계 **처음 직사각형 가로 구하기**

2단계 직사각형과 비교하면 1단계 직사각형의 가로 길이는 ☐입니다.

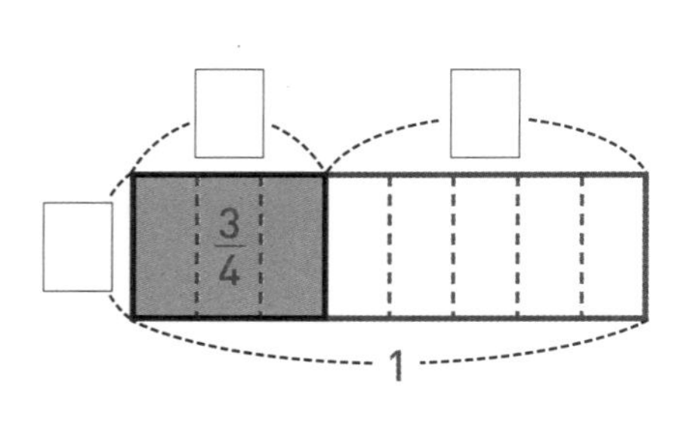

4단계 **몫 구하기**

$\frac{3}{4} \div 2 =$ ☐

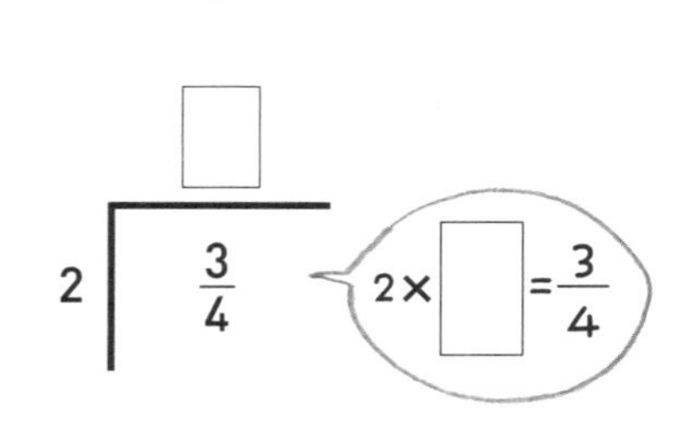

몫이 분수인 나눗셈

도전문제(3)

나눗셈 $\frac{4}{5}\div 2$의 몫을 알아봅시다.

1단계 **직사각형 그리고 통분하기**

넓이가 $\frac{4}{5}$이고 세로가 2인 직사각형을 그린 다음 통분하세요.

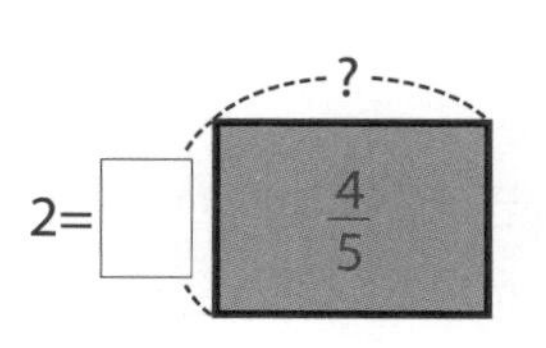

2단계 **가로가 1인 직사각형 그리기**

세로가 2이고 가로가 1인 직사각형을 그린 후, 넓이를 분수로 쓰세요.

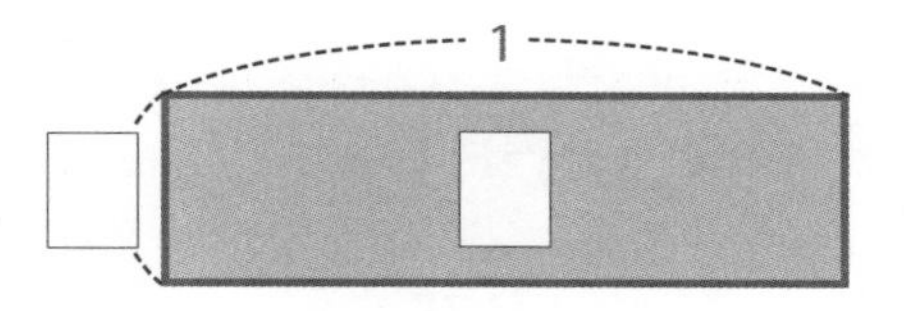

3단계 **처음 직사각형 가로 구하기**

2단계 직사각형과 비교하면 1단계 직사각형의 가로 길이는 ☐ 입니다.

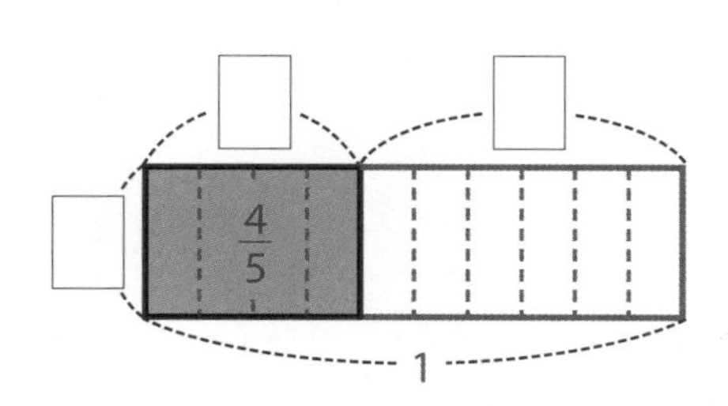

4단계 **몫 구하기**

$\frac{4}{5}\div 2=$ ☐

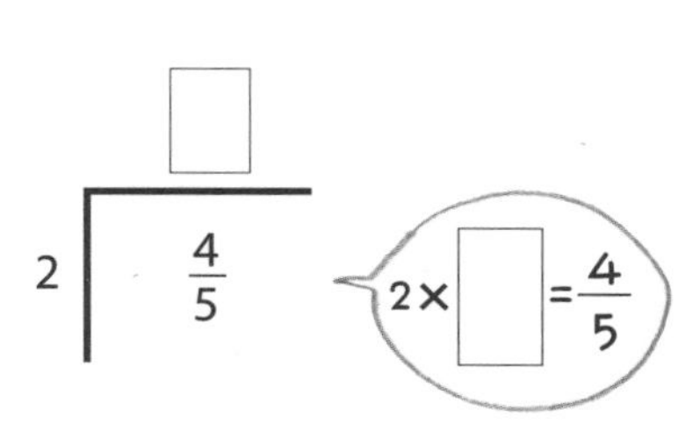

몫이 분수인 나눗셈

(6) (분수)÷(분수) ① 분모가 같은 경우 : 몫이 진분수

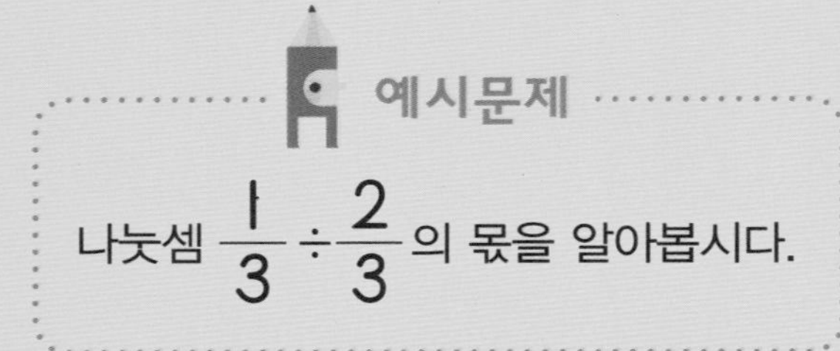

예시문제

나눗셈 $\frac{1}{3} \div \frac{2}{3}$의 몫을 알아봅시다.

1단계 **직사각형 그리기**

넓이가 $\frac{1}{3}$이고 세로가 $\frac{2}{3}$인 직사각형을 그립니다.

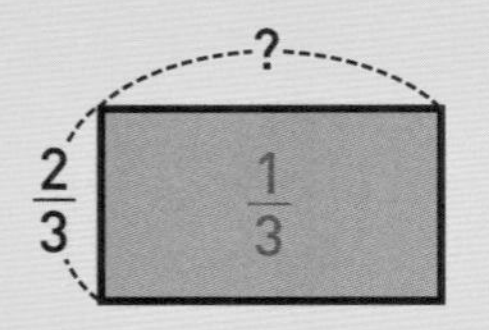

2단계 **가로가 1인 직사각형 그리기**

세로가 $\frac{2}{3}$이고 가로가 1인 직사각형의 넓이는 $\frac{2}{3}$입니다.

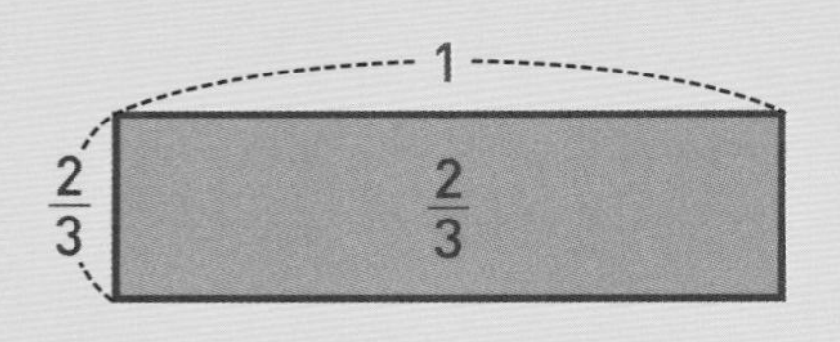

3단계 **처음 직사각형 가로 구하기**

2단계 직사각형과 비교하면 1단계 직사각형의 가로 길이는 $\frac{1}{2}$입니다.

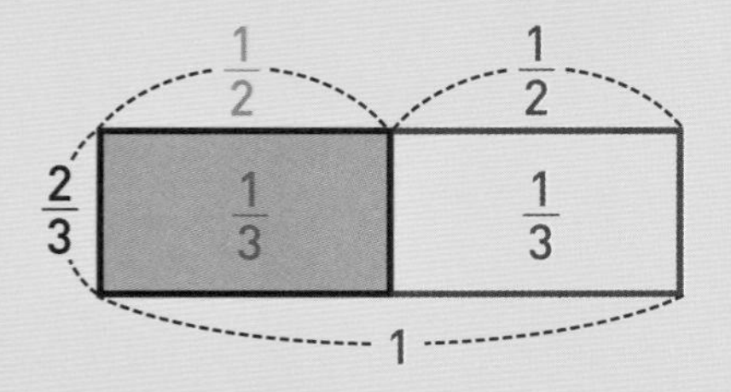

4단계 **몫 구하기**

$\frac{1}{3} \div \frac{2}{3} = \frac{1}{2}$

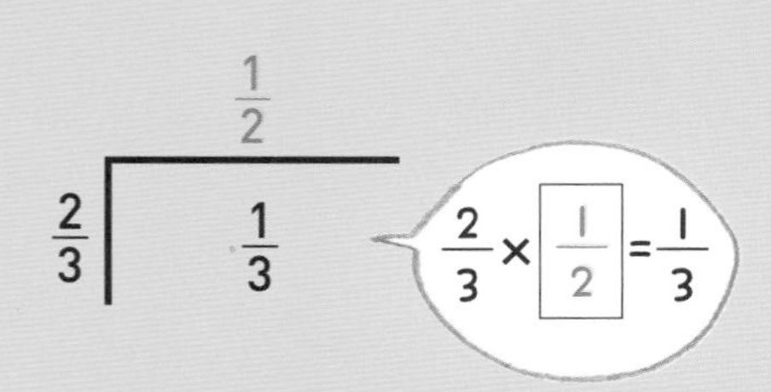

몫이 분수인 나눗셈

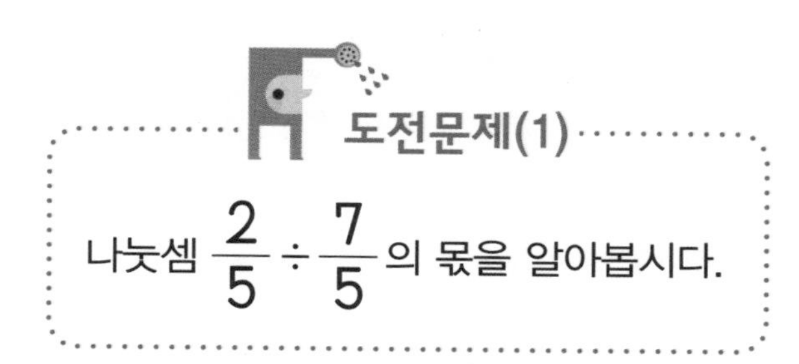

나눗셈 $\frac{2}{5} \div \frac{7}{5}$의 몫을 알아봅시다.

1단계 **직사각형 그리기**

넓이가 $\frac{2}{5}$이고 세로가 $\frac{7}{5}$인 직사각형을 그립니다.

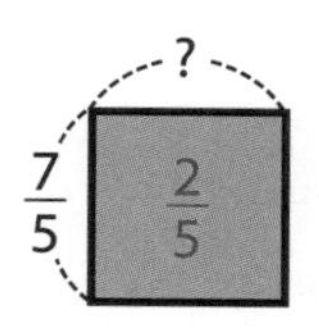

2단계 **가로가 1인 직사각형 그리기**

세로가 $\frac{7}{5}$이고 가로가 1인 직사각형을 그린 후, 넓이를 쓰세요.

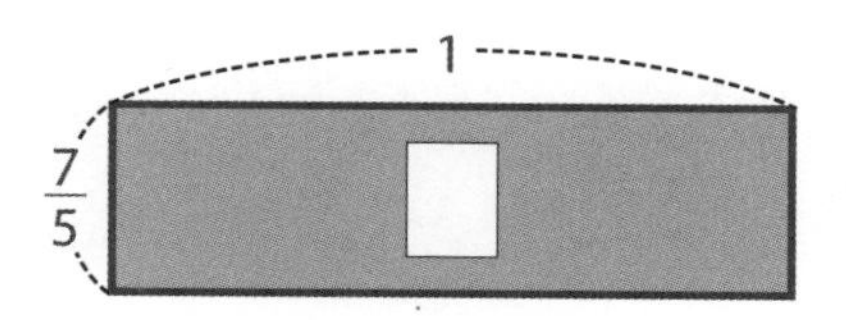

3단계 **처음 직사각형 가로 구하기**

2단계 직사각형과 비교하면 1단계 직사각형의 가로 길이는 ☐입니다.

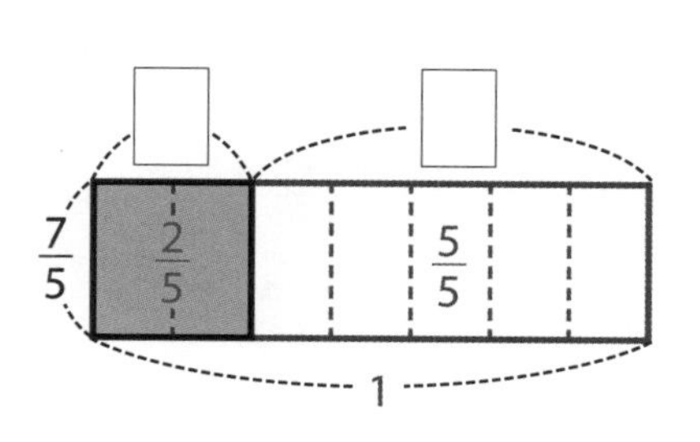

4단계 **몫 구하기**

$\frac{2}{5} \div \frac{7}{5} =$ ☐

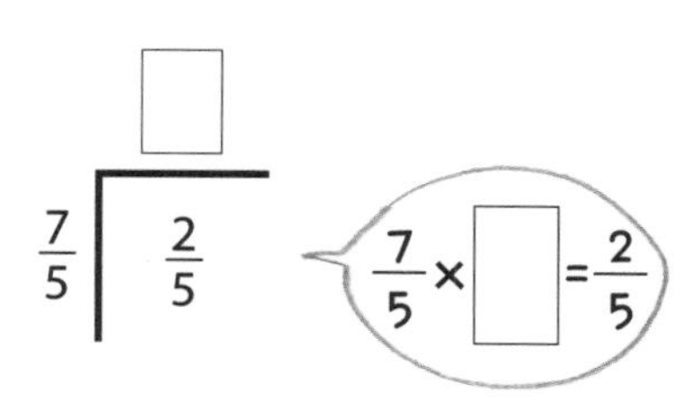

몫이 분수인 나눗셈

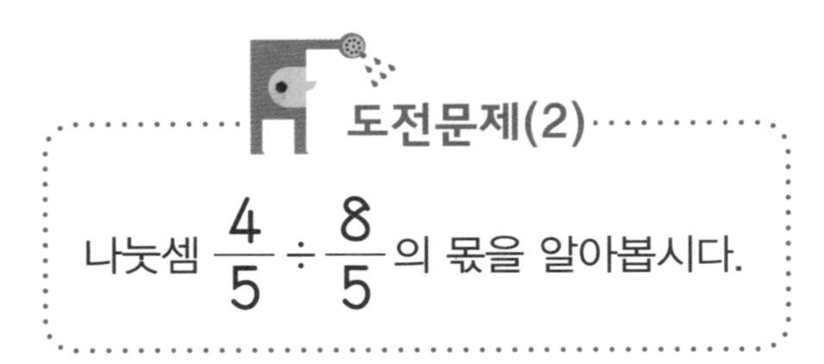

나눗셈 $\frac{4}{5} \div \frac{8}{5}$의 몫을 알아봅시다.

1단계 **직사각형 그리기**

넓이가 $\frac{4}{5}$이고 세로가 $\frac{8}{5}$인 직사각형을 그립니다.

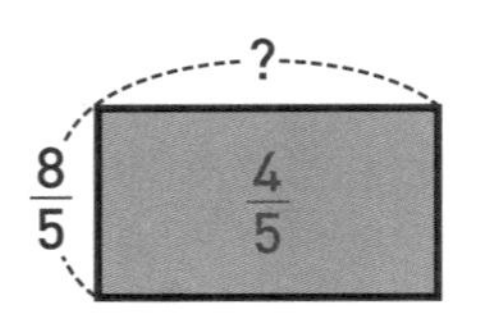

2단계 **가로가 1인 직사각형 그리기**

세로가 $\frac{8}{5}$이고 가로가 1인 직사각형을 그린 후, 넓이를 쓰세요.

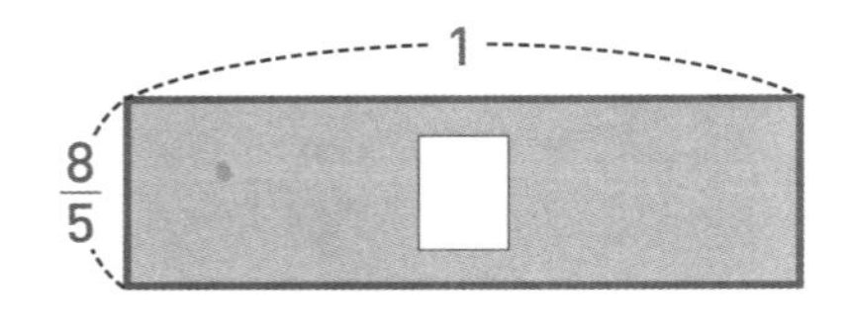

3단계 **처음 직사각형 가로 구하기**

2단계 직사각형과 비교하면 1단계 직사각형의 가로 길이는 ☐ 입니다.

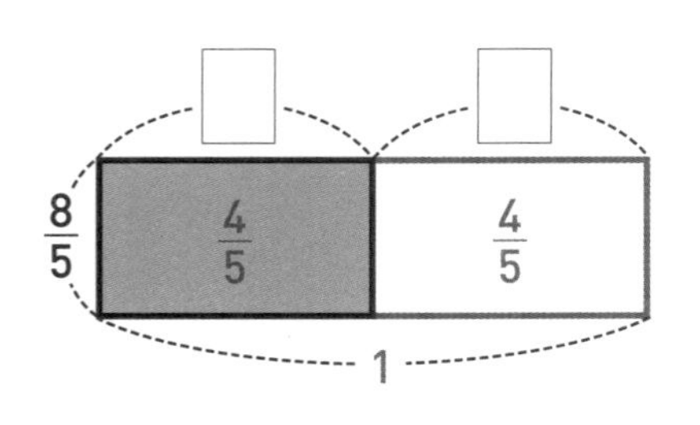

4단계 **몫 구하기**

$\frac{4}{5} \div \frac{8}{5} =$ ☐

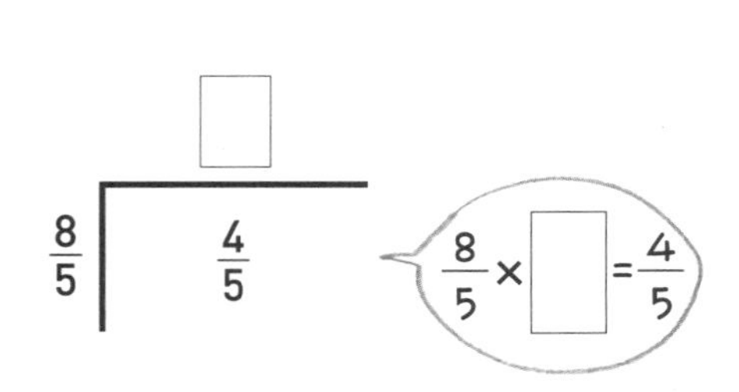

몫이 분수인 나눗셈

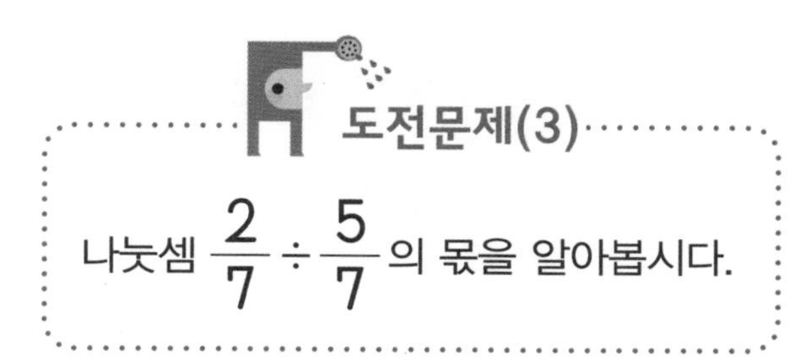

나눗셈 $\frac{2}{7} \div \frac{5}{7}$ 의 몫을 알아봅시다.

1단계 **직사각형 그리기**

넓이가 $\frac{2}{7}$이고 세로가 $\frac{5}{7}$인 직사각형을 그립니다.

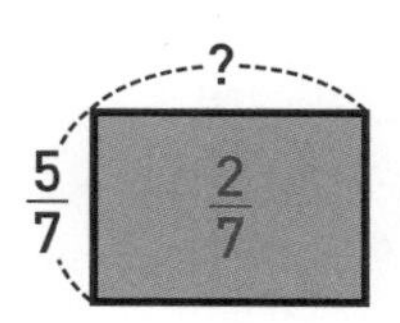

2단계 **가로가 1인 직사각형 그리기**

세로가 $\frac{5}{7}$이고 가로가 1인 직사각형을 그린 후, 넓이를 쓰세요.

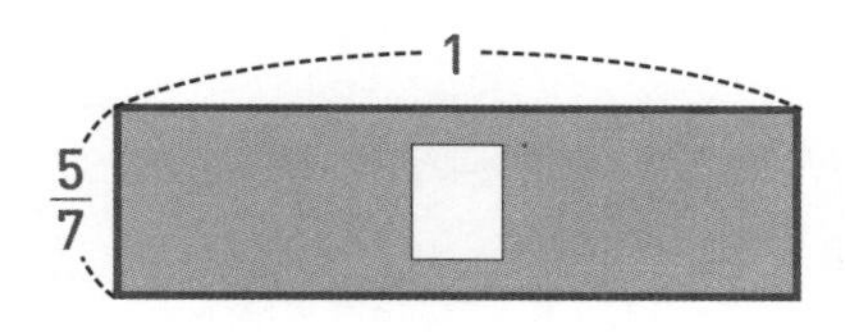

3단계 **처음 직사각형 가로 구하기**

2단계 직사각형과 비교하면 1단계 직사각형의 가로 길이는 ☐ 입니다.

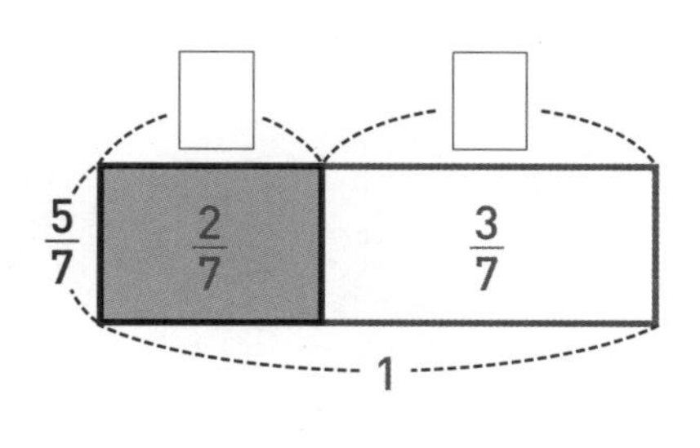

4단계 **몫 구하기**

$\frac{2}{7} \div \frac{5}{7} =$ ☐

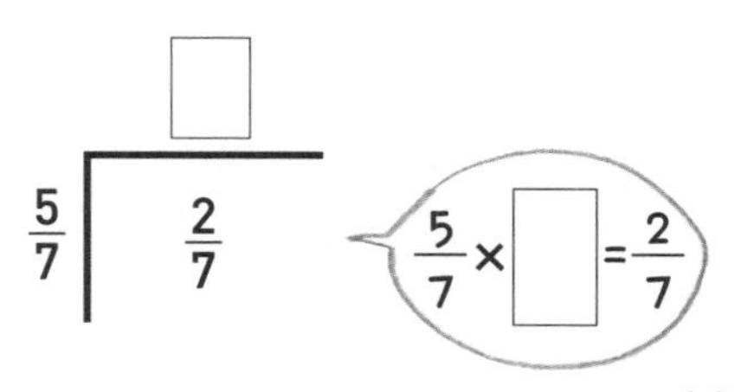

몫이 분수인 나눗셈

(7) (분수)÷(분수) ② 분모가 같은 경우 : 몫이 가분수

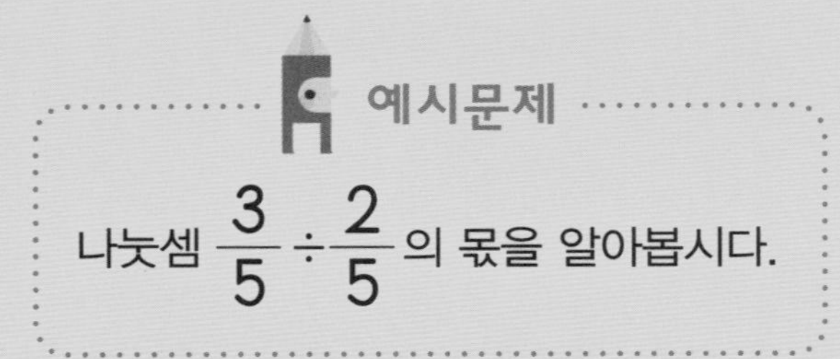

예시문제

나눗셈 $\frac{3}{5} \div \frac{2}{5}$ 의 몫을 알아봅시다.

1단계 직사각형 그리기

넓이가 $\frac{3}{5}$, 세로가 $\frac{2}{5}$인 직사각형을 그립니다.

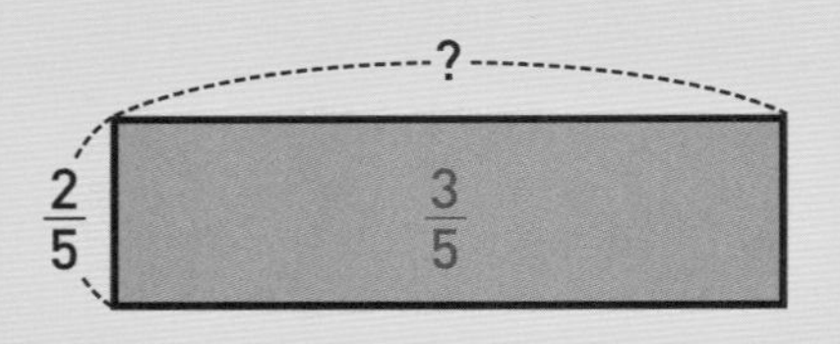

2단계 가로로 1씩 잘라 내기

가로로 1씩 잘라 내면 최대 1번까지 잘라 낼 수 있고, $\frac{1}{5}$이 남아요.

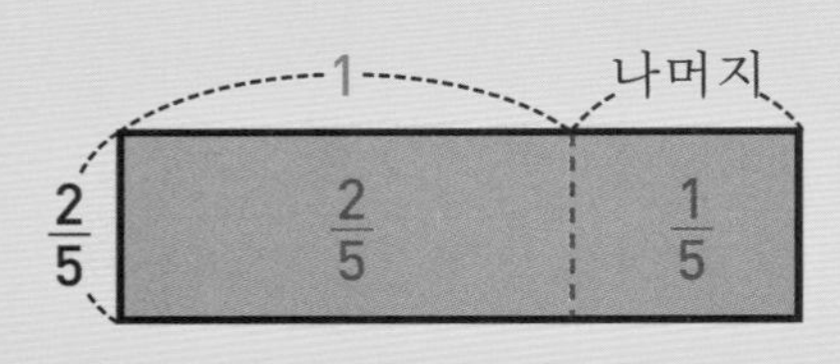

3단계 나머지의 몫 구하기

넓이가 $\frac{2}{5}$인 직사각형의 가로가 1일때 넓이가 $\frac{1}{5}$인 나머지의 가로는 $\frac{1}{2}$.

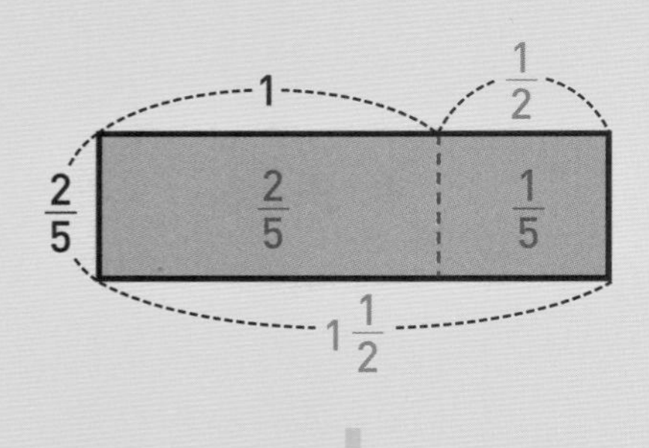

4단계 가로 구하기

처음 직사각형의 가로 전체 길이는 $1\frac{1}{2}$, 즉 $\frac{3}{2}$입니다.

5단계 몫 구하기

$\frac{3}{5} \div \frac{2}{5} = \frac{3}{2}$

$\frac{3}{2}$ 몫

$\frac{2}{5} \overline{)\ \frac{3}{5}\ }$

도전문제(1)

나눗셈 $\frac{8}{7} \div \frac{3}{7}$의 몫을 알아봅시다.

1단계 **직사각형 그리기**

넓이가 $\frac{8}{7}$, 세로가 $\frac{3}{7}$인 직사각형을 그립니다.

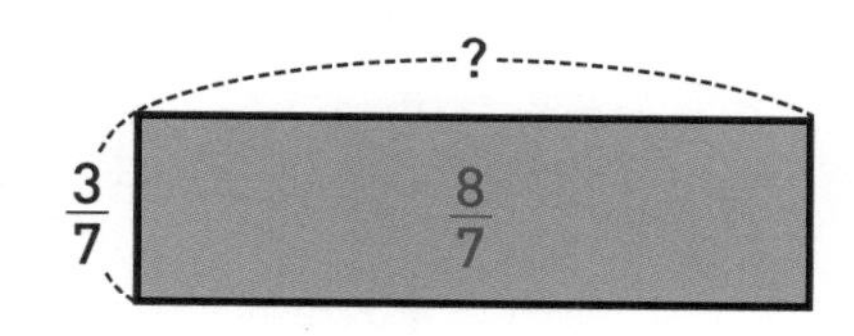

2단계 **가로로 1씩 잘라 내기**

이 직사각형을 가로로 1씩 잘라 내면 최대 □번까지 잘라 낼 수 있고, □가 남아요.

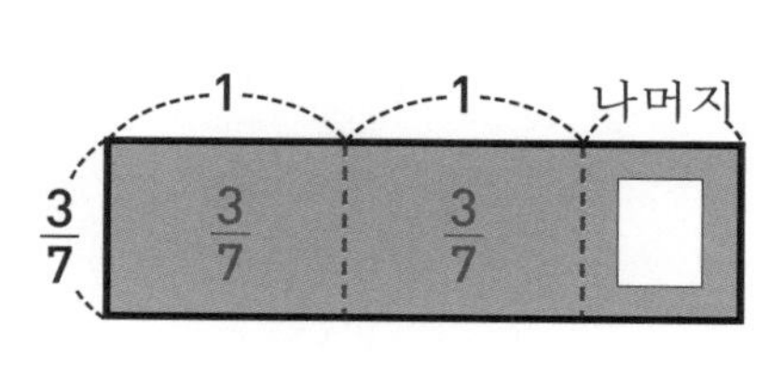

3단계 **나머지의 몫 구하기**

넓이가 $\frac{3}{7}$인 직사각형의 가로가 1일때 넓이가 □인 나머지의 가로는 □.

4단계 **가로 구하기**

처음 직사각형의 가로 전체 길이는 □, 즉 □입니다.

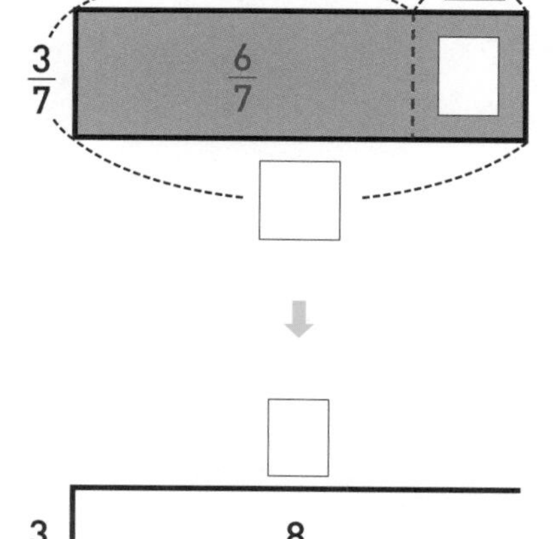

5단계 **몫 구하기**

$\frac{8}{7} \div \frac{3}{7} =$ □

몫이 분수인 나눗셈

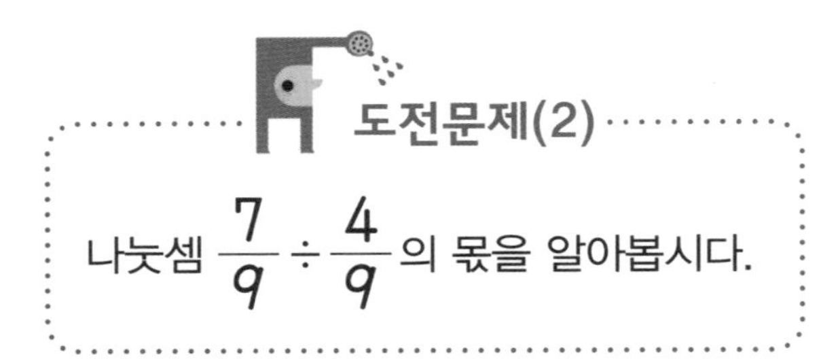

1단계 **직사각형 그리기**

넓이가 $\frac{7}{9}$, 세로가 $\frac{4}{9}$인

직사각형을 그립니다.

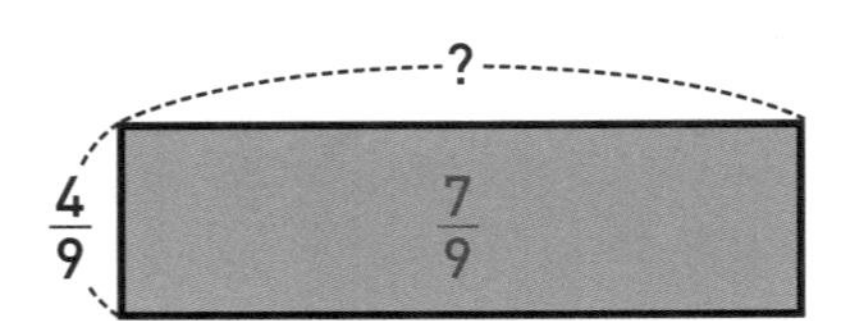

2단계 **가로로 1씩 잘라 내기**

이 직사각형을 가로로 1씩 잘라 내면

최대 □ 번까지 잘라 낼 수 있고,

□ 이 남아요.

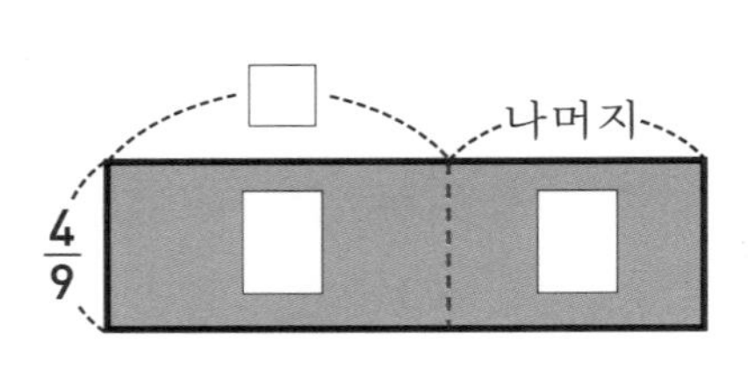

3단계 **나머지의 몫 구하기**

넓이가 $\frac{4}{9}$인 직사각형의 가로가 1일때

넓이가 □ 인 나머지의 가로는 □.

4단계 **가로 구하기**

처음 직사각형의 가로 전체 길이는

□, 즉 □ 입니다.

5단계 **몫 구하기**

$\frac{7}{9} \div \frac{4}{9} =$ □

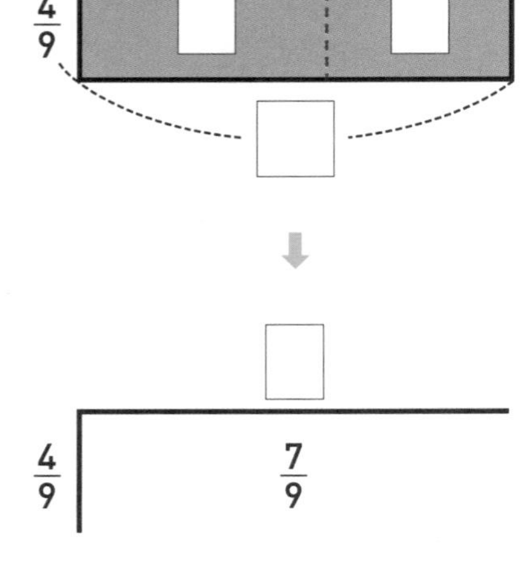

도전문제(3)

나눗셈 $\frac{8}{10} \div \frac{3}{10}$ 의 몫을 알아봅시다.

1단계 **직사각형 그리기**

넓이가 $\frac{8}{10}$, 세로가 $\frac{3}{10}$인 직사각형을 그립니다.

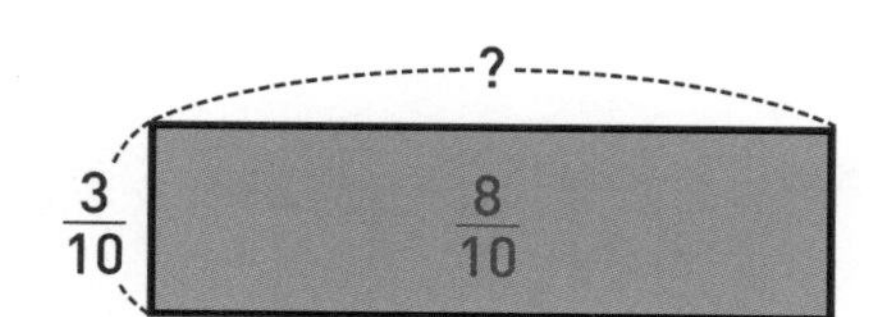

2단계 **가로로 1씩 잘라 내기**

이 직사각형을 가로로 1씩 잘라 내면 최대 ☐ 번까지 잘라 낼 수 있고, ☐ 가 남아요.

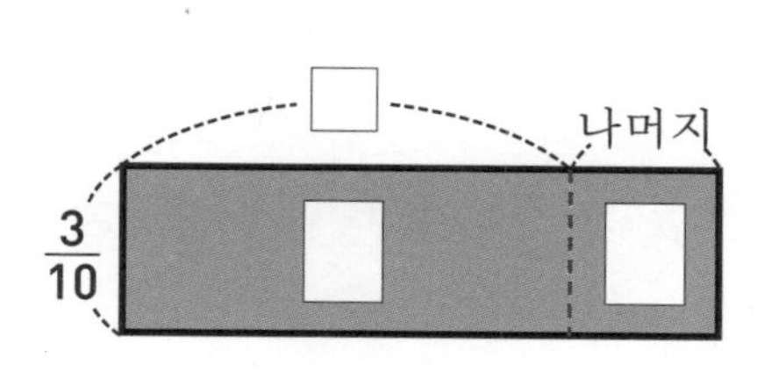

3단계 **나머지의 몫 구하기**

넓이가 $\frac{3}{10}$인 직사각형의 가로가 1일때 넓이가 ☐ 인 나머지의 가로는 ☐.

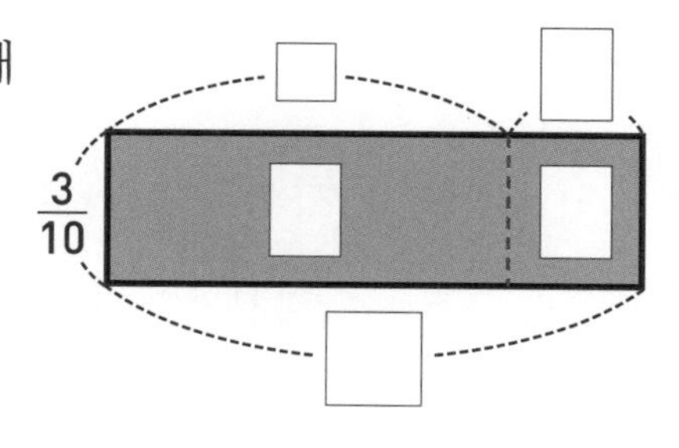

4단계 **가로 구하기**

처음 직사각형의 가로 전체 길이는 ☐, 즉 ☐ 입니다.

5단계 **몫 구하기**

$\frac{8}{10} \div \frac{3}{10} =$ ☐

$\frac{3}{10}$) $\frac{8}{10}$

몫이 분수인 나눗셈

(8) (분수)÷(분수) ③ 분모가 다른 경우 : 몫이 진분수

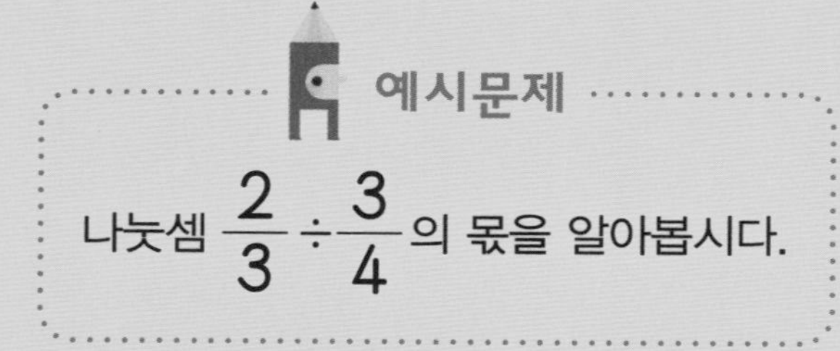

나눗셈 $\frac{2}{3} \div \frac{3}{4}$의 몫을 알아봅시다.

1단계 **직사각형 그리고 통분하기**

넓이가 $\frac{2}{3}$이고 세로가 $\frac{3}{4}$인 직사각형을 그린 다음 통분하세요.

?

$\frac{3}{4} = \frac{9}{12}$ $\frac{2}{3} = \frac{8}{12}$

2단계 **가로가 1인 직사각형 그리기**

세로가 $\frac{9}{12}$이고 가로가 1인 직사각형의 넓이는 $\frac{9}{12}$입니다.

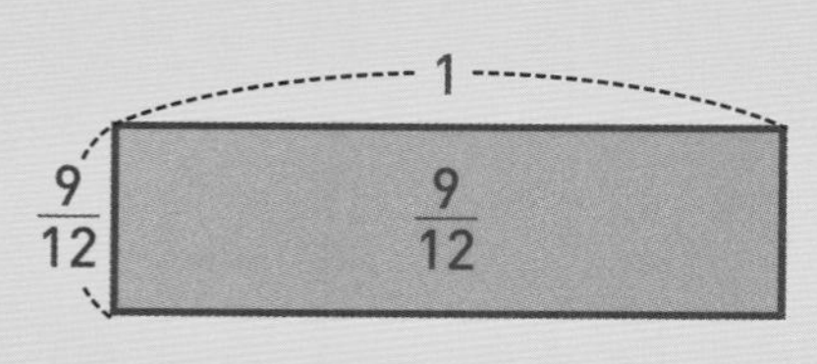

3단계 **처음 직사각형 가로 구하기**

2단계 직사각형과 비교하면 1단계 직사각형의 가로 길이는 $\frac{8}{9}$입니다.

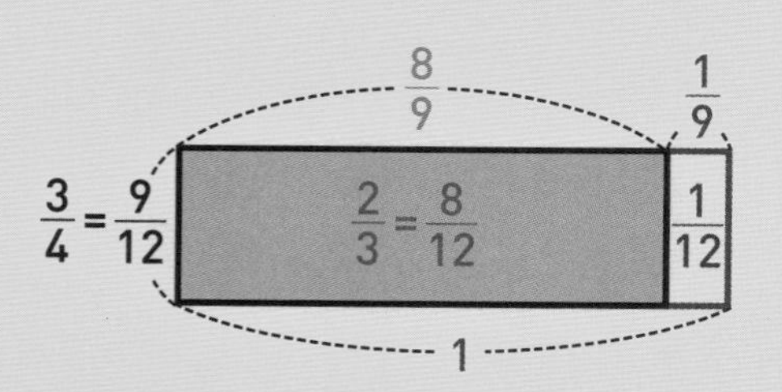

4단계 **몫 구하기**

$$\frac{2}{3} \div \frac{3}{4} = \frac{8}{12} \div \frac{9}{12} = \boxed{\frac{8}{9}}$$

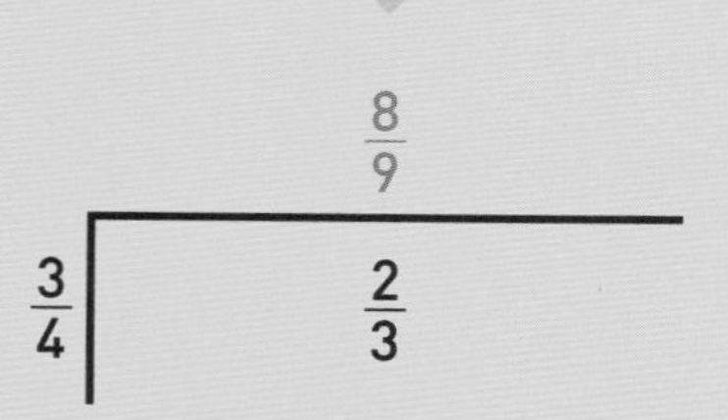

몫이 분수인 나눗셈

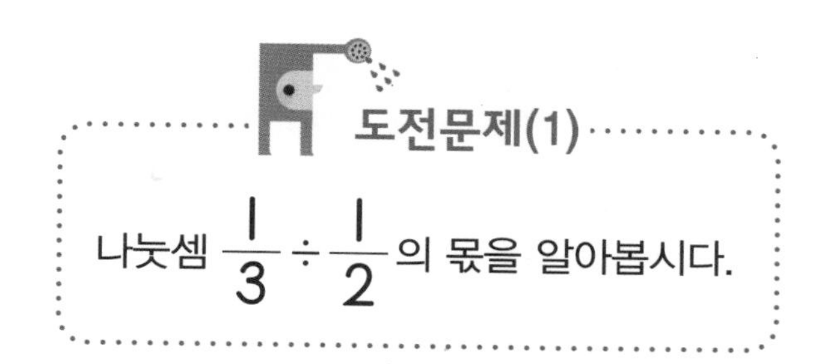

1단계 직사각형 그리고 통분하기

넓이가 $\frac{1}{3}$, 세로가 $\frac{1}{2}$인 직사각형을 그린 다음 통분하세요.

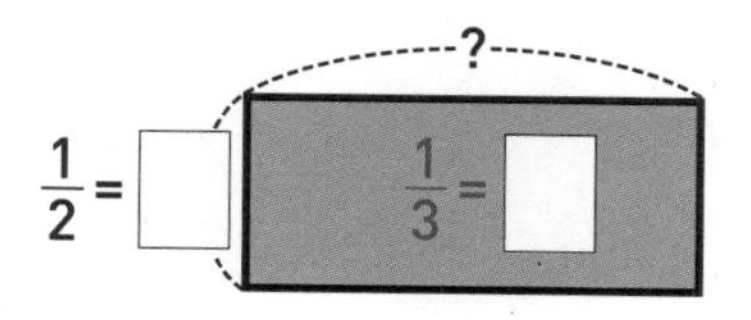

2단계 가로가 1인 직사각형 그리기

세로가 $\frac{3}{6}$이고 똑같고 가로가 1인 직사각형을 그린 후 넓이를 분수로 쓰세요.

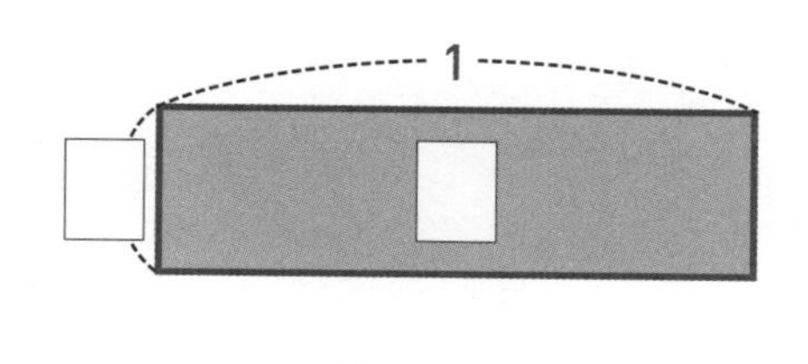

3단계 처음 직사각형 가로 구하기

2단계 직사각형과 비교하면 1단계 직사각형의 가로 길이는 ☐.

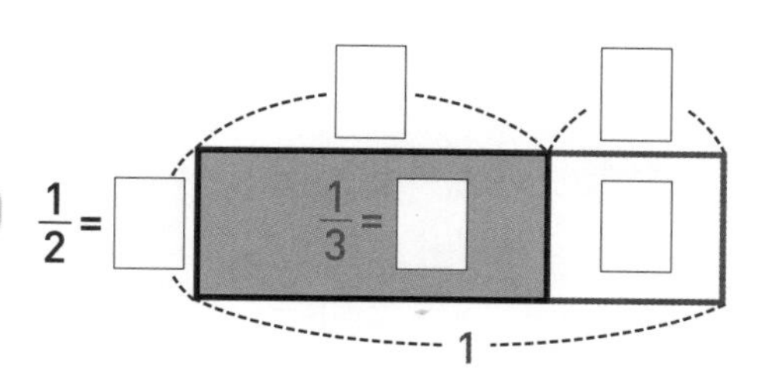

4단계 몫 구하기

$\frac{1}{3} \div \frac{1}{2} =$ ☐

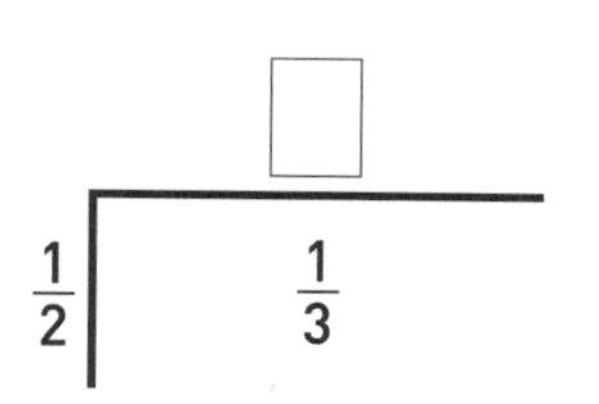

몫이 분수인 나눗셈

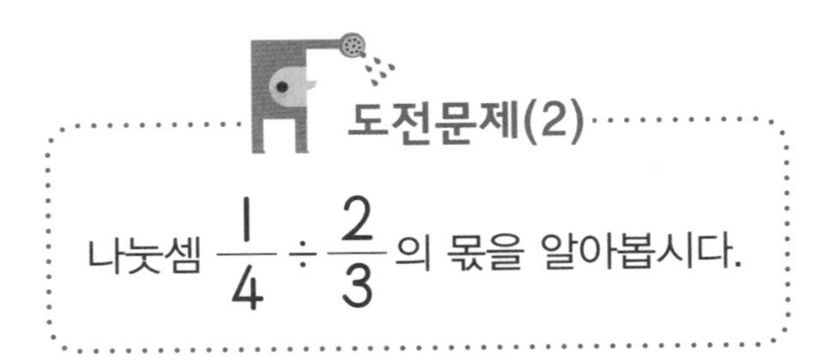

나눗셈 $\frac{1}{4} \div \frac{2}{3}$ 의 몫을 알아봅시다.

1단계 **직사각형 그리고 통분하기**

넓이가 $\frac{1}{4}$, 세로가 $\frac{2}{3}$인 직사각형을 그린 다음 통분하세요.

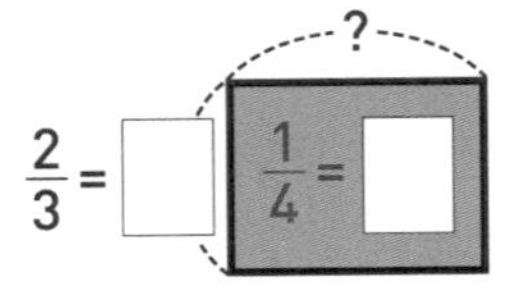

2단계 **가로가 1인 직사각형 그리기**

세로가 $\frac{8}{12}$이고 가로가 **1**인 직사각형을 그린 후 넓이를 분수로 쓰세요.

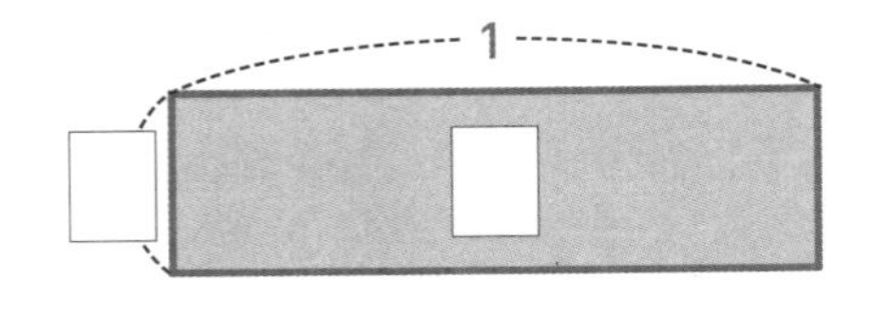

3단계 **처음 직사각형 가로 구하기**

2단계 직사각형과 비교하면 1단계 직사각형의 가로 길이는 ☐.

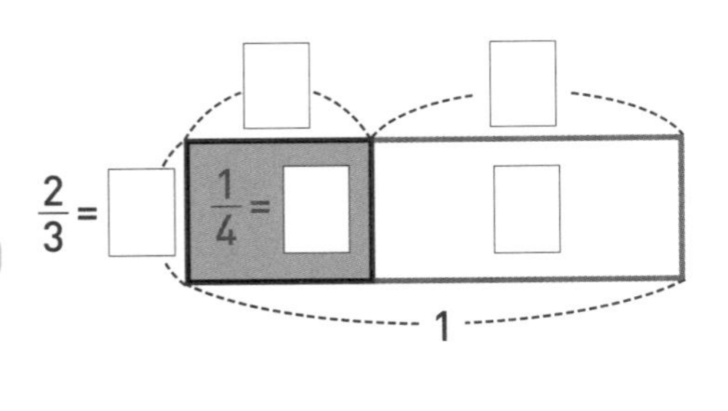

4단계 **몫 구하기**

$\frac{1}{4} \div \frac{2}{3} =$ ☐

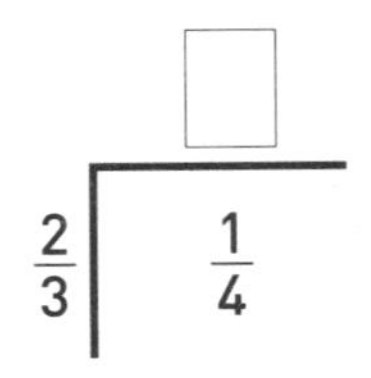

몫이 분수인 나눗셈

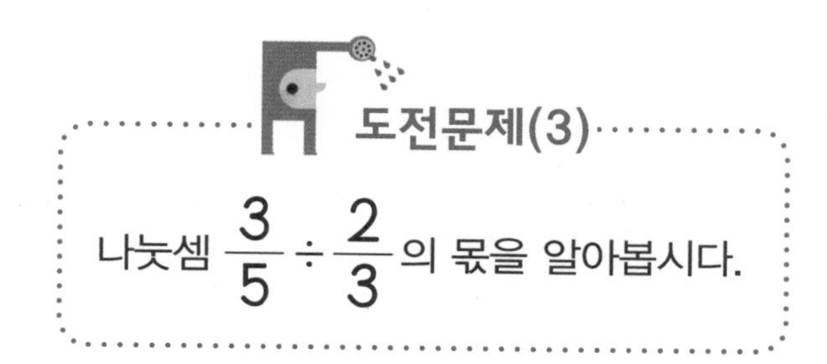

나눗셈 $\frac{3}{5} \div \frac{2}{3}$ 의 몫을 알아봅시다.

1단계 직사각형 그리고 통분하기

넓이가 $\frac{3}{5}$, 세로가 $\frac{2}{3}$인 직사각형을 그린 다음 통분하세요.

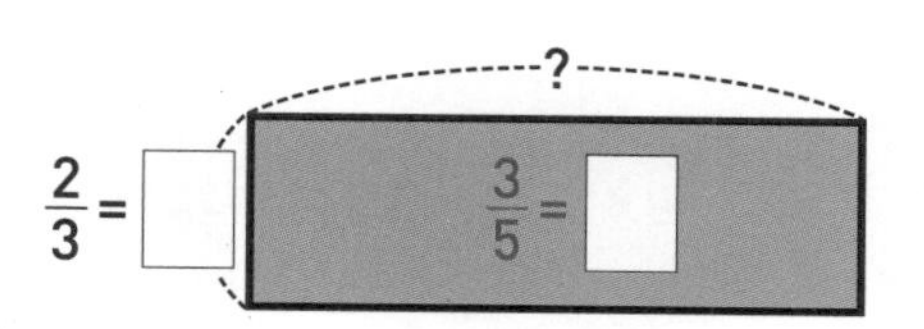

2단계 가로가 1인 직사각형 그리기

세로가 $\frac{10}{15}$이고 가로가 **1**인 직사각형을 그린 후 넓이를 분수로 쓰세요.

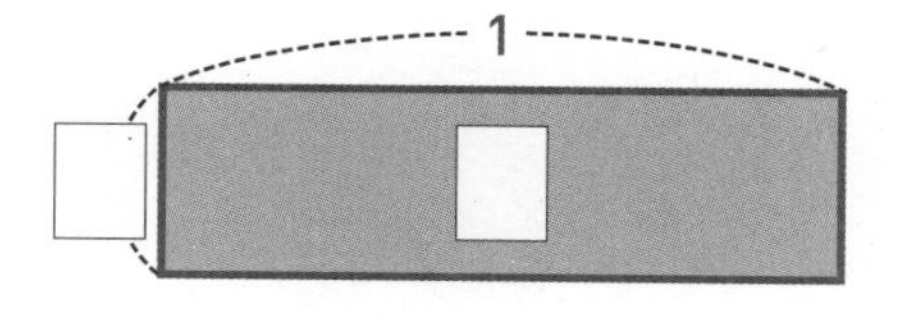

3단계 처음 직사각형 가로 구하기

2단계 직사각형과 비교하면 1단계 직사각형의 가로 길이는 ☐.

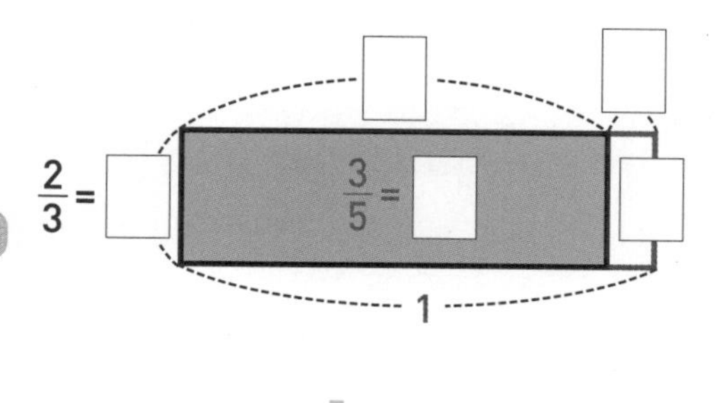

4단계 몫 구하기

$\frac{3}{5} \div \frac{2}{3} =$ ☐

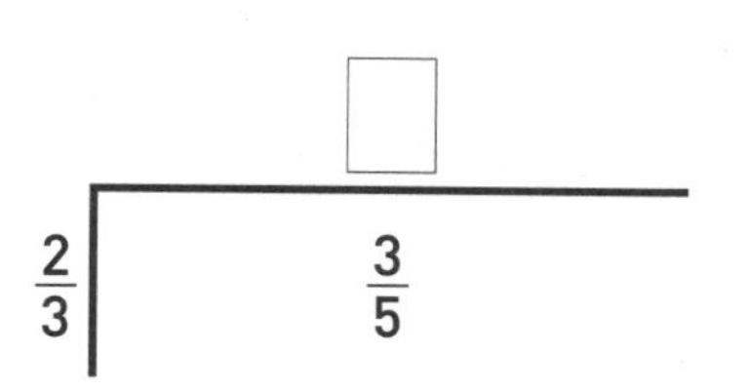

몫이 분수인 나눗셈

(9) (분수) ÷ (분수) ④ 분모가 다른 경우 : 몫이 가분수

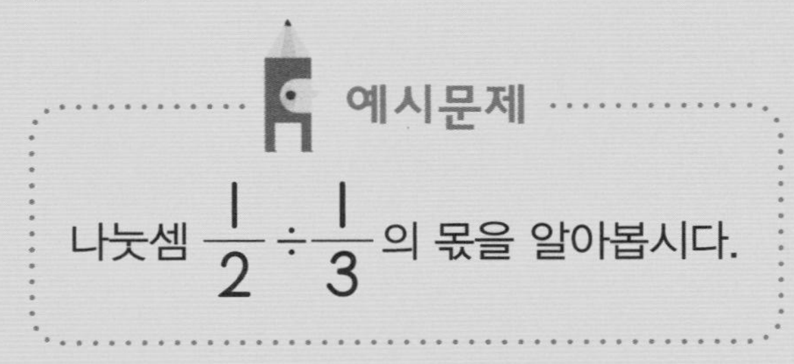

예시문제

나눗셈 $\frac{1}{2} \div \frac{1}{3}$의 몫을 알아봅시다.

1단계 **직사각형 그리고 통분하기**

넓이가 $\frac{1}{2}$, 세로가 $\frac{1}{3}$인

직사각형을 그린 다음 통분합니다.

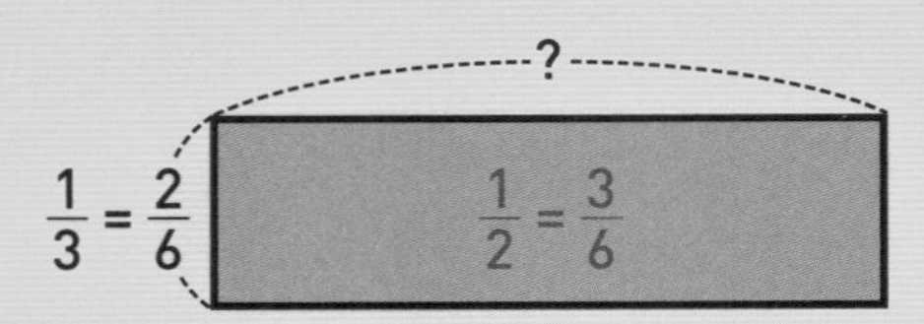

2단계 **가로로 1씩 잘라 내기**

가로로 1씩 잘라 내면 최대 1번까지

잘라낼 수 있고, $\frac{1}{6}$이 남아요.

1
나머지
$\frac{2}{6}$
$\frac{2}{6}$
$\frac{1}{6}$

3단계 **나머지의 몫 구하기**

넓이가 $\frac{2}{6}$인 직사각형의 가로가 1일때

넓이가 $\frac{1}{6}$인 나머지의 가로는 $\frac{1}{2}$.

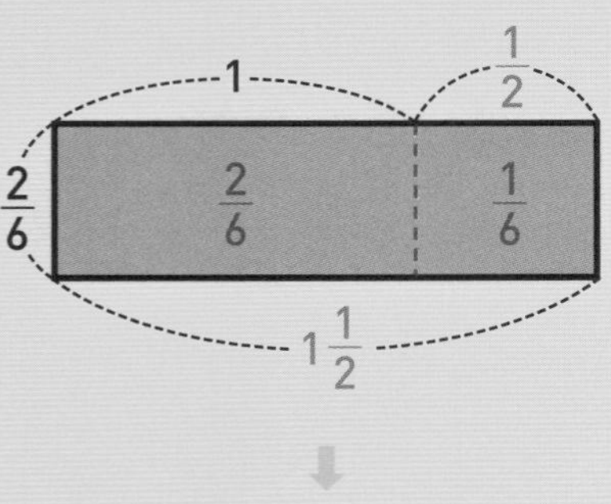

4단계 **가로 구하기**

처음 직사각형의 가로 전체 길이는 $1\frac{1}{2}$,

즉 $\frac{3}{2}$입니다.

5단계 **몫 구하기**

$\frac{1}{2} \div \frac{1}{3} = \frac{3}{2}$

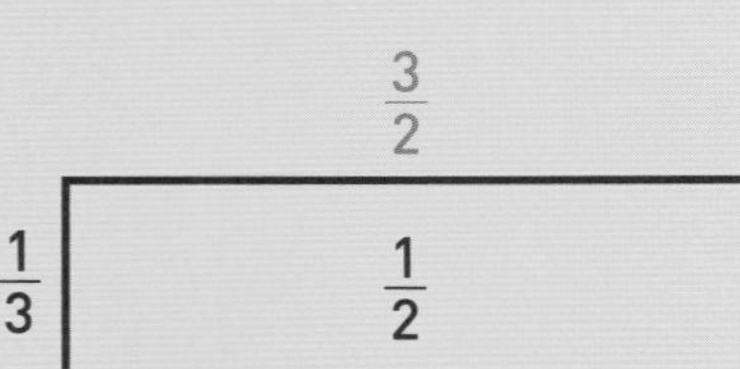

몫이 분수인 나눗셈

도전문제(1)

나눗셈 $\frac{3}{4} \div \frac{2}{3}$의 몫을 알아봅시다.

1단계 직사각형 그리고 통분하기

넓이가 $\frac{3}{4}$, 세로가 $\frac{2}{3}$인 직사각형을 그린 다음 통분하세요.

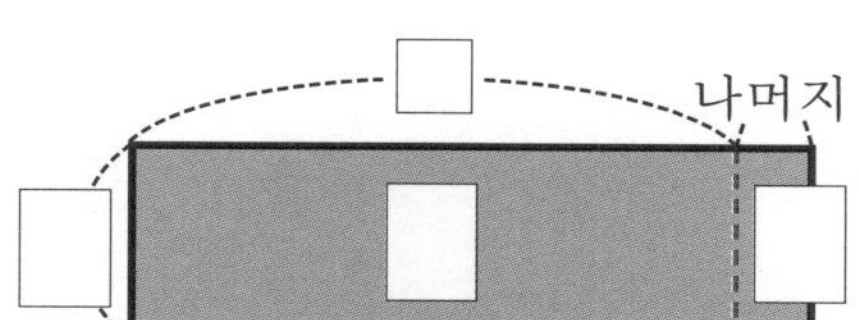

2단계 가로로 1씩 잘라 내기

가로로 1씩 잘라 내면 최대

☐번 자를 수 있고, ☐이 남아요.

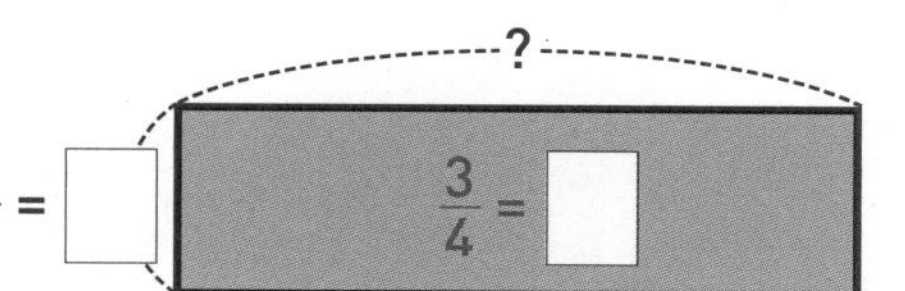

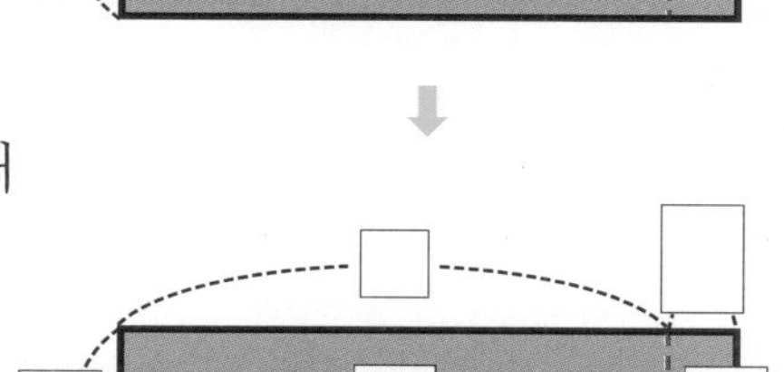

3단계 나머지의 몫 구하기

넓이가 $\frac{8}{12}$인 직사각형의 가로가 1일때

넓이가 ☐인 나머지의 가로는 ☐.

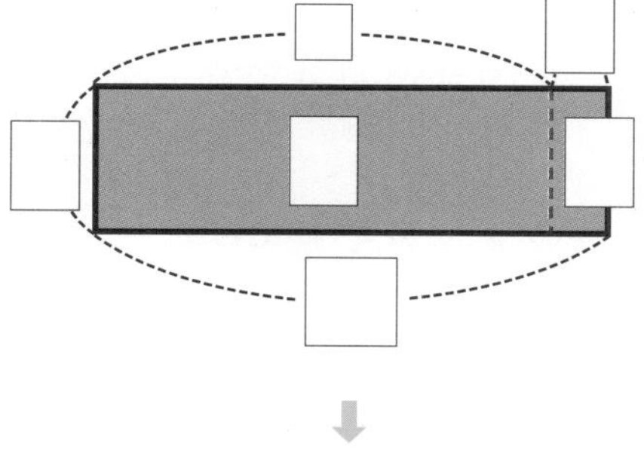

4단계 가로 구하기

처음 직사각형의 가로 전체 길이는

☐, 즉 ☐입니다.

5단계 몫 구하기

$\frac{3}{4} \div \frac{2}{3} =$ ☐

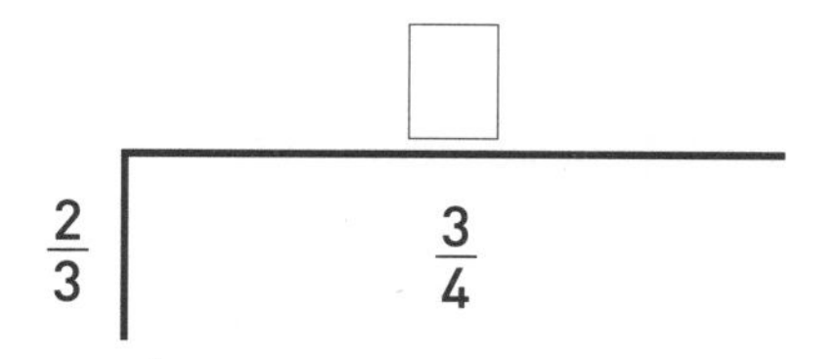

몫이 분수인 나눗셈

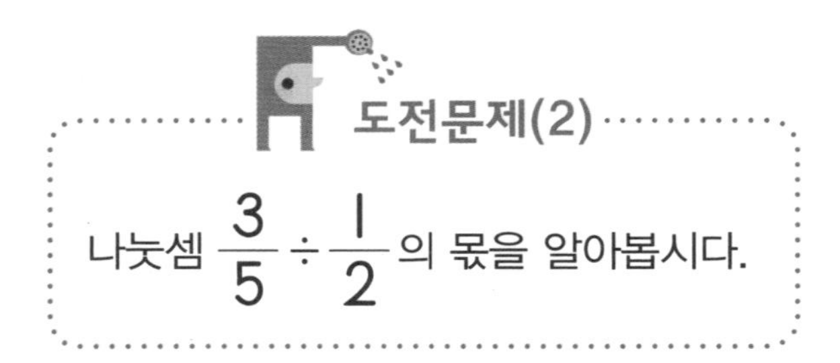

나눗셈 $\frac{3}{5} \div \frac{1}{2}$의 몫을 알아봅시다.

1단계 **직사각형 그리고 통분하기**

넓이가 $\frac{3}{5}$, 세로가 $\frac{1}{2}$인 직사각형을 그린 다음 통분하세요.

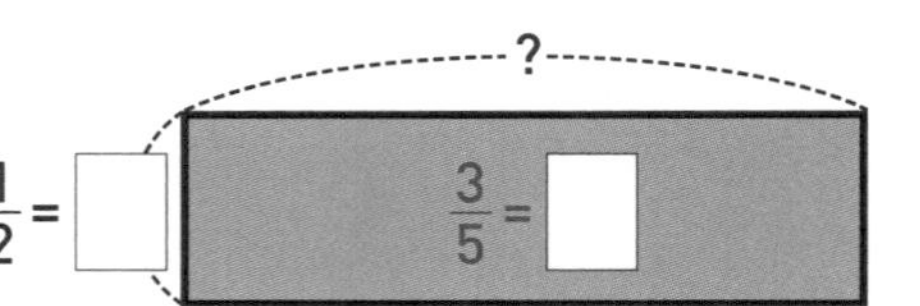

2단계 **가로로 1씩 잘라 내기**

가로로 1씩 잘라 내면 최대

☐번 자를 수 있고, ☐이 남아요.

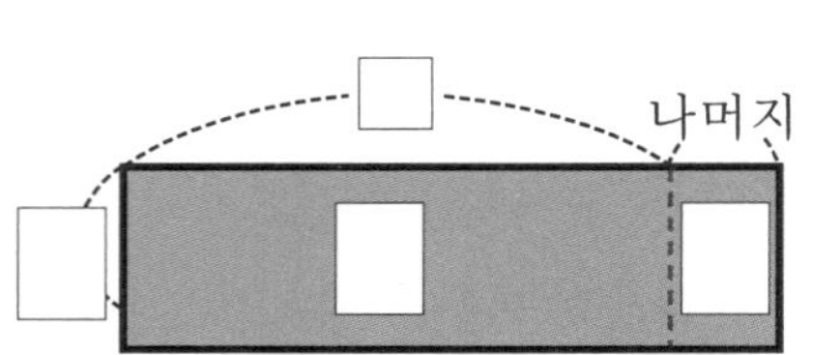

3단계 **나머지의 몫 구하기**

넓이가 $\frac{5}{10}$인 직사각형의 가로가 1일때

넓이가 ☐인 나머지의 가로는 ☐.

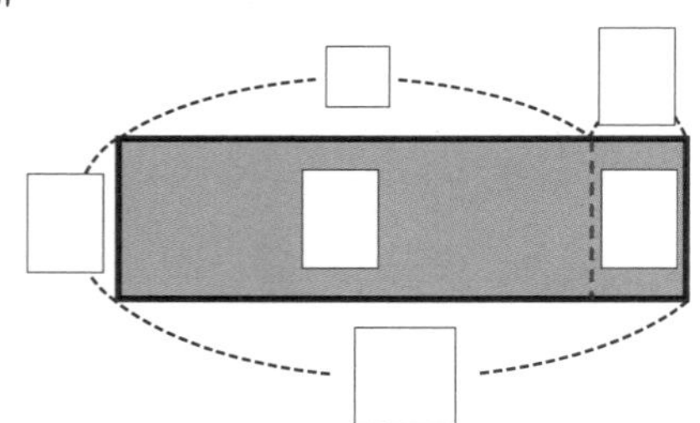

4단계 **가로 구하기**

처음 직사각형의 가로 전체 길이는

☐, 즉 ☐입니다.

5단계 **몫 구하기**

$\frac{3}{5} \div \frac{1}{2} =$ ☐

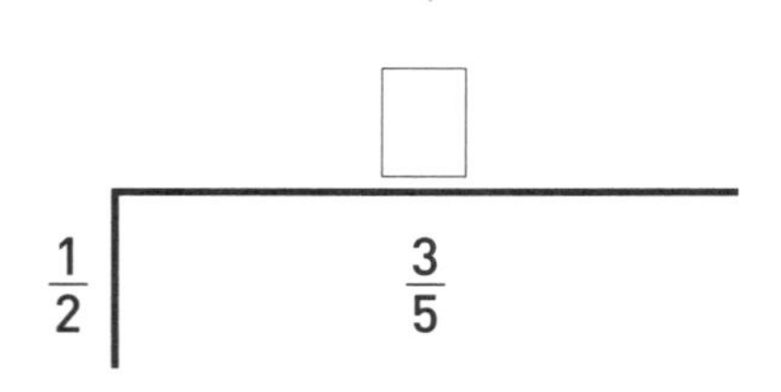

도전문제(3)

나눗셈 $\frac{4}{5} \div \frac{1}{3}$ 의 몫을 알아봅시다.

1단계 **직사각형 그리고 통분하기**

넓이가 $\frac{4}{5}$, 세로가 $\frac{1}{3}$인 직사각형을 그린 다음 통분하세요.

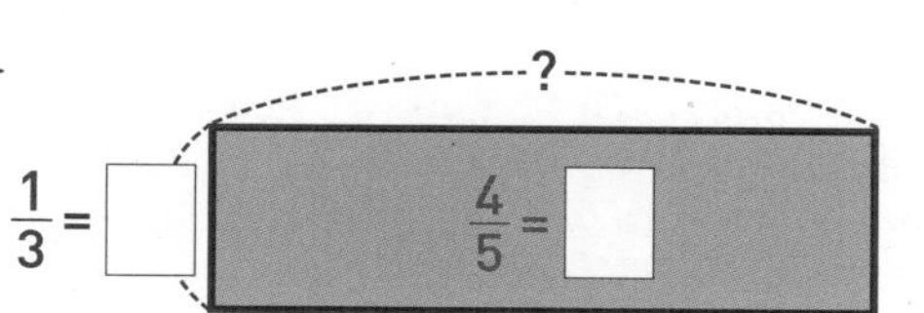

2단계 **가로로 1씩 잘라 내기**

가로로 1씩 잘라 내면 최대

☐번 자를 수 있고, ☐가 남아요.

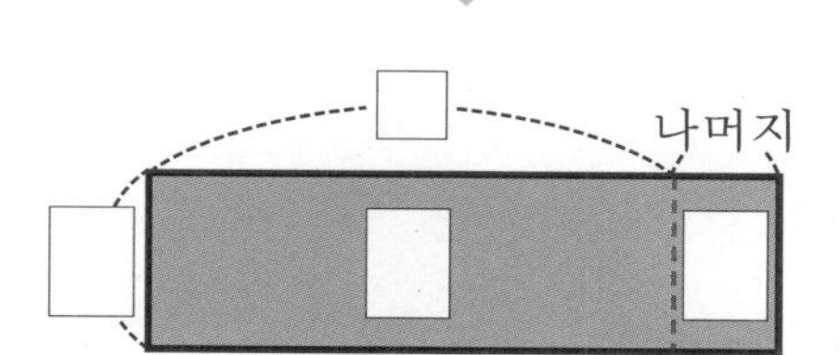

3단계 **나머지의 몫 구하기**

넓이가 $\frac{5}{15}$인 직사각형의 가로가 1일때

넓이가 ☐인 나머지의 가로는 ☐.

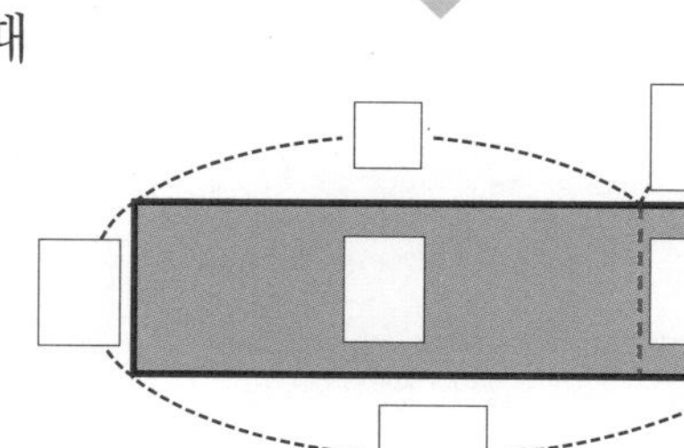

4단계 **가로 구하기**

처음 직사각형의 가로 전체 길이는

☐, 즉 ☐입니다.

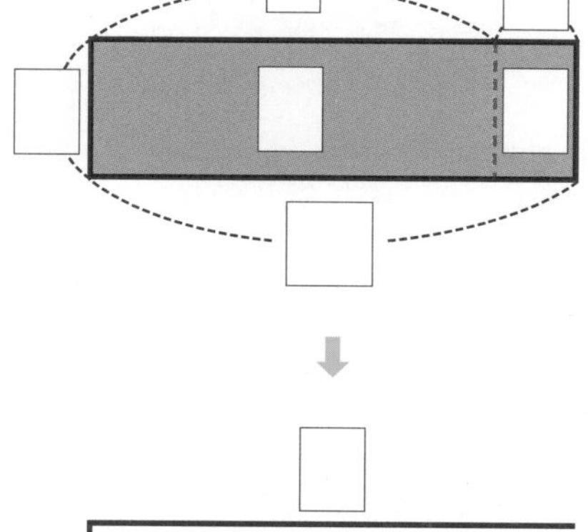

5단계 **몫 구하기**

$\frac{4}{5} \div \frac{1}{3} =$ ☐

몫이 분수인 나눗셈

(10) 나눗셈을 곱셈으로 계산하기

예시문제

나눗셈 $1\frac{1}{3} \div 2\frac{3}{4}$ 을 곱셈으로 계산합니다.

1단계 **대분수를 가분수로 바꾸기**

대분수를 가분수로 바꿉니다.

2단계 **분모, 분자에 같은 수 곱하기**

나눗셈의 몫을 하나의 분수로 나타낼 수 있습니다.

3단계 **분모 계산하기**

분모와 분자에 똑같이 분모 $\frac{11}{4}$의 역수인 $\frac{4}{11}$를 곱합니다. 분모를 계산하면 **1**됩니다.

4단계 **분자 계산하기**

$$1\frac{1}{3} \div 2\frac{3}{4} = \frac{4}{3} \div \frac{11}{4}$$

$$= \frac{\frac{4}{3}}{\frac{11}{4}}$$

$$= \frac{\frac{4}{3} \times \frac{4}{11}}{\frac{11}{4} \times \frac{4}{11}}$$

$$= \frac{\frac{4}{3} \times \frac{4}{11}}{1}$$

$$= \frac{16}{33}$$

따라서 $1\frac{1}{3} \div 2\frac{3}{4} = \frac{4}{3} \times \frac{4}{11} = \frac{16}{33}$

핵심 포인트 약분이 될 때는 반드시 약분하세요!

몫이 분수인 나눗셈

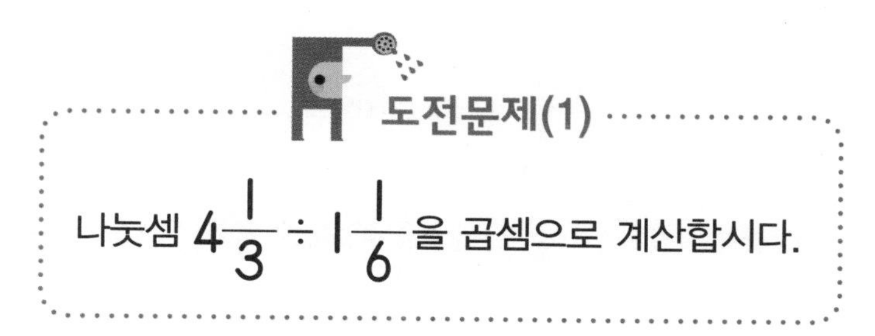

1단계 **대분수를 가분수로 바꾸기**

대분수를 가분수로 바꿉니다.

$4\frac{1}{3} \div 1\frac{1}{6} = \square \div \square$

2단계 **번분수로 나타내기**

나눗셈의 몫을 하나의 분수로 나타낼 수 있습니다.

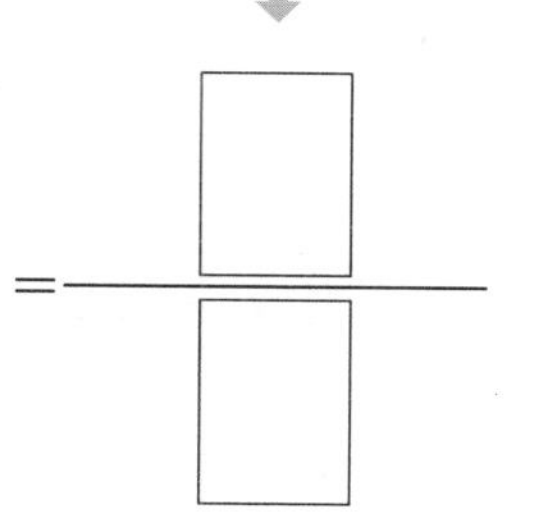

3단계 **분모, 분자에 같은 수 곱하기**

분모와 분자에 똑같이 분모의 역수를 곱합니다.

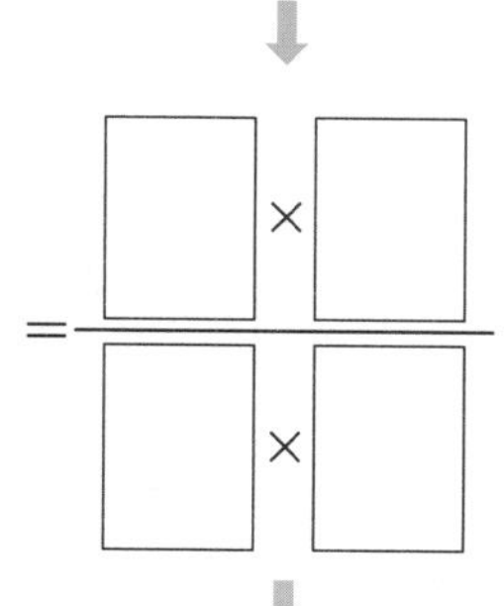

4단계 **각각 계산하기**

분모를 계산하면 **1**이 됩니다.

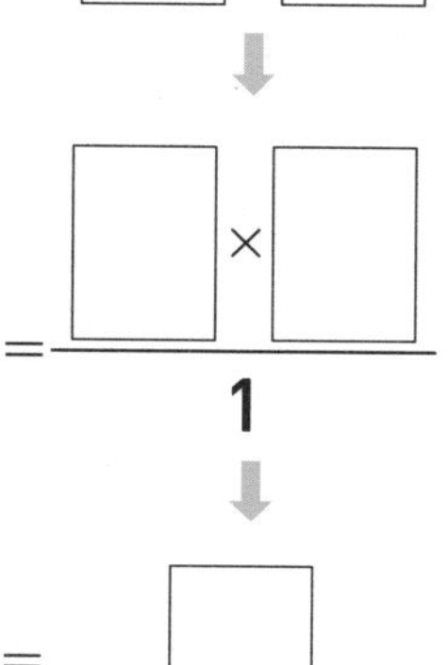

따라서 $4\frac{1}{3} \div 1\frac{1}{6} = \square \times \square = \square = \square$
(대분수)

몫이 분수인 나눗셈

나눗셈 $3\frac{3}{4} \div 2\frac{6}{7}$을 곱셈으로 계산합시다.

1단계 **대분수를 가분수로 바꾸기**

대분수를 가분수로 바꿉니다.

$3\frac{3}{4} \div 2\frac{6}{7} = \square \div \square$

2단계 **번분수로 나타내기**

나눗셈의 몫을 하나의 분수로 나타낼 수 있습니다.

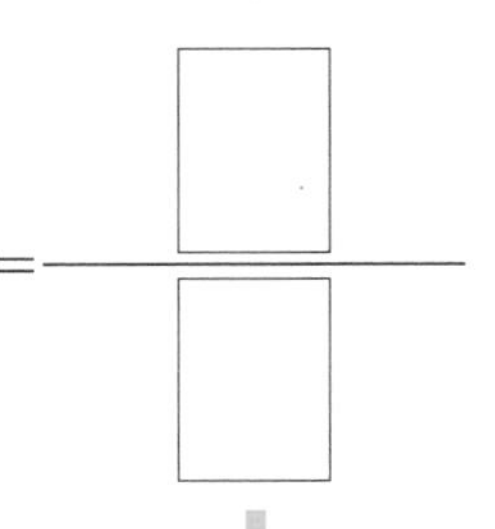

3단계 **분모, 분자에 같은 수 곱하기**

분모와 분자에 똑같이 분모의 역수를 곱합니다.

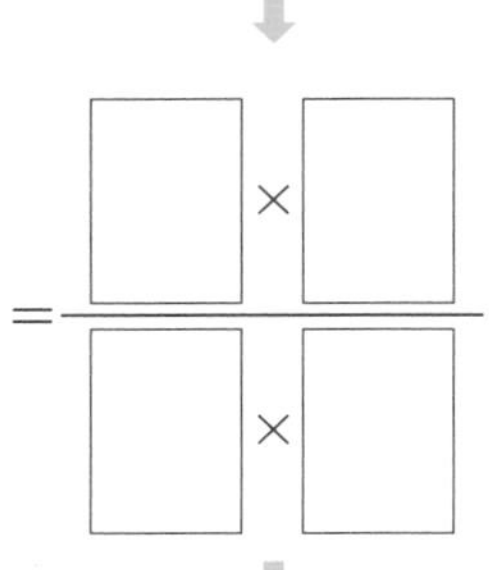

4단계 **각각 계산하기**

분모를 계산하면 1이 됩니다.

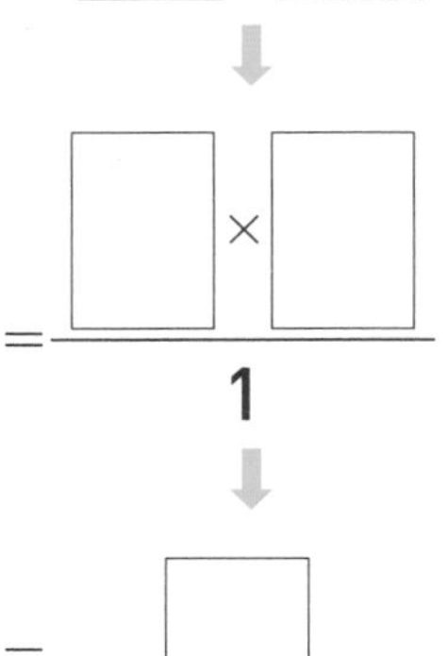

따라서 $3\frac{3}{4} \div 2\frac{6}{7} = \square \times \square = \square = \square$ (대분수)

몫이 분수인 나눗셈

도전문제(3)

나눗셈 $7\frac{2}{3} \div 2\frac{5}{6}$ 를 곱셈으로 계산합시다.

1단계 **대분수를 가분수로 바꾸기**

대분수를 가분수로 바꿉니다.

$7\frac{2}{3} \div 2\frac{5}{6} = \square \div \square$

2단계 **번분수로 나타내기**

나눗셈의 몫을 하나의 분수로 나타낼 수 있습니다.

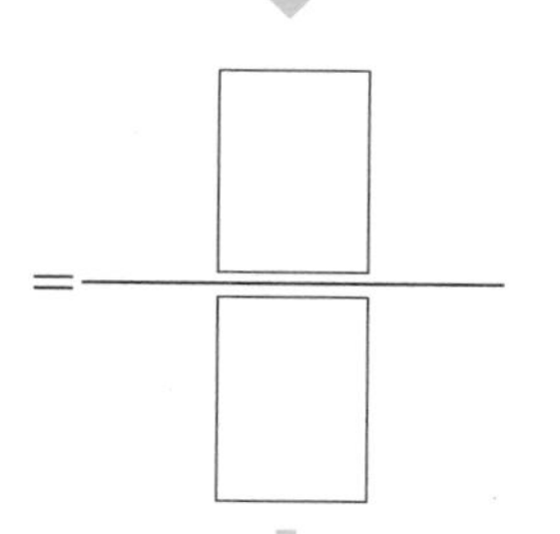

$= \dfrac{\square}{\square}$

3단계 **분모, 분자에 같은 수 곱하기**

분모와 분자에 똑같이 분모의 역수를 곱합니다.

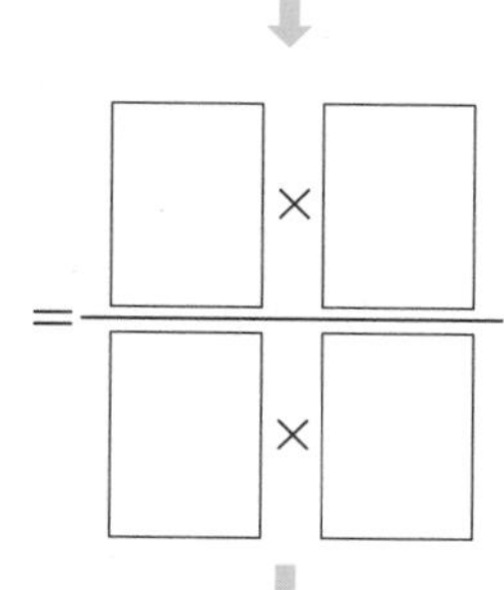

$= \dfrac{\square \times \square}{\square \times \square}$

4단계 **각각 계산하기**

분모를 계산하면 1이 됩니다.

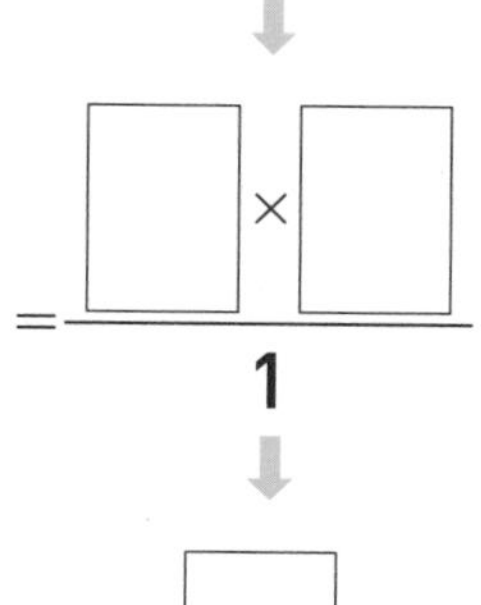

$= \dfrac{\square \times \square}{1}$

$= \square$

따라서 $7\frac{2}{3} \div 2\frac{5}{6} = \square \times \square = \square = \square$

대분수

몫이 분수인 나눗셈

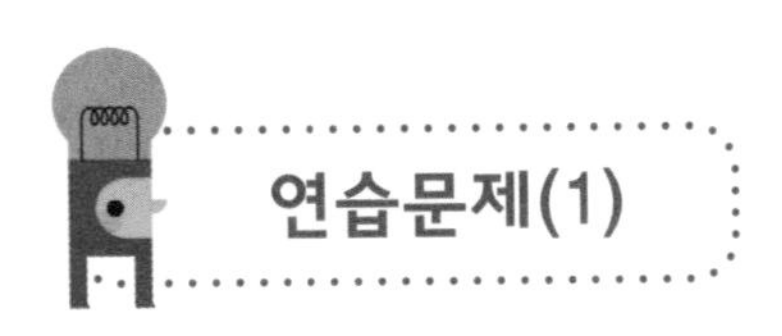

다음 빈칸에 알맞은 수를 쓰세요.(단, 계산 결과는 반드시 약분하세요.)

① $\frac{2}{7} \div \frac{3}{5} = \frac{\square}{\square} = \frac{\square \times \square}{\square \times \square} = \frac{\square \times \square}{\square} = \square$

② $\frac{3}{8} \div \frac{5}{6} = \frac{\square}{\square} = \frac{\square \times \square}{\square \times \square} = \frac{\square \times \square}{\square} = \square$

③ $\frac{3}{4} \div \frac{2}{5} = \frac{\square}{\square} = \frac{\square \times \square}{\square \times \square} = \frac{\square \times \square}{\square} = \square$ 또는 $\square$

④ $\frac{5}{8} \div \frac{1}{4} = \frac{\square}{\square} = \frac{\square \times \square}{\square \times \square} = \frac{\square \times \square}{\square} = \square$ 또는 $\square$

⑤ $\frac{4}{5} \div \frac{3}{8} = \frac{\square}{\square} = \frac{\square \times \square}{\square \times \square} = \frac{\square \times \square}{\square} = \square$ 또는 $\square$

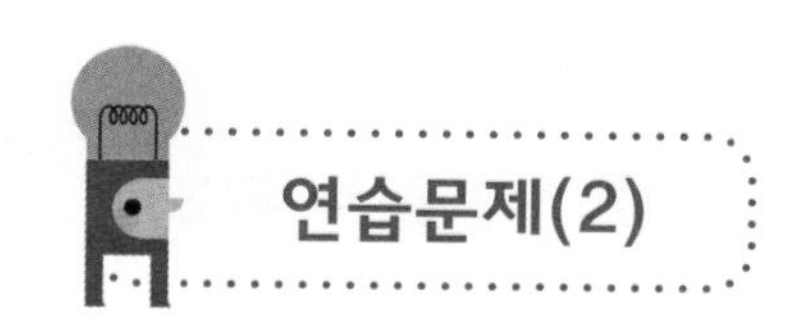

다음 빈칸에 알맞은 수를 쓰세요.(단, 계산 결과는 반드시 약분하세요.)

① $1\frac{1}{2} \div 5 = \square \div 5 = \frac{\square}{\square} = \frac{\square \times \square}{\square \times \square} = \square$

② $1\frac{2}{3} \div 4 = \square \div 4 = \frac{\square}{\square} = \frac{\square \times \square}{\square \times \square} = \square$

③ $1\frac{3}{5} \div 6 = \square \div 6 = \frac{\square}{\square} = \frac{\square \times \square}{\square \times \square} = \square$

④ $1\frac{1}{2} \div 6 = \square \div 6 = \frac{\square}{\square} = \frac{\square \times \square}{\square \times \square} = \square$

⑤ $1\frac{1}{7} \div 6 = \square \div 6 = \frac{\square}{\square} = \frac{\square \times \square}{\square \times \square} = \square$

몫이 분수인 나눗셈

다음 빈칸에 알맞은 수를 쓰세요.(단, 계산 결과는 반드시 약분하세요.)

① $2\frac{1}{4} \div \frac{3}{5} = \square \div \frac{3}{5} = \frac{\square}{\square} = \frac{\square \times \square}{\square \times \square} = \square$ 또는 $\square$

② $2\frac{3}{7} \div \frac{5}{8} = \square \div \frac{5}{8} = \frac{\square}{\square} = \frac{\square \times \square}{\square \times \square} = \square$ 또는 $\square$

③ $3\frac{3}{4} \div \frac{7}{5} = \square \div \frac{7}{5} = \frac{\square}{\square} = \frac{\square \times \square}{\square \times \square} = \square$ 또는 $\square$

④ $3\frac{1}{5} \div \frac{2}{3} = \square \div \frac{2}{3} = \frac{\square}{\square} = \frac{\square \times \square}{\square \times \square} = \square$ 또는 $\square$

⑤ $2\frac{1}{7} \div \frac{5}{8} = \square \div \frac{5}{8} = \frac{\square}{\square} = \frac{\square \times \square}{\square \times \square} = \square$ 또는 $\square$

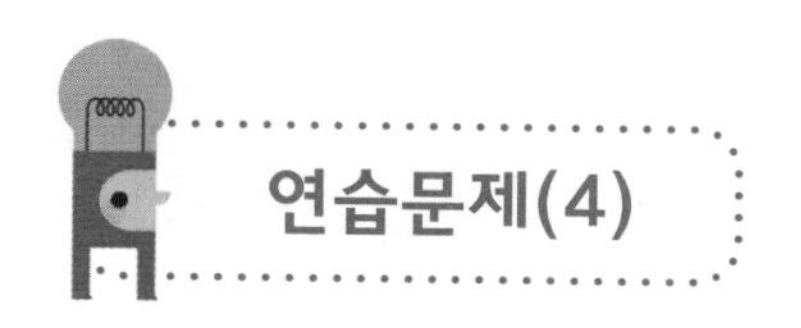

다음 빈칸에 알맞은 수를 쓰세요.(단, 계산 결과는 반드시 약분하세요.)

① $2\frac{3}{4} \div 1\frac{3}{5} = \square \div \square = \frac{\square}{\square} = \frac{\square \times \square}{\square \times \square} = \square$ 또는 $\square$

② $2\frac{3}{7} \div 1\frac{5}{8} = \square \div \square = \frac{\square}{\square} = \frac{\square \times \square}{\square \times \square} = \square$ 또는 $\square$

③ $2\frac{5}{6} \div 1\frac{1}{2} = \square \div \square = \frac{\square}{\square} = \frac{\square \times \square}{\square \times \square} = \square$ 또는 $\square$

④ $1\frac{1}{3} \div \frac{4}{5} = \square \div \square = \frac{\square}{\square} = \frac{\square \times \square}{\square \times \square} = \square$ 또는 $\square$

⑤ $3\frac{1}{5} \div 3\frac{2}{3} = \square \div \square = \frac{\square}{\square} = \frac{\square \times \square}{\square \times \square} = \square$

몫이 분수인 나눗셈

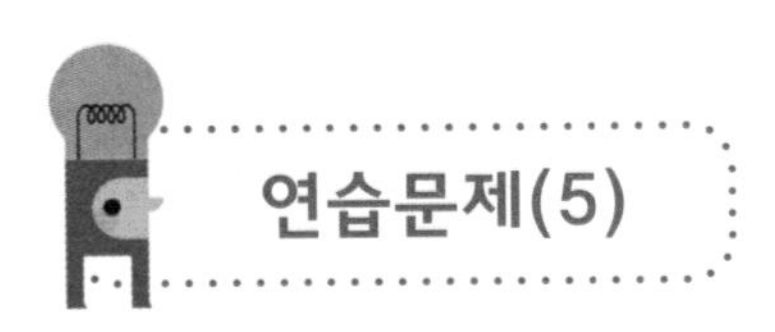

다음 빈칸에 알맞은 수를 쓰세요.(단, 계산 결과는 반드시 약분하세요.)

① $1\frac{2}{7} \div \frac{3}{5} = \square \times \square = \square$

② $1\frac{3}{8} \div 1\frac{5}{6} = \square \times \square = \square$

③ $1\frac{3}{4} \div 2\frac{2}{5} = \square \times \square = \square$

④ $1\frac{5}{8} \div 2\frac{1}{4} = \square \times \square = \square$

⑤ $3\frac{4}{5} \div 1\frac{3}{8} = \square \times \square = \square$

⑥ $4\frac{1}{2} \div 1\frac{7}{10} = \square \times \square = \square$

⑦ $3\frac{2}{7} \div 2\frac{3}{5} = \square \times \square = \square$

⑧ $4\frac{3}{8} \div 3\frac{3}{4} = \square \times \square = \square$

⑨ $5\frac{1}{4} \div 1\frac{1}{2} = \square \times \square = \square$

⑩ $1\frac{5}{6} \div 1\frac{1}{2} = \square \times \square = \square$

⑪ $2\frac{2}{3} \div 5\frac{1}{2} = \square \times \square = \square$

⑫ $7\frac{1}{9} \div 5\frac{1}{7} = \square \times \square = \square$

정답

17쪽

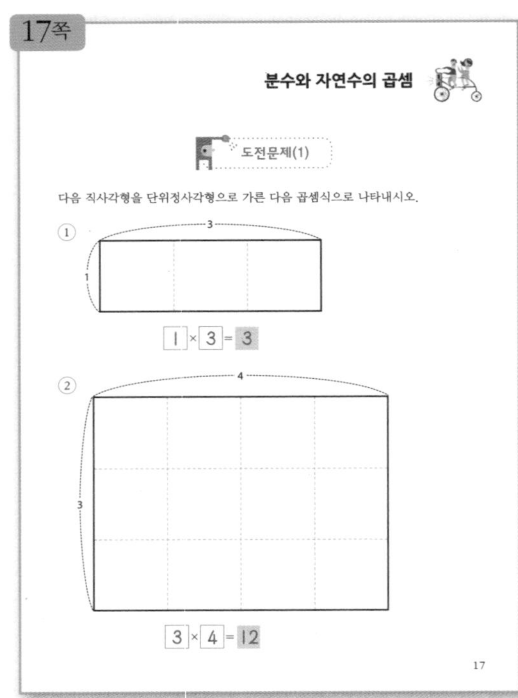

분수와 자연수의 곱셈

도전문제(1)

다음 직사각형을 단위정사각형으로 가른 다음 곱셈식으로 나타내시오.

① 1 × 3 = 3

② 3 × 4 = 12

17

18쪽

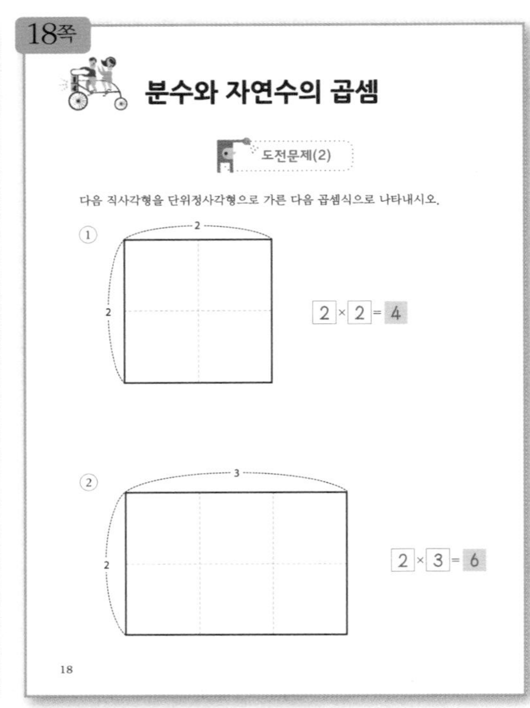

분수와 자연수의 곱셈

도전문제(2)

다음 직사각형을 단위정사각형으로 가른 다음 곱셈식으로 나타내시오.

① 2 × 2 = 4

② 2 × 3 = 6

18

19쪽

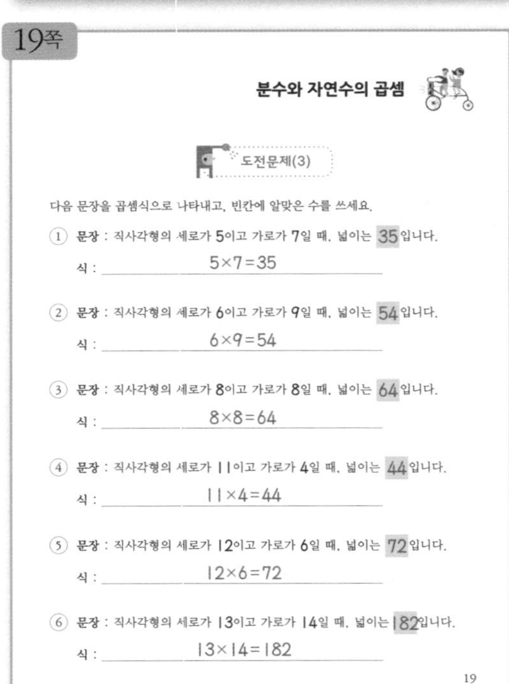

분수와 자연수의 곱셈

도전문제(3)

다음 문장을 곱셈식으로 나타내고, 빈칸에 알맞은 수를 쓰세요.

① 문장 : 직사각형의 세로가 5이고 가로가 7일 때, 넓이는 35입니다.
식 : 5×7=35

② 문장 : 직사각형의 세로가 6이고 가로가 9일 때, 넓이는 54입니다.
식 : 6×9=54

③ 문장 : 직사각형의 세로가 8이고 가로가 8일 때, 넓이는 64입니다.
식 : 8×8=64

④ 문장 : 직사각형의 세로가 11이고 가로가 4일 때, 넓이는 44입니다.
식 : 11×4=44

⑤ 문장 : 직사각형의 세로가 12이고 가로가 6일 때, 넓이는 72입니다.
식 : 12×6=72

⑥ 문장 : 직사각형의 세로가 13이고 가로가 14일 때, 넓이는 182입니다.
식 : 13×14=182

19

21쪽

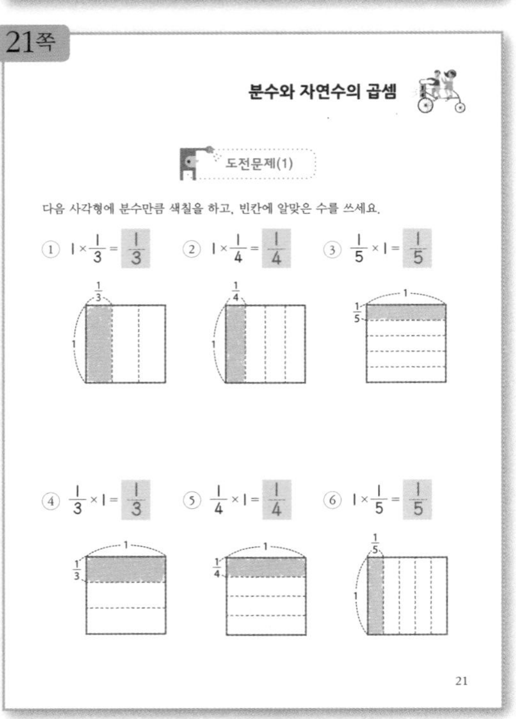

분수와 자연수의 곱셈

도전문제(1)

다음 사각형에 분수만큼 색칠을 하고, 빈칸에 알맞은 수를 쓰세요.

① $1 \times \frac{1}{3} = \frac{1}{3}$ ② $1 \times \frac{1}{4} = \frac{1}{4}$ ③ $\frac{1}{5} \times 1 = \frac{1}{5}$

④ $\frac{1}{3} \times 1 = \frac{1}{3}$ ⑤ $\frac{1}{4} \times 1 = \frac{1}{4}$ ⑥ $1 \times \frac{1}{5} = \frac{1}{5}$

21

22쪽

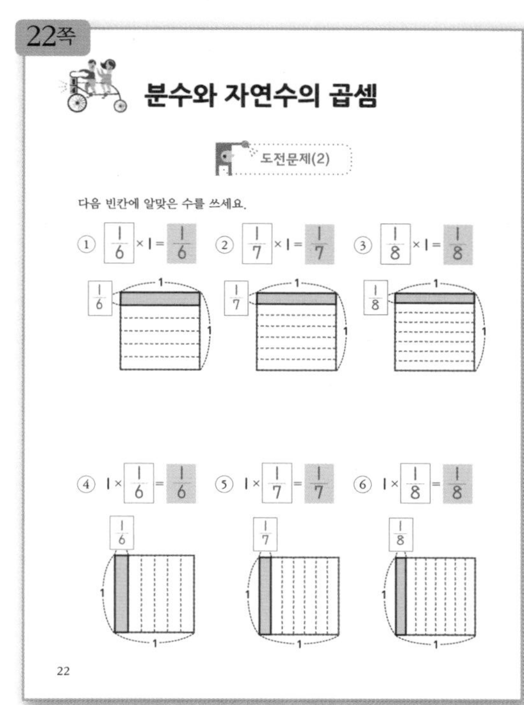

분수와 자연수의 곱셈

도전문제(2)

다음 빈칸에 알맞은 수를 쓰세요.

① $\frac{1}{6} \times 1 = \frac{1}{6}$ ② $\frac{1}{7} \times 1 = \frac{1}{7}$ ③ $\frac{1}{8} \times 1 = \frac{1}{8}$

④ $1 \times \frac{1}{6} = \frac{1}{6}$ ⑤ $1 \times \frac{1}{7} = \frac{1}{7}$ ⑥ $1 \times \frac{1}{8} = \frac{1}{8}$

22

23쪽

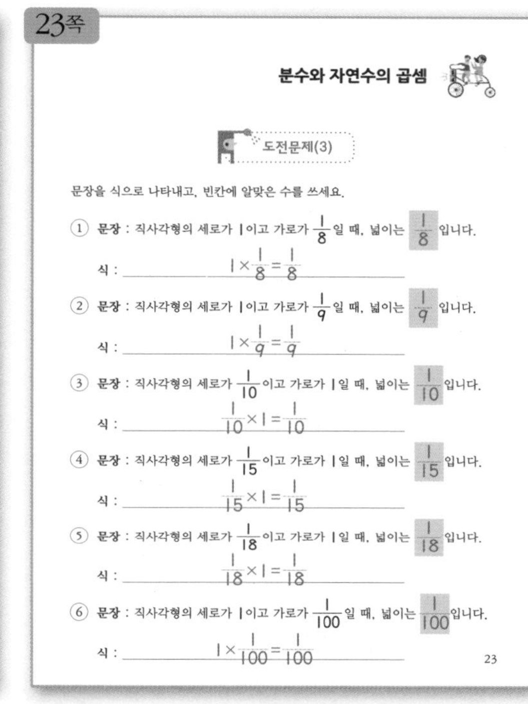

분수와 자연수의 곱셈

도전문제(3)

문장을 식으로 나타내고, 빈칸에 알맞은 수를 쓰세요.

① 문장 : 직사각형의 세로가 1이고 가로가 $\frac{1}{8}$일 때, 넓이는 $\frac{1}{8}$입니다.

식 : $1 \times \frac{1}{8} = \frac{1}{8}$

② 문장 : 직사각형의 세로가 1이고 가로가 $\frac{1}{9}$일 때, 넓이는 $\frac{1}{9}$입니다.

식 : $1 \times \frac{1}{9} = \frac{1}{9}$

③ 문장 : 직사각형의 세로가 $\frac{1}{10}$이고 가로가 1일 때, 넓이는 $\frac{1}{10}$입니다.

식 : $\frac{1}{10} \times 1 = \frac{1}{10}$

④ 문장 : 직사각형의 세로가 $\frac{1}{15}$이고 가로가 1일 때, 넓이는 $\frac{1}{15}$입니다.

식 : $\frac{1}{15} \times 1 = \frac{1}{15}$

⑤ 문장 : 직사각형의 세로가 $\frac{1}{18}$이고 가로가 1일 때, 넓이는 $\frac{1}{18}$입니다.

식 : $\frac{1}{18} \times 1 = \frac{1}{18}$

⑥ 문장 : 직사각형의 세로가 1이고 가로가 $\frac{1}{100}$일 때, 넓이는 $\frac{1}{100}$입니다.

식 : $1 \times \frac{1}{100} = \frac{1}{100}$

23

25쪽

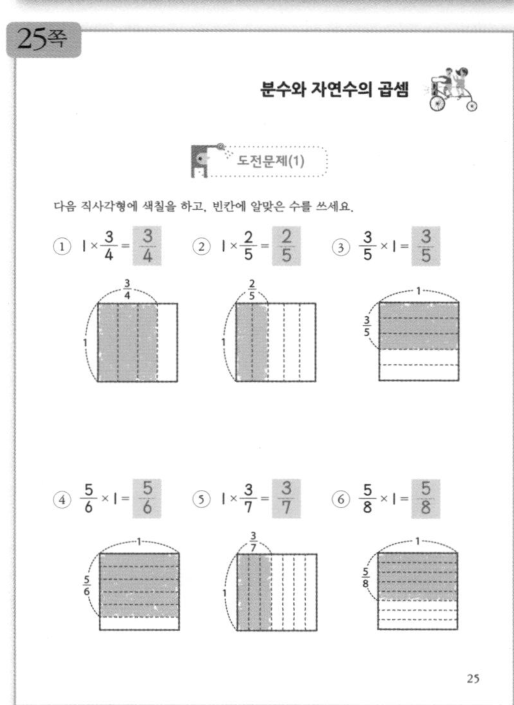

분수와 자연수의 곱셈

도전문제(1)

다음 직사각형에 색칠을 하고, 빈칸에 알맞은 수를 쓰세요.

① $1 \times \frac{3}{4} = \frac{3}{4}$ ② $1 \times \frac{2}{5} = \frac{2}{5}$ ③ $\frac{3}{5} \times 1 = \frac{3}{5}$

④ $\frac{5}{6} \times 1 = \frac{5}{6}$ ⑤ $1 \times \frac{3}{7} = \frac{3}{7}$ ⑥ $\frac{5}{8} \times 1 = \frac{5}{8}$

25

26쪽

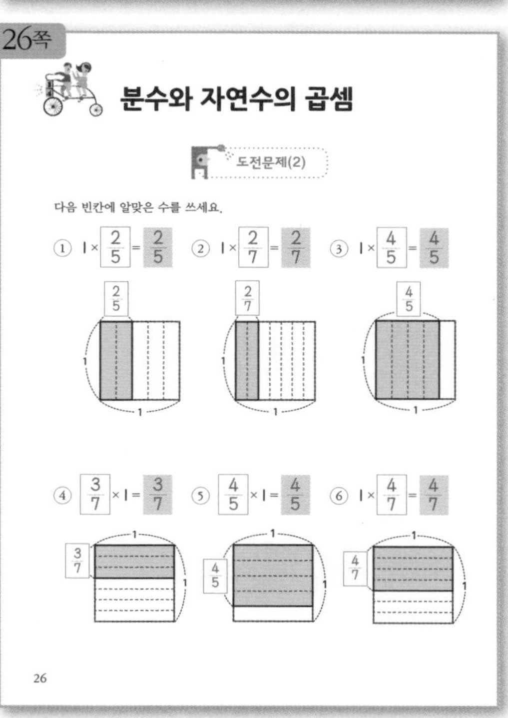

분수와 자연수의 곱셈

도전문제(2)

다음 빈칸에 알맞은 수를 쓰세요.

① $1 \times \frac{2}{5} = \frac{2}{5}$ ② $1 \times \frac{2}{7} = \frac{2}{7}$ ③ $1 \times \frac{4}{5} = \frac{4}{5}$

④ $\frac{3}{7} \times 1 = \frac{3}{7}$ ⑤ $\frac{4}{5} \times 1 = \frac{4}{5}$ ⑥ $1 \times \frac{4}{7} = \frac{4}{7}$

26

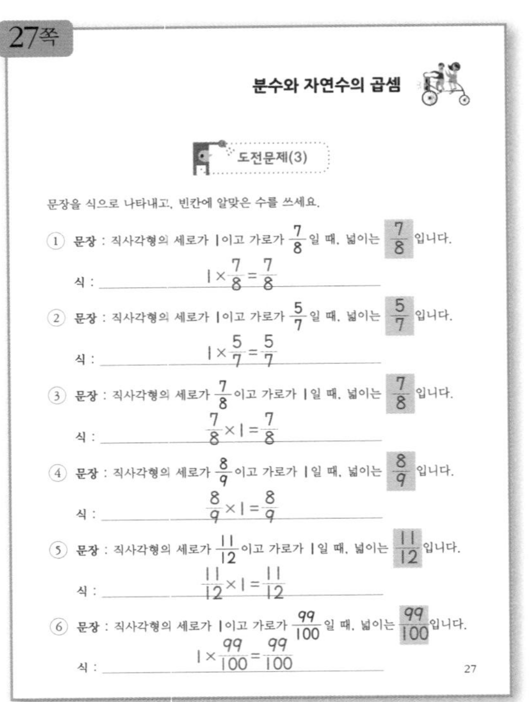
27쪽

분수와 자연수의 곱셈

도전문제(3)

문장을 식으로 나타내고, 빈칸에 알맞은 수를 쓰세요.

① 문장 : 직사각형의 세로가 1이고 가로가 $\frac{7}{8}$일 때, 넓이는 $\frac{7}{8}$입니다.
식 : $1\times\frac{7}{8}=\frac{7}{8}$

② 문장 : 직사각형의 세로가 1이고 가로가 $\frac{5}{7}$일 때, 넓이는 $\frac{5}{7}$입니다.
식 : $1\times\frac{5}{7}=\frac{5}{7}$

③ 문장 : 직사각형의 세로가 $\frac{7}{8}$이고 가로가 1일 때, 넓이는 $\frac{7}{8}$입니다.
식 : $\frac{7}{8}\times1=\frac{7}{8}$

④ 문장 : 직사각형의 세로가 $\frac{8}{9}$이고 가로가 1일 때, 넓이는 $\frac{8}{9}$입니다.
식 : $\frac{8}{9}\times1=\frac{8}{9}$

⑤ 문장 : 직사각형의 세로가 $\frac{11}{12}$이고 가로가 1일 때, 넓이는 $\frac{11}{12}$입니다.
식 : $\frac{11}{12}\times1=\frac{11}{12}$

⑥ 문장 : 직사각형의 세로가 1이고 가로가 $\frac{99}{100}$일 때, 넓이는 $\frac{99}{100}$입니다.
식 : $1\times\frac{99}{100}=\frac{99}{100}$

27

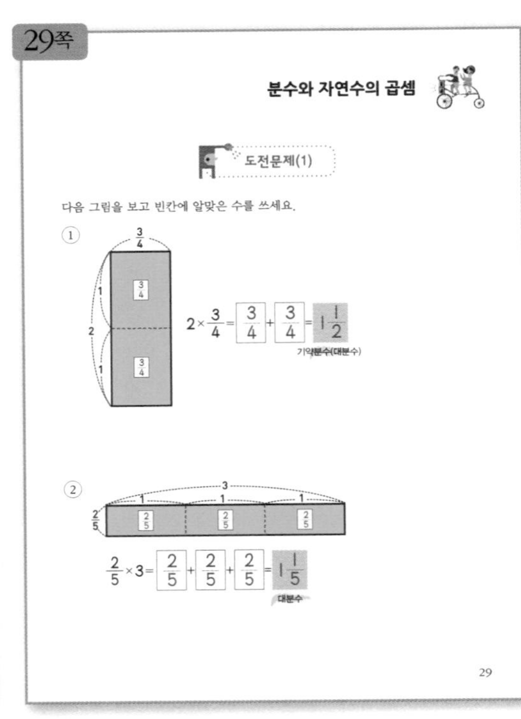
29쪽

분수와 자연수의 곱셈

도전문제(1)

다음 그림을 보고 빈칸에 알맞은 수를 쓰세요.

① $2\times\frac{3}{4}=\frac{3}{4}+\frac{3}{4}=1\frac{1}{2}$ 기약분수(대분수)

② $\frac{2}{5}\times3=\frac{2}{5}+\frac{2}{5}+\frac{2}{5}=1\frac{1}{5}$ 대분수

29

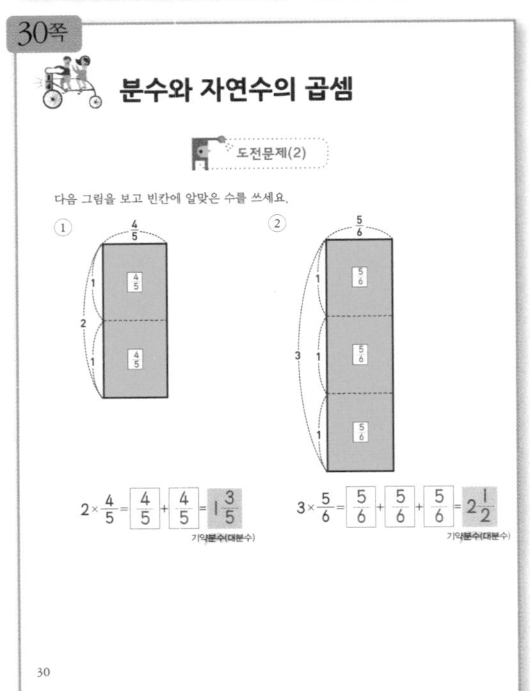
30쪽

분수와 자연수의 곱셈

도전문제(2)

다음 그림을 보고 빈칸에 알맞은 수를 쓰세요.

① $2\times\frac{4}{5}=\frac{4}{5}+\frac{4}{5}=1\frac{3}{5}$ 기약분수(대분수)

② $3\times\frac{5}{6}=\frac{5}{6}+\frac{5}{6}+\frac{5}{6}=2\frac{1}{2}$ 기약분수(대분수)

30

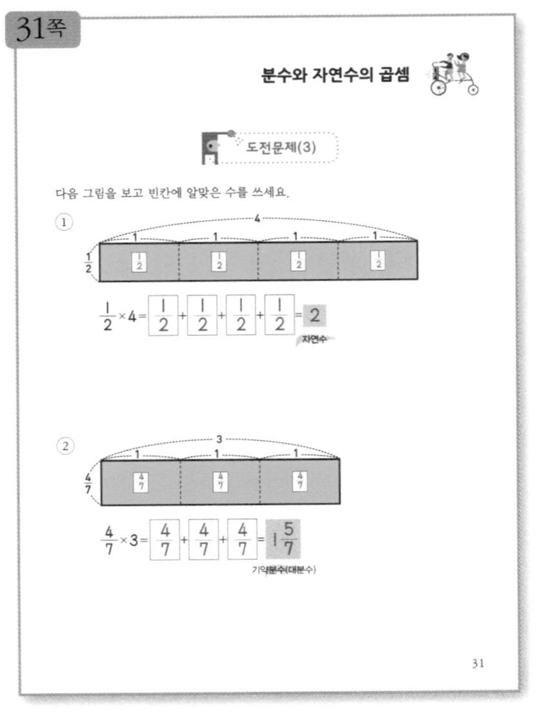
31쪽

분수와 자연수의 곱셈

도전문제(3)

다음 그림을 보고 빈칸에 알맞은 수를 쓰세요.

① $\frac{1}{2}\times4=\frac{1}{2}+\frac{1}{2}+\frac{1}{2}+\frac{1}{2}=2$ 자연수

② $\frac{4}{7}\times3=\frac{4}{7}+\frac{4}{7}+\frac{4}{7}=1\frac{5}{7}$ 기약분수(대분수)

31

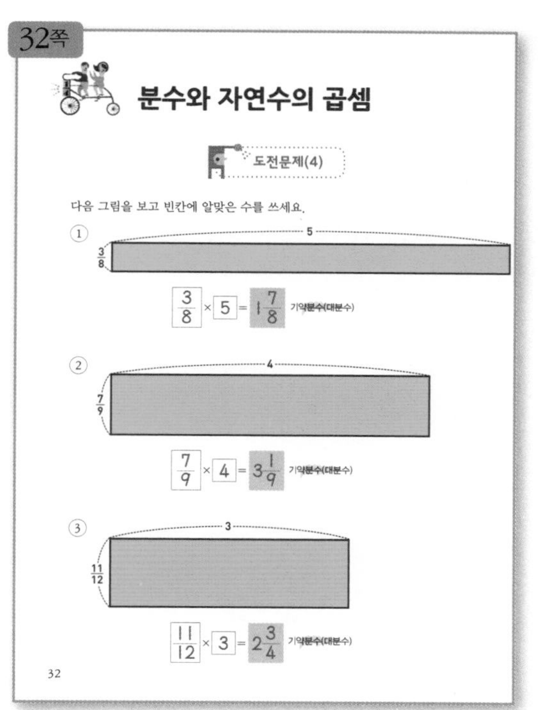
32쪽

분수와 자연수의 곱셈

도전문제(4)

다음 그림을 보고 빈칸에 알맞은 수를 쓰세요.

① $\frac{3}{8} \times 5 = 1\frac{7}{8}$ 기약분수(대분수)

② $\frac{7}{9} \times 4 = 3\frac{1}{9}$ 기약분수(대분수)

③ $\frac{11}{12} \times 3 = 2\frac{3}{4}$ 기약분수(대분수)

32

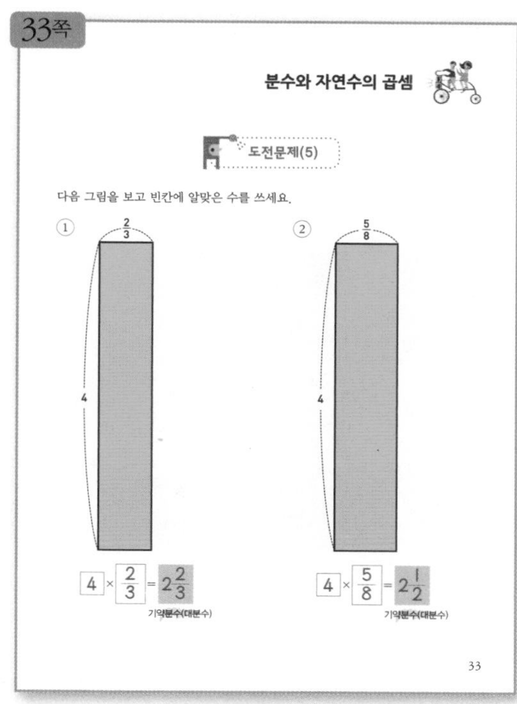
33쪽

분수와 자연수의 곱셈

도전문제(5)

다음 그림을 보고 빈칸에 알맞은 수를 쓰세요.

① $4 \times \frac{2}{3} = 2\frac{2}{3}$ 기약분수(대분수)

② $4 \times \frac{5}{8} = 2\frac{1}{2}$ 기약분수(대분수)

33

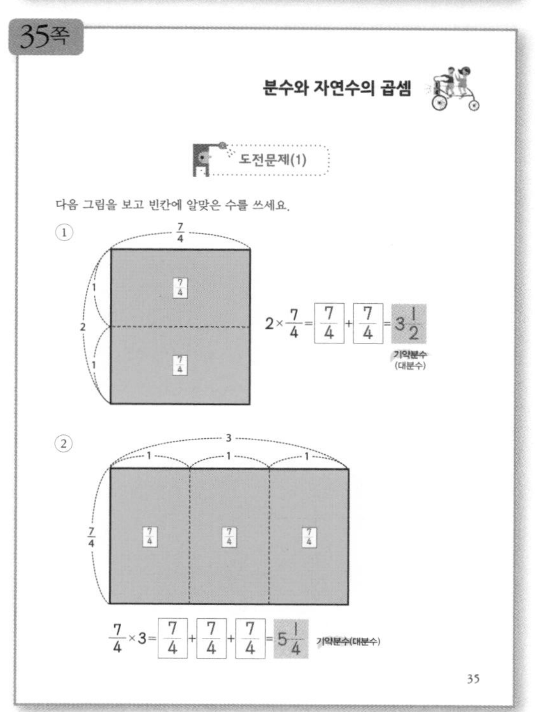
35쪽

분수와 자연수의 곱셈

도전문제(1)

다음 그림을 보고 빈칸에 알맞은 수를 쓰세요.

① $2 \times \frac{7}{4} = \frac{7}{4} + \frac{7}{4} = 3\frac{1}{2}$ 기약분수(대분수)

② $\frac{7}{4} \times 3 = \frac{7}{4} + \frac{7}{4} + \frac{7}{4} = 5\frac{1}{4}$ 기약분수(대분수)

35

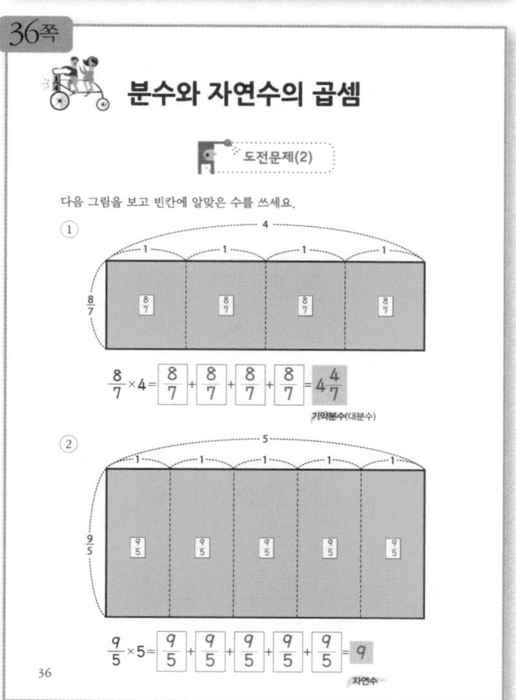
36쪽

분수와 자연수의 곱셈

도전문제(2)

다음 그림을 보고 빈칸에 알맞은 수를 쓰세요.

① $\frac{8}{7} \times 4 = \frac{8}{7} + \frac{8}{7} + \frac{8}{7} + \frac{8}{7} = 4\frac{4}{7}$ 기약분수(대분수)

② $\frac{9}{5} \times 5 = \frac{9}{5} + \frac{9}{5} + \frac{9}{5} + \frac{9}{5} + \frac{9}{5} = 9$ 자연수

36

37쪽

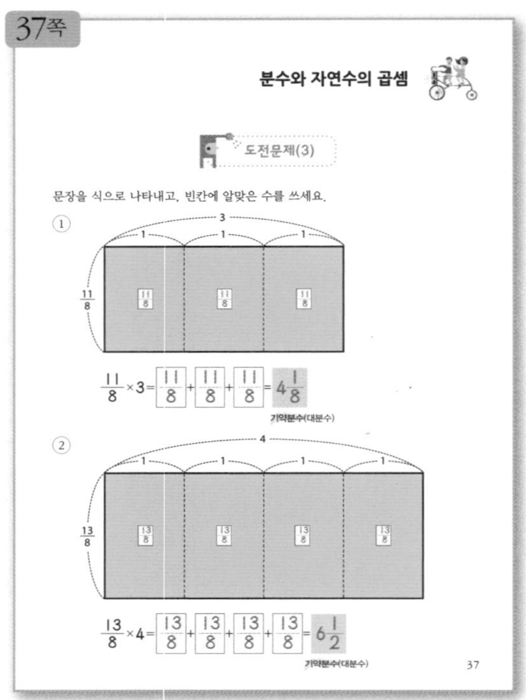

39쪽

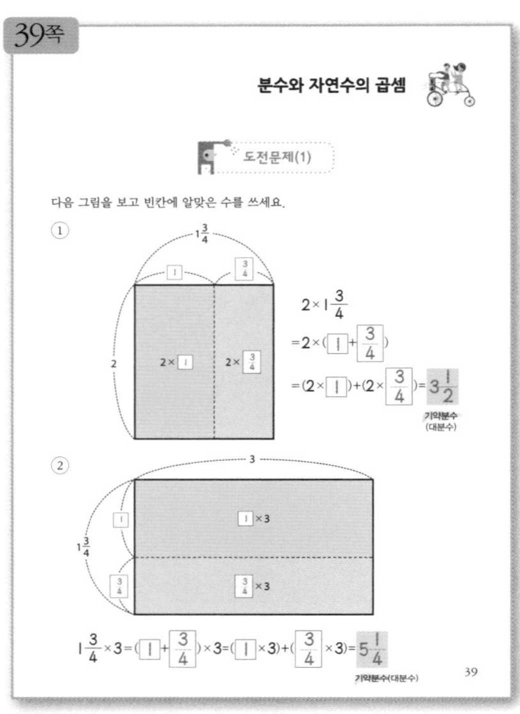

40쪽

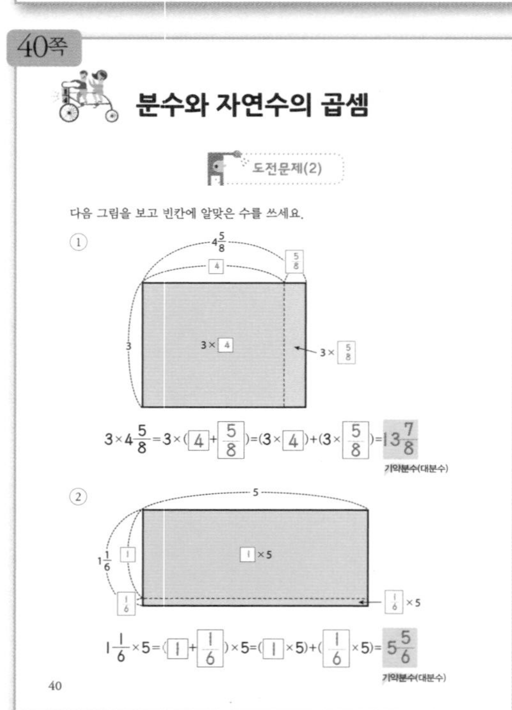

41쪽

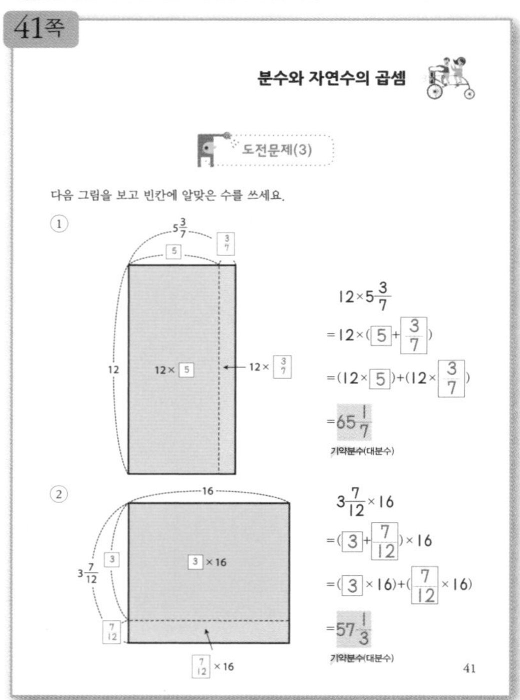

42쪽

분수와 자연수의 곱셈

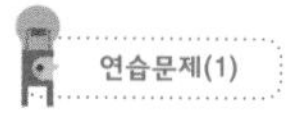

연습문제(1)

빈칸에 알맞은 수를 쓰세요.

① $\frac{1}{7}\times1=\frac{1}{7}$
② $\frac{7}{8}\times1=\frac{7}{8}$
③ $\frac{6}{11}\times1=\frac{6}{11}$
④ $\frac{5}{9}\times1=\frac{5}{9}$
⑤ $1\times\frac{7}{12}=\frac{7}{12}$
⑥ $1\times\frac{8}{9}=\frac{8}{9}$
⑦ $1\times\frac{6}{13}=\frac{6}{13}$
⑧ $1\times\frac{3}{10}=\frac{3}{10}$
⑨ $\frac{13}{18}\times1=\frac{13}{18}$
⑩ $1\times\frac{43}{50}=\frac{43}{50}$
⑪ $1\times\frac{65}{77}=\frac{65}{77}$
⑫ $\frac{59}{100}\times1=\frac{59}{100}$

42

43쪽

분수와 자연수의 곱셈

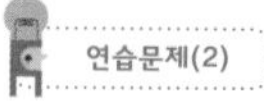

연습문제(2)

빈칸에 알맞은 수를 쓰세요.

① $\frac{1}{7}\times6=\frac{6}{7}$
② $\frac{1}{7}\times7=\frac{7}{7}$ 또는 1
③ $\frac{1}{7}\times8=\frac{8}{7}$ 또는 $1\frac{1}{7}$
④ $10\times\frac{1}{7}=\frac{10}{7}$ 또는 $1\frac{3}{7}$
⑤ $14\times\frac{1}{7}=\frac{14}{7}$ 또는 2
⑥ $18\times\frac{1}{7}=\frac{18}{7}$ 또는 $2\frac{4}{7}$
⑦ $\frac{1}{7}\times20=\frac{20}{7}$ 또는 $2\frac{6}{7}$
⑧ $\frac{1}{7}\times21=\frac{21}{7}$ 또는 3
⑨ $23\times\frac{1}{7}=\frac{23}{7}$ 또는 $3\frac{2}{7}$
⑩ $29\times\frac{1}{7}=\frac{29}{7}$ 또는 $4\frac{1}{7}$
⑪ $\frac{1}{7}\times40=\frac{40}{7}$ 또는 $5\frac{5}{7}$
⑫ $100\times\frac{1}{7}=\frac{100}{7}$ 또는 $14\frac{2}{7}$

43

44쪽

분수와 자연수의 곱셈

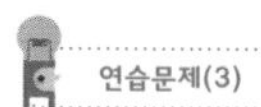

연습문제(3)

빈칸에 알맞은 수를 쓰세요.

① $\frac{5}{7}\times6=\frac{30}{7}$ 또는 $4\frac{2}{7}$
② $\frac{6}{7}\times7=\frac{42}{7}$ 또는 6
③ $8\times\frac{6}{7}=\frac{48}{7}$ 또는 $6\frac{6}{7}$
④ $10\times\frac{4}{7}=\frac{40}{7}$ 또는 $5\frac{5}{7}$
⑤ $14\times\frac{2}{7}=\frac{28}{7}$ 또는 4
⑥ $\frac{5}{7}\times18=\frac{90}{7}$ 또는 $12\frac{6}{7}$
⑦ $\frac{4}{7}\times20=\frac{80}{7}$ 또는 $11\frac{3}{7}$
⑧ $\frac{3}{7}\times21=\frac{63}{7}$ 또는 9
⑨ $23\times\frac{2}{7}=\frac{46}{7}$ 또는 $6\frac{4}{7}$
⑩ $29\times\frac{4}{7}=\frac{116}{7}$ 또는 $16\frac{4}{7}$
⑪ $\frac{3}{7}\times40=\frac{120}{7}$ 또는 $17\frac{1}{7}$
⑫ $100\times\frac{6}{7}=\frac{600}{7}$ 또는 $85\frac{5}{7}$

44

45쪽

분수와 자연수의 곱셈

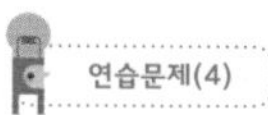

연습문제(4)

빈칸에 알맞은 수를 쓰세요.

① $\frac{2}{5}\times4=\frac{8}{5}$ 또는 $1\frac{3}{5}$
② $\frac{3}{5}\times7=\frac{21}{5}$ 또는 $4\frac{1}{5}$
③ $\frac{5}{6}\times5=\frac{25}{6}$ 또는 $4\frac{1}{6}$
④ $\frac{4}{5}\times5=\frac{20}{5}$ 또는 4
⑤ $\frac{2}{3}\times9=\frac{18}{3}$ 또는 6
⑥ $\frac{2}{3}\times10=\frac{20}{3}$ 또는 $6\frac{2}{3}$
⑦ $\frac{3}{4}\times3=\frac{9}{4}$ 또는 $2\frac{1}{4}$
⑧ $\frac{3}{4}\times8=\frac{24}{4}$ 또는 6
⑨ $\frac{7}{6}\times5=\frac{35}{6}$ 또는 $5\frac{5}{6}$
⑩ $\frac{7}{6}\times7=\frac{49}{6}$ 또는 $8\frac{1}{6}$
⑪ $\frac{11}{12}\times11=\frac{121}{12}$ 또는 $10\frac{1}{12}$
⑫ $\frac{7}{12}\times13=\frac{91}{12}$ 또는 $7\frac{7}{12}$

45

46쪽

분수와 자연수의 곱셈

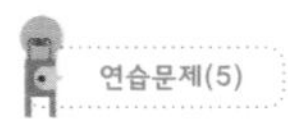

빈칸에 알맞은 수를 쓰세요.(단, 계산 결과는 대분수로 쓰세요.)

① $3\times2\frac{1}{4}=6\frac{3}{4}$　② $3\times5\frac{1}{4}=15\frac{3}{4}$

③ $6\times2\frac{1}{3}=14$　④ $9\times1\frac{3}{4}=15\frac{3}{4}$

⑤ $7\frac{4}{15}\times18=130\frac{4}{5}$　⑥ $7\frac{4}{15}\times15=109$

⑦ $25\times2\frac{2}{5}=60$　⑧ $25\times2\frac{2}{7}=57\frac{1}{7}$

⑨ $1\frac{3}{5}\times22=35\frac{1}{5}$　⑩ $1\frac{3}{5}\times12=19\frac{1}{5}$

⑪ $5\frac{5}{12}\times20=108\frac{1}{3}$　⑫ $5\frac{11}{12}\times60=355$

46

49쪽

분수와 분수의 곱셈

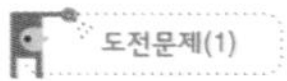

다음 사각형에 분수만큼 색칠하고, 빈칸에 알맞은 수를 쓰세요.

① $\frac{1}{2}\times\frac{1}{4}=\frac{1}{8}$　② $\frac{1}{3}\times\frac{1}{4}=\frac{1}{12}$　③ $\frac{1}{4}\times\frac{1}{3}=\frac{1}{12}$

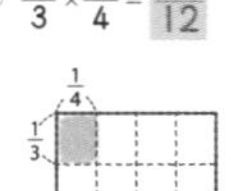

④ $\frac{1}{3}\times\frac{1}{5}=\frac{1}{15}$　⑤ $\frac{1}{4}\times\frac{1}{5}=\frac{1}{20}$　⑥ $\frac{1}{6}\times\frac{1}{3}=\frac{1}{18}$

49

50쪽

분수와 분수의 곱셈

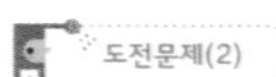

색칠된 직사각형의 크기를 구하는 곱셈식을 쓰세요.

① $\frac{1}{4}\times\frac{1}{4}=\frac{1}{16}$　② $\frac{1}{4}\times\frac{1}{5}=\frac{1}{20}$

③ $\frac{1}{3}\times\frac{1}{5}=\frac{1}{15}$　④ $\frac{1}{5}\times\frac{1}{2}=\frac{1}{10}$

50

51쪽

분수와 분수의 곱셈

도전문제(3)

다음 빈칸에 알맞은 수를 쓰세요.

① $\frac{1}{5}\times\frac{1}{3}=\frac{1\times1}{5\times3}=\frac{1}{15}$　② $\frac{1}{4}\times\frac{1}{7}=\frac{1\times1}{4\times7}=\frac{1}{28}$

③ $\frac{1}{6}\times\frac{1}{6}=\frac{1\times1}{6\times6}=\frac{1}{36}$　④ $\frac{1}{2}\times\frac{1}{8}=\frac{1\times1}{2\times8}=\frac{1}{16}$

⑤ $\frac{1}{5}\times\frac{1}{7}=\frac{1\times1}{5\times7}=\frac{1}{35}$　⑥ $\frac{1}{7}\times\frac{1}{3}=\frac{1\times1}{7\times3}=\frac{1}{21}$

⑦ $\frac{1}{8}\times\frac{1}{2}=\frac{1\times1}{8\times2}=\frac{1}{16}$　⑧ $\frac{1}{9}\times\frac{1}{5}=\frac{1\times1}{9\times5}=\frac{1}{45}$

⑨ $\frac{1}{10}\times\frac{1}{6}=\frac{1\times1}{10\times6}=\frac{1}{60}$　⑩ $\frac{1}{9}\times\frac{1}{16}=\frac{1\times1}{9\times16}=\frac{1}{144}$

⑪ $\frac{1}{15}\times\frac{1}{8}=\frac{1\times1}{15\times8}=\frac{1}{120}$　⑫ $\frac{1}{12}\times\frac{1}{13}=\frac{1\times1}{12\times13}=\frac{1}{156}$

51

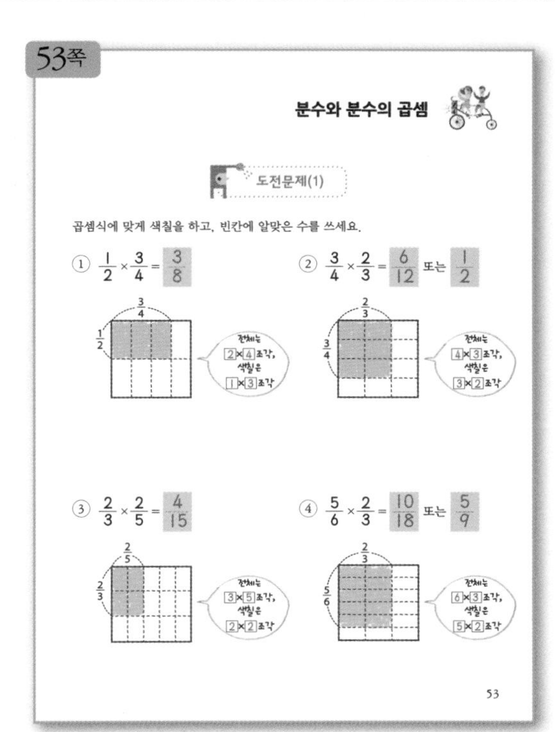

53쪽

분수와 분수의 곱셈

도전문제(1)

곱셈식에 맞게 색칠을 하고, 빈칸에 알맞은 수를 쓰세요.

① $\frac{1}{2} \times \frac{3}{4} = \frac{3}{8}$

전체는 2×4조각, 색칠은 1×3조각

② $\frac{3}{4} \times \frac{2}{3} = \frac{6}{12}$ 또는 $\frac{1}{2}$

전체는 4×3조각, 색칠은 3×2조각

③ $\frac{2}{3} \times \frac{2}{5} = \frac{4}{15}$

전체는 3×5조각, 색칠은 2×2조각

④ $\frac{5}{6} \times \frac{2}{3} = \frac{10}{18}$ 또는 $\frac{5}{9}$

전체는 6×3조각, 색칠은 5×2조각

53

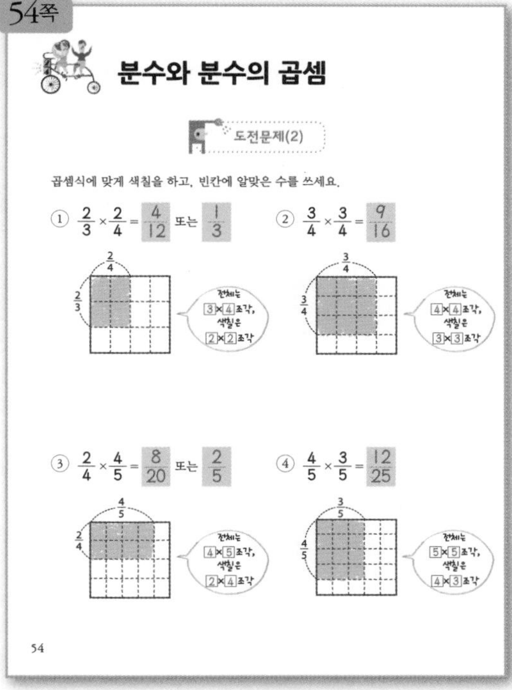

54쪽

분수와 분수의 곱셈

도전문제(2)

곱셈식에 맞게 색칠을 하고, 빈칸에 알맞은 수를 쓰세요.

① $\frac{2}{3} \times \frac{2}{4} = \frac{4}{12}$ 또는 $\frac{1}{3}$

전체는 3×4조각, 색칠은 2×2조각

② $\frac{3}{4} \times \frac{3}{4} = \frac{9}{16}$

전체는 4×4조각, 색칠은 3×3조각

③ $\frac{2}{4} \times \frac{4}{5} = \frac{8}{20}$ 또는 $\frac{2}{5}$

전체는 4×5조각, 색칠은 2×4조각

④ $\frac{4}{5} \times \frac{3}{5} = \frac{12}{25}$

전체는 5×5조각, 색칠은 4×3조각

54

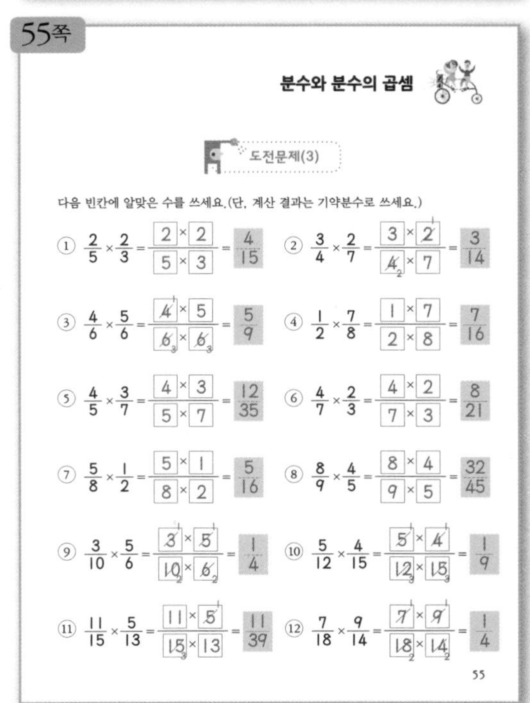

55쪽

분수와 분수의 곱셈

도전문제(3)

다음 빈칸에 알맞은 수를 쓰세요.(단, 계산 결과는 기약분수로 쓰세요.)

① $\frac{2}{5} \times \frac{2}{3} = \frac{2 \times 2}{5 \times 3} = \frac{4}{15}$

② $\frac{3}{4} \times \frac{2}{7} = \frac{3 \times 2}{4 \times 7} = \frac{3}{14}$

③ $\frac{4}{6} \times \frac{5}{6} = \frac{4 \times 5}{6 \times 6} = \frac{5}{9}$

④ $\frac{1}{2} \times \frac{7}{8} = \frac{1 \times 7}{2 \times 8} = \frac{7}{16}$

⑤ $\frac{4}{5} \times \frac{3}{7} = \frac{4 \times 3}{5 \times 7} = \frac{12}{35}$

⑥ $\frac{4}{7} \times \frac{2}{3} = \frac{4 \times 2}{7 \times 3} = \frac{8}{21}$

⑦ $\frac{5}{8} \times \frac{1}{2} = \frac{5 \times 1}{8 \times 2} = \frac{5}{16}$

⑧ $\frac{8}{9} \times \frac{4}{5} = \frac{8 \times 4}{9 \times 5} = \frac{32}{45}$

⑨ $\frac{3}{10} \times \frac{5}{6} = \frac{3 \times 5}{10 \times 6} = \frac{1}{4}$

⑩ $\frac{5}{12} \times \frac{4}{15} = \frac{5 \times 4}{12 \times 15} = \frac{1}{9}$

⑪ $\frac{11}{15} \times \frac{5}{13} = \frac{11 \times 5}{15 \times 13} = \frac{11}{39}$

⑫ $\frac{7}{18} \times \frac{9}{14} = \frac{7 \times 9}{18 \times 14} = \frac{1}{4}$

55

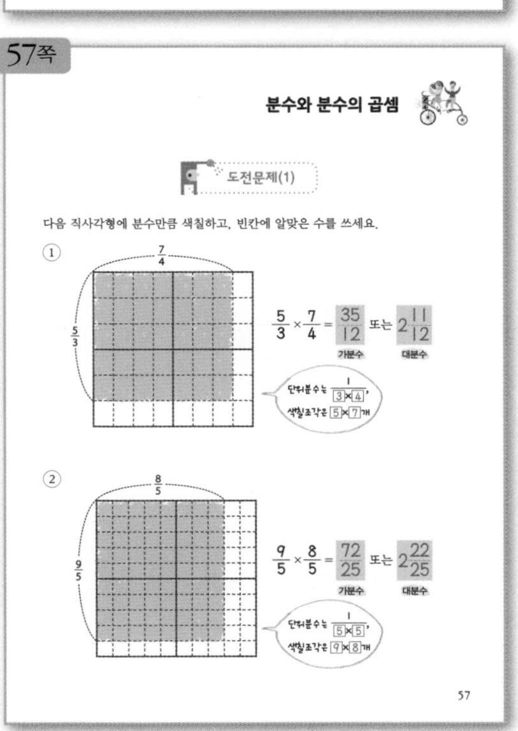

57쪽

분수와 분수의 곱셈

도전문제(1)

다음 직사각형에 분수만큼 색칠하고, 빈칸에 알맞은 수를 쓰세요.

① $\frac{5}{3} \times \frac{7}{4} = \frac{35}{12}$ (가분수) 또는 $2\frac{11}{12}$ (대분수)

단위분수는 $\frac{1}{3 \times 4}$, 색칠조각은 5×7개

② $\frac{9}{5} \times \frac{8}{5} = \frac{72}{25}$ (가분수) 또는 $2\frac{22}{25}$ (대분수)

단위분수는 $\frac{1}{5 \times 5}$, 색칠조각은 9×8개

57

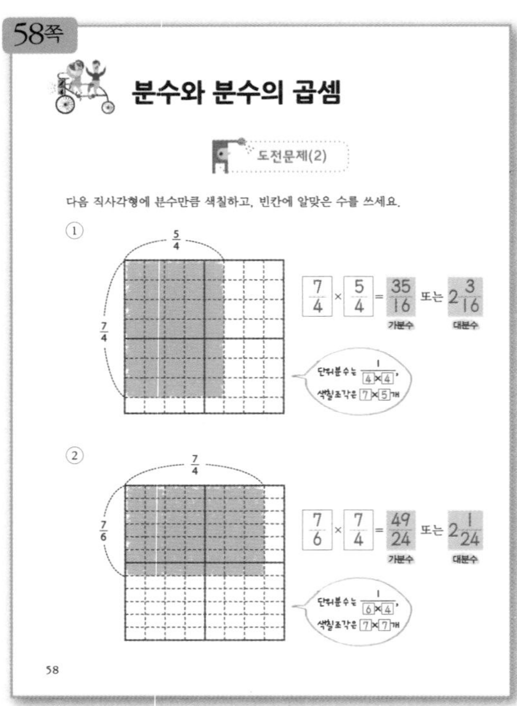

58쪽

분수와 분수의 곱셈

도전문제(2)

다음 직사각형에 분수만큼 색칠하고, 빈칸에 알맞은 수를 쓰세요.

①

$\frac{7}{4} \times \frac{5}{4} = \frac{35}{16}$ 또는 $2\frac{3}{16}$

가분수 대분수

단위분수는 $\frac{1}{4 \times 4}$, 색칠조각은 7×5개

②

$\frac{7}{6} \times \frac{7}{4} = \frac{49}{24}$ 또는 $2\frac{1}{24}$

가분수 대분수

단위분수는 $\frac{1}{6 \times 4}$, 색칠조각은 7×7개

58

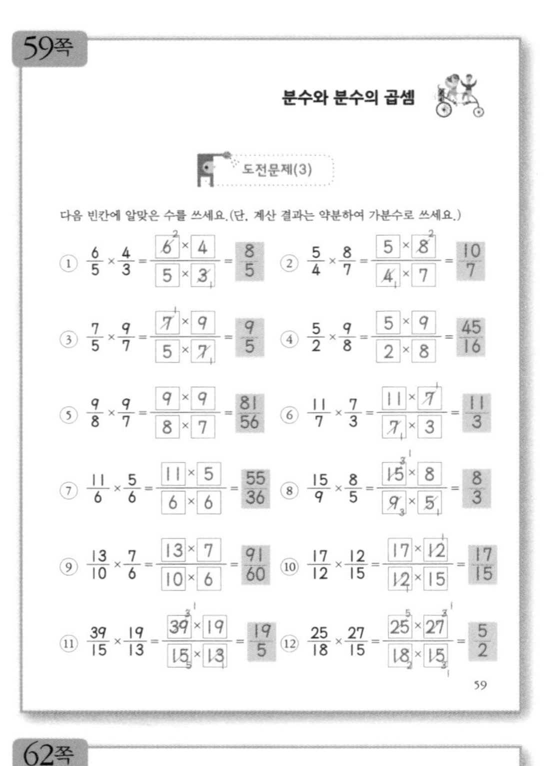

59쪽

분수와 분수의 곱셈

도전문제(3)

다음 빈칸에 알맞은 수를 쓰세요.(단, 계산 결과는 약분하여 가분수로 쓰세요.)

① $\frac{6}{5} \times \frac{4}{3} = \frac{6 \times 4}{5 \times 3} = \frac{8}{5}$

② $\frac{5}{4} \times \frac{8}{7} = \frac{5 \times 8}{4 \times 7} = \frac{10}{7}$

③ $\frac{7}{5} \times \frac{9}{7} = \frac{7 \times 9}{5 \times 7} = \frac{9}{5}$

④ $\frac{5}{2} \times \frac{9}{8} = \frac{5 \times 9}{2 \times 8} = \frac{45}{16}$

⑤ $\frac{9}{8} \times \frac{9}{7} = \frac{9 \times 9}{8 \times 7} = \frac{81}{56}$

⑥ $\frac{11}{7} \times \frac{7}{3} = \frac{11 \times 7}{7 \times 3} = \frac{11}{3}$

⑦ $\frac{11}{6} \times \frac{5}{6} = \frac{11 \times 5}{6 \times 6} = \frac{55}{36}$

⑧ $\frac{15}{9} \times \frac{8}{5} = \frac{15 \times 8}{9 \times 5} = \frac{8}{3}$

⑨ $\frac{13}{10} \times \frac{7}{6} = \frac{13 \times 7}{10 \times 6} = \frac{91}{60}$

⑩ $\frac{17}{12} \times \frac{12}{15} = \frac{17 \times 12}{12 \times 15} = \frac{17}{15}$

⑪ $\frac{39}{15} \times \frac{19}{13} = \frac{39 \times 19}{15 \times 13} = \frac{19}{5}$

⑫ $\frac{25}{18} \times \frac{27}{15} = \frac{25 \times 27}{18 \times 15} = \frac{5}{2}$

59

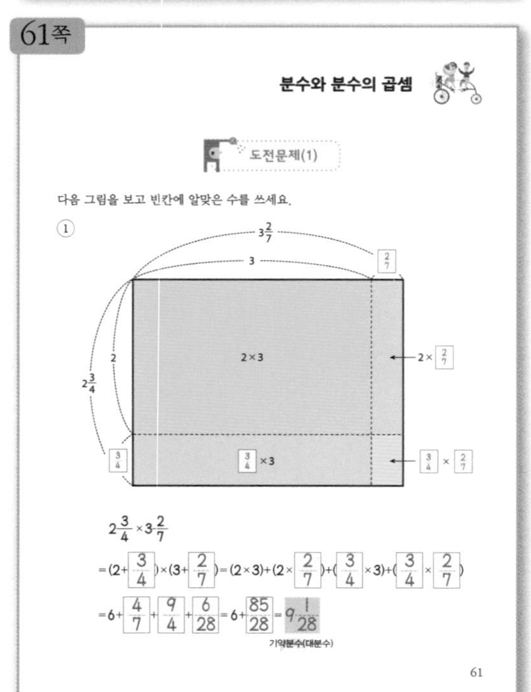

61쪽

분수와 분수의 곱셈

도전문제(1)

다음 그림을 보고 빈칸에 알맞은 수를 쓰세요.

①

$2\frac{3}{4} \times 3\frac{2}{7}$

$= (2+\frac{3}{4}) \times (3+\frac{2}{7}) = (2 \times 3) + (2 \times \frac{2}{7}) + (\frac{3}{4} \times 3) + (\frac{3}{4} \times \frac{2}{7})$

$= 6 + \frac{4}{7} + \frac{9}{4} + \frac{6}{28} = 6 + \frac{85}{28} = 9\frac{1}{28}$

기약분수(대분수)

61

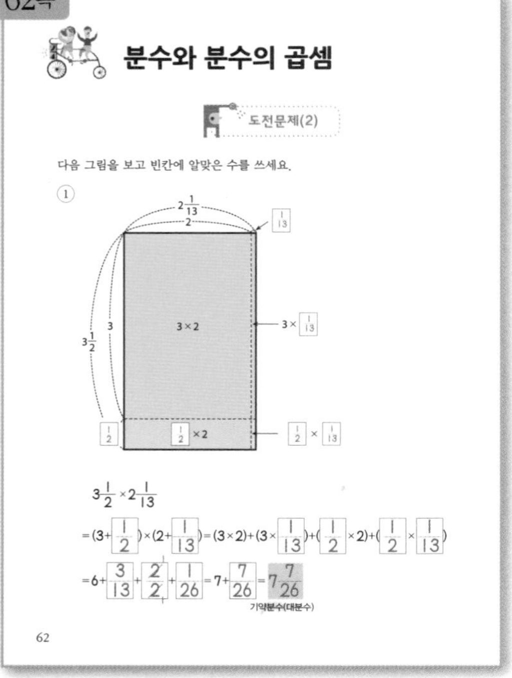

62쪽

분수와 분수의 곱셈

도전문제(2)

다음 그림을 보고 빈칸에 알맞은 수를 쓰세요.

①

$3\frac{1}{2} \times 2\frac{1}{13}$

$= (3+\frac{1}{2}) \times (2+\frac{1}{13}) = (3 \times 2) + (3 \times \frac{1}{13}) + (\frac{1}{2} \times 2) + (\frac{1}{2} \times \frac{1}{13})$

$= 6 + \frac{3}{13} + \frac{2}{2} + \frac{1}{26} = 7 + \frac{7}{26} = 7\frac{7}{26}$

기약분수(대분수)

62

63쪽

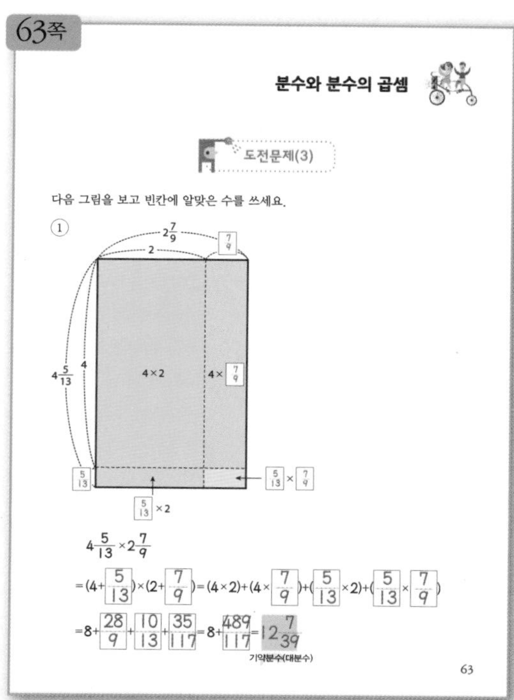

분수와 분수의 곱셈

도전문제(3)

다음 그림을 보고 빈칸에 알맞은 수를 쓰세요.

①

$4\frac{5}{13}\times2\frac{7}{9}$

$=(4+\frac{5}{13})\times(2+\frac{7}{9})=(4\times2)+(4\times\frac{7}{9})+(\frac{5}{13}\times2)+(\frac{5}{13}\times\frac{7}{9})$

$=8+\frac{28}{9}+\frac{10}{13}+\frac{35}{117}=8+\frac{489}{117}=12\frac{7}{39}$

기약분수(대분수)

63

65쪽

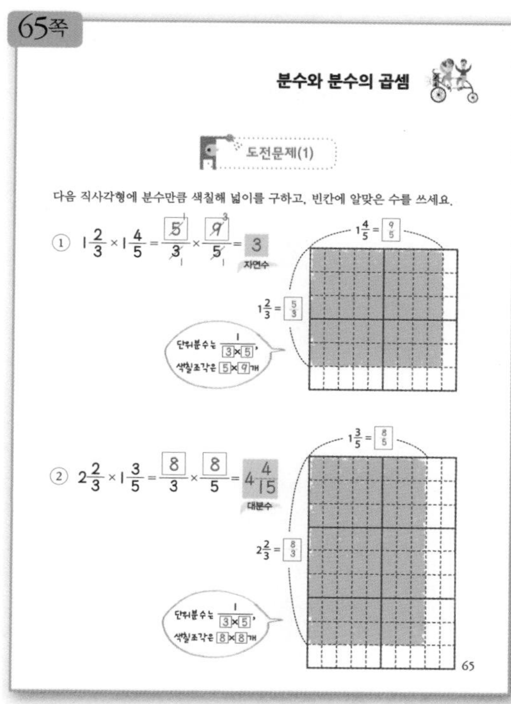

분수와 분수의 곱셈

도전문제(1)

다음 직사각형에 분수만큼 색칠해 넓이를 구하고, 빈칸에 알맞은 수를 쓰세요.

① $1\frac{2}{3}\times1\frac{4}{5}=\frac{5}{3}\times\frac{9}{5}=3$

자연수

② $2\frac{2}{3}\times1\frac{3}{5}=\frac{8}{3}\times\frac{8}{5}=4\frac{4}{15}$

대분수

65

66쪽

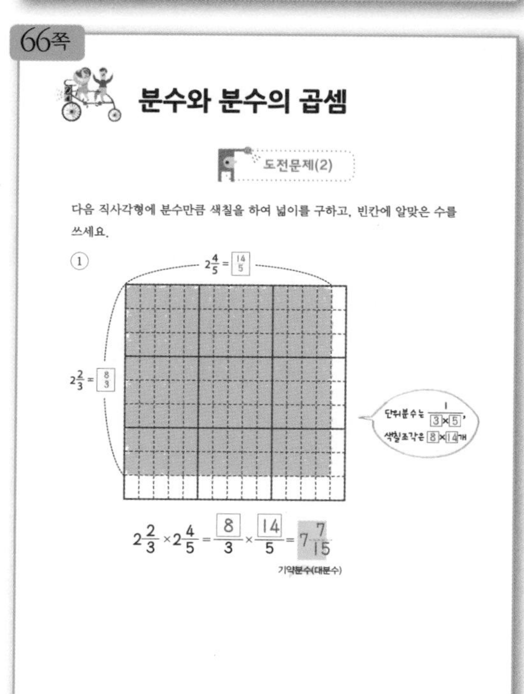

분수와 분수의 곱셈

도전문제(2)

다음 직사각형에 분수만큼 색칠을 하여 넓이를 구하고, 빈칸에 알맞은 수를 쓰세요.

①

$2\frac{2}{3}\times2\frac{4}{5}=\frac{8}{3}\times\frac{14}{5}=7\frac{7}{15}$

기약분수(대분수)

67쪽

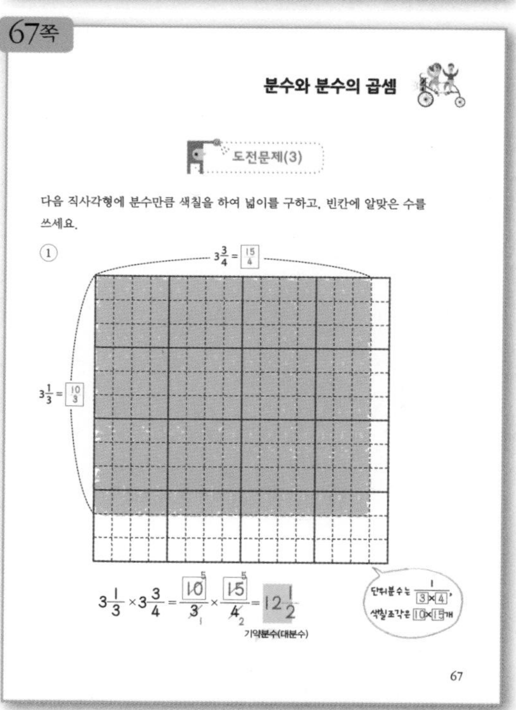

분수와 분수의 곱셈

도전문제(3)

다음 직사각형에 분수만큼 색칠을 하여 넓이를 구하고, 빈칸에 알맞은 수를 쓰세요.

①

$3\frac{1}{3}\times3\frac{3}{4}=\frac{10}{3}\times\frac{15}{4}=12\frac{1}{2}$

기약분수(대분수)

67

68쪽

분수와 분수의 곱셈

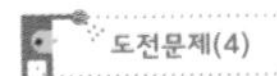
도전문제(4)

다음 빈칸에 알맞은 수를 쓰세요.(단, 계산 결과는 약분해서 가분수로 쓰세요.)

① $2\frac{3}{4}\times\frac{3}{7}=\frac{11\times3}{4\times7}=\frac{33}{28}$

② $1\frac{2}{5}\times1\frac{1}{3}=\frac{7\times4}{5\times3}=\frac{28}{15}$

③ $4\frac{1}{2}\times1\frac{3}{8}=\frac{9\times11}{2\times8}=\frac{99}{16}$

④ $1\frac{7}{8}\times3\frac{2}{5}=\frac{15\times17}{8\times5}=\frac{51}{8}$

⑤ $3\frac{7}{10}\times5\frac{1}{6}=\frac{37\times31}{10\times6}=\frac{1147}{60}$

⑥ $2\frac{2}{15}\times2\frac{1}{13}=\frac{32\times27}{15\times13}=\frac{288}{65}$

⑦ $4\frac{4}{7}\times\frac{5}{3}=\frac{160}{21}$

⑧ $2\frac{5}{6}\times2\frac{1}{6}=\frac{221}{36}$

⑨ $5\frac{2}{5}\times1\frac{2}{7}=\frac{243}{35}$

⑩ $1\frac{5}{9}\times4\frac{4}{5}=\frac{112}{15}$

⑪ $2\frac{5}{12}\times1\frac{7}{15}=\frac{319}{90}$

⑫ $3\frac{3}{5}\times10\frac{1}{4}=\frac{369}{10}$

69쪽

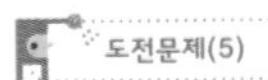
도전문제(5)

다음 문장을 곱셈식으로 나타내어 풀이 과정을 쓰고, 빈칸에 알맞은 수를 쓰세요.(단, 계산 결과는 약분해서 대분수로 쓰세요.)

① 문장 : 직사각형의 세로가 $5\frac{8}{9}$이고 가로가 $6\frac{3}{4}$일 때, 넓이는 $39\frac{3}{4}$입니다.

풀이과정 : $5\frac{8}{9}\times6\frac{3}{4}=\frac{53}{9}\times\frac{27}{4}=\frac{159}{4}=39\frac{3}{4}$

② 문장 : 직사각형의 세로가 $4\frac{1}{5}$이고 가로가 $7\frac{1}{7}$일 때, 넓이는 30 입니다.

풀이과정 : $4\frac{1}{5}\times7\frac{1}{7}=\frac{21}{5}\times\frac{50}{7}=30$

③ 문장 : 직사각형의 세로가 $1\frac{5}{12}$이고 가로가 $\frac{11}{4}$일 때, 넓이는 $3\frac{43}{48}$입니다.

풀이과정 : $1\frac{5}{12}\times\frac{11}{4}=\frac{17}{12}\times\frac{11}{4}=\frac{187}{48}=3\frac{43}{48}$

④ 문장 : 직사각형의 세로가 $9\frac{4}{9}$이고 가로가 $3\frac{3}{5}$일 때, 넓이는 34 입니다.

풀이과정 : $9\frac{4}{9}\times3\frac{3}{5}=\frac{85}{9}\times\frac{18}{5}=34$

⑤ 문장 : 직사각형의 세로가 $3\frac{3}{11}$이고 가로가 $9\frac{1}{6}$일 때, 넓이는 30 입니다.

풀이과정 : $3\frac{3}{11}\times9\frac{1}{6}=\frac{36}{11}\times\frac{55}{6}=30$

70쪽

분수와 분수의 곱셈

연습문제(1)

빈칸에 알맞은 수를 쓰세요.

① $\frac{1}{2}\times\frac{1}{5}=\frac{1}{10}$

② $\frac{1}{3}\times\frac{1}{7}=\frac{1}{21}$

③ $\frac{1}{6}\times\frac{1}{4}=\frac{1}{24}$

④ $\frac{1}{3}\times\frac{1}{3}=\frac{1}{9}$

⑤ $\frac{1}{4}\times\frac{1}{9}=\frac{1}{36}$

⑥ $\frac{1}{7}\times\frac{1}{7}=\frac{1}{49}$

⑦ $\frac{1}{5}\times\frac{1}{10}=\frac{1}{50}$

⑧ $\frac{1}{20}\times\frac{1}{7}=\frac{1}{140}$

⑨ $\frac{1}{14}\times\frac{1}{9}=\frac{1}{126}$

⑩ $\frac{1}{11}\times\frac{1}{12}=\frac{1}{132}$

⑪ $\frac{1}{13}\times\frac{1}{15}=\frac{1}{195}$

⑫ $\frac{1}{24}\times\frac{1}{13}=\frac{1}{312}$

71쪽

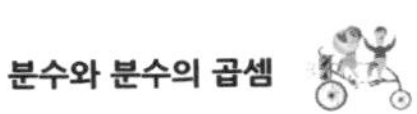

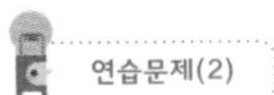
연습문제(2)

빈칸에 알맞은 수를 쓰세요.(단, 계산 결과는 기약분수로 쓰세요.)

① $\frac{1}{4}\times\frac{2}{7}=\frac{1}{14}$

② $\frac{1}{36}\times\frac{4}{5}=\frac{1}{45}$

③ $\frac{1}{3}\times\frac{3}{5}=\frac{1}{5}$

④ $\frac{1}{4}\times\frac{4}{9}=\frac{1}{9}$

⑤ $\frac{3}{6}\times\frac{2}{9}=\frac{1}{9}$

⑥ $\frac{2}{3}\times\frac{7}{8}=\frac{7}{12}$

⑦ $\frac{4}{5}\times\frac{5}{8}=\frac{1}{2}$

⑧ $\frac{3}{4}\times\frac{2}{9}=\frac{1}{6}$

⑨ $\frac{5}{12}\times\frac{7}{10}=\frac{7}{24}$

⑩ $\frac{7}{15}\times\frac{3}{14}=\frac{1}{10}$

⑪ $\frac{7}{24}\times\frac{8}{21}=\frac{1}{9}$

⑫ $\frac{11}{25}\times\frac{5}{22}=\frac{1}{10}$

72쪽

분수와 분수의 곱셈

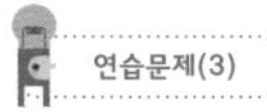

빈칸에 알맞은 수를 쓰세요.(단, 계산 결과는 반드시 약분하세요.)

① $\frac{5}{3}\times\frac{6}{5}=2$

② $\frac{7}{4}\times\frac{8}{7}=2$

③ $\frac{5}{3}\times\frac{6}{7}=\frac{10}{7}$ 또는 $1\frac{3}{7}$

④ $\frac{7}{4}\times\frac{6}{8}=\frac{21}{16}$ 또는 $1\frac{5}{16}$

⑤ $\frac{8}{9}\times\frac{4}{3}=\frac{32}{27}$ 또는 $1\frac{5}{27}$

⑥ $\frac{9}{8}\times\frac{5}{3}=\frac{15}{8}$ 또는 $1\frac{7}{8}$

⑦ $\frac{11}{6}\times\frac{12}{5}=\frac{22}{5}$ 또는 $4\frac{2}{5}$

⑧ $\frac{11}{6}\times\frac{23}{22}=\frac{23}{12}$ 또는 $1\frac{11}{12}$

⑨ $\frac{10}{9}\times\frac{27}{20}=\frac{3}{2}$ 또는 $1\frac{1}{2}$

⑩ $\frac{10}{9}\times\frac{25}{21}=\frac{250}{189}$ 또는 $1\frac{61}{189}$

⑪ $\frac{13}{7}\times\frac{14}{26}=1$

⑫ $\frac{13}{7}\times\frac{12}{25}=\frac{156}{175}$

72

73쪽

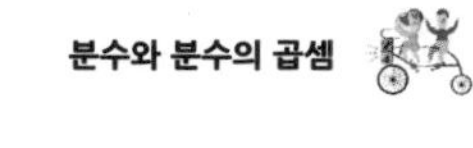

연습문제(4)

빈칸에 알맞은 수를 쓰세요.(단, 계산 결과는 반드시 약분하세요.)

① $2\frac{2}{5}\times1\frac{3}{4}=(2\times1)+(2\times\frac{3}{4})+(\frac{2}{5}\times1)+(\frac{2}{5}\times\frac{3}{4})=4\frac{1}{5}$

② $2\frac{1}{7}\times2\frac{3}{5}=(2\times2)+(2\times\frac{3}{5})+(\frac{1}{7}\times2)+(\frac{1}{7}\times\frac{3}{5})=5\frac{4}{7}$

③ $3\frac{1}{5}\times2\frac{3}{4}=(3\times2)+(3\times\frac{3}{4})+(\frac{1}{5}\times2)+(\frac{1}{5}\times\frac{3}{4})=8\frac{4}{5}$

④ $1\frac{2}{3}\times3\frac{1}{3}=(1\times3)+(1\times\frac{1}{3})+(\frac{2}{3}\times3)+(\frac{2}{3}\times\frac{1}{3})=5\frac{5}{9}$

⑤ $1\frac{7}{8}\times2\frac{2}{3}=(1\times2)+(1\times\frac{2}{3})+(\frac{7}{8}\times2)+(\frac{7}{8}\times\frac{2}{3})=5$

⑥ $4\frac{4}{5}\times1\frac{4}{5}=(4\times1)+(4\times\frac{4}{5})+(\frac{4}{5}\times1)+(\frac{4}{5}\times\frac{4}{5})=8\frac{16}{25}$

73

74쪽

분수와 분수의 곱셈

빈칸에 알맞은 수를 쓰세요.(단, 계산 결과는 반드시 약분하세요.)

① $1\frac{1}{2}\times1\frac{1}{3}=2$

② $4\frac{2}{7}\times2\frac{4}{5}=12$

③ $6\frac{1}{4}\times4\frac{4}{5}=30$

④ $7\frac{2}{3}\times1\frac{1}{23}=8$

⑤ $9\frac{1}{5}\times5\frac{10}{23}=50$

⑥ $10\frac{2}{7}\times6\frac{2}{9}=64$

⑦ $2\frac{1}{2}\times1\frac{2}{5}=\frac{7}{2}$ 또는 $3\frac{1}{2}$

⑧ $1\frac{3}{4}\times2\frac{3}{7}=\frac{17}{4}$ 또는 $4\frac{1}{4}$

⑨ $2\frac{3}{4}\times1\frac{3}{5}=\frac{22}{5}$ 또는 $4\frac{2}{5}$

⑩ $2\frac{2}{5}\times3\frac{1}{6}=\frac{38}{5}$ 또는 $7\frac{3}{5}$

⑪ $3\frac{1}{4}\times1\frac{5}{7}=\frac{39}{7}$ 또는 $5\frac{4}{7}$

⑫ $2\frac{2}{5}\times2\frac{2}{9}=\frac{16}{3}$ 또는 $5\frac{1}{3}$

74

77쪽

몫이 자연수인 나눗셈

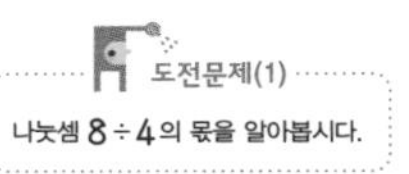

1단계 직사각형 그리기

넓이가 8이고 세로가 4인 직사각형을 그립니다.

2단계 가로로 1씩 잘라 내기

이 직사각형을 가로로 1씩 잘라 냅니다.

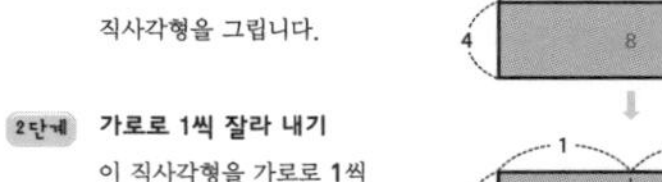

3단계 전체 가로 구하기

최대 2 번까지 잘라 낼 수 있고 나머지는 없습니다.

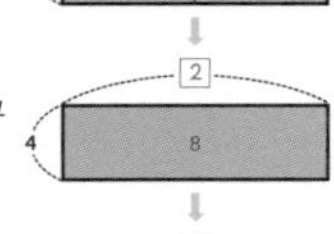

4단계 몫 구하기

8÷4= 2

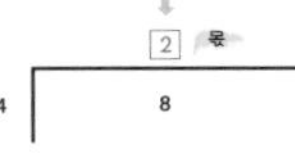

나눗셈의 몫을 분수로 나타내기

$8\div4=\frac{8}{4}$

77

78쪽

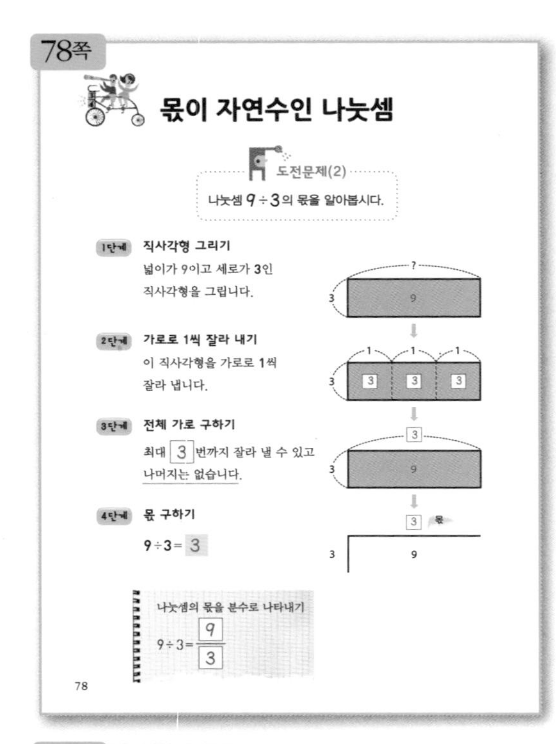

몫이 자연수인 나눗셈

도전문제(2)

나눗셈 $9 \div 3$의 몫을 알아봅시다.

1단계 직사각형 그리기
넓이가 9이고 세로가 3인 직사각형을 그립니다.

2단계 가로로 1씩 잘라 내기
이 직사각형을 가로로 1씩 잘라 냅니다.

3단계 전체 가로 구하기
최대 [3] 번까지 잘라 낼 수 있고 나머지는 없습니다.

4단계 몫 구하기
$9 \div 3 =$ [3]

나눗셈의 몫을 분수로 나타내기
$9 \div 3 = \frac{9}{3}$

79쪽

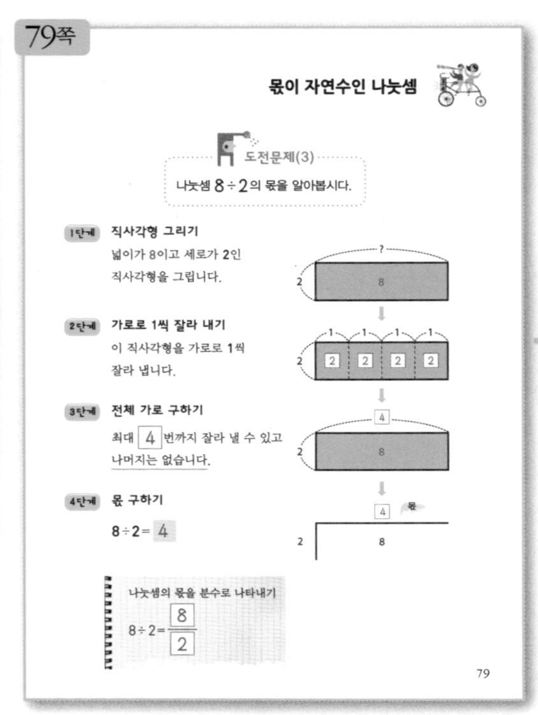

도전문제(3)

나눗셈 $8 \div 2$의 몫을 알아봅시다.

1단계 직사각형 그리기
넓이가 8이고 세로가 2인 직사각형을 그립니다.

2단계 가로로 1씩 잘라 내기
이 직사각형을 가로로 1씩 잘라 냅니다.

3단계 전체 가로 구하기
최대 [4] 번까지 잘라 낼 수 있고 나머지는 없습니다.

4단계 몫 구하기
$8 \div 2 =$ [4]

나눗셈의 몫을 분수로 나타내기
$8 \div 2 = \frac{8}{2}$

81쪽

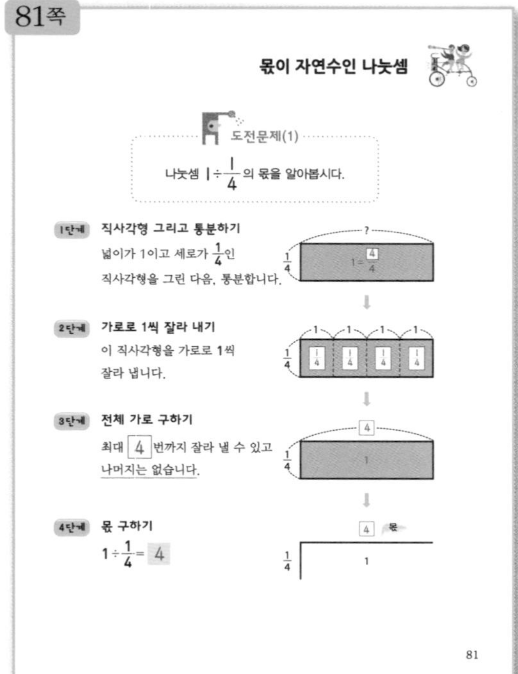

도전문제(1)

나눗셈 $1 \div \frac{1}{4}$의 몫을 알아봅시다.

1단계 직사각형 그리고 통분하기
넓이가 1이고 세로가 $\frac{1}{4}$인 직사각형을 그린 다음, 통분합니다.

2단계 가로로 1씩 잘라 내기
이 직사각형을 가로로 1씩 잘라 냅니다.

3단계 전체 가로 구하기
최대 [4] 번까지 잘라 낼 수 있고 나머지는 없습니다.

4단계 몫 구하기
$1 \div \frac{1}{4} =$ [4]

82쪽

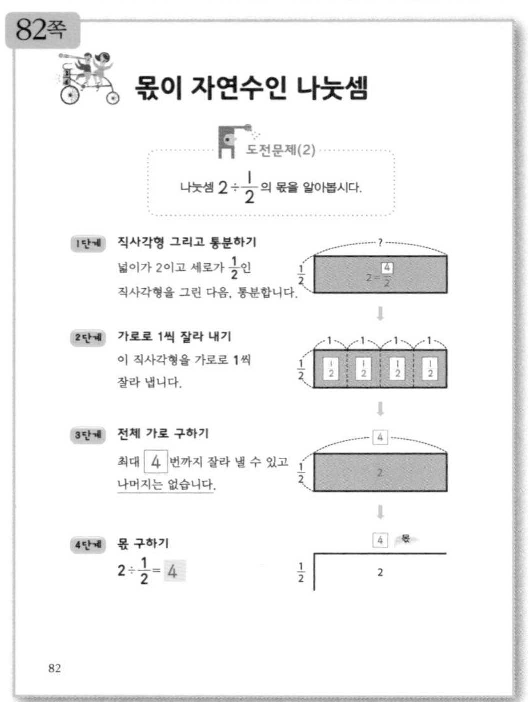

몫이 자연수인 나눗셈

도전문제(2)

나눗셈 $2 \div \frac{1}{2}$의 몫을 알아봅시다.

1단계 직사각형 그리고 통분하기
넓이가 2이고 세로가 $\frac{1}{2}$인 직사각형을 그린 다음, 통분합니다.

2단계 가로로 1씩 잘라 내기
이 직사각형을 가로로 1씩 잘라 냅니다.

3단계 전체 가로 구하기
최대 [4] 번까지 잘라 낼 수 있고 나머지는 없습니다.

4단계 몫 구하기
$2 \div \frac{1}{2} =$ [4]

83쪽

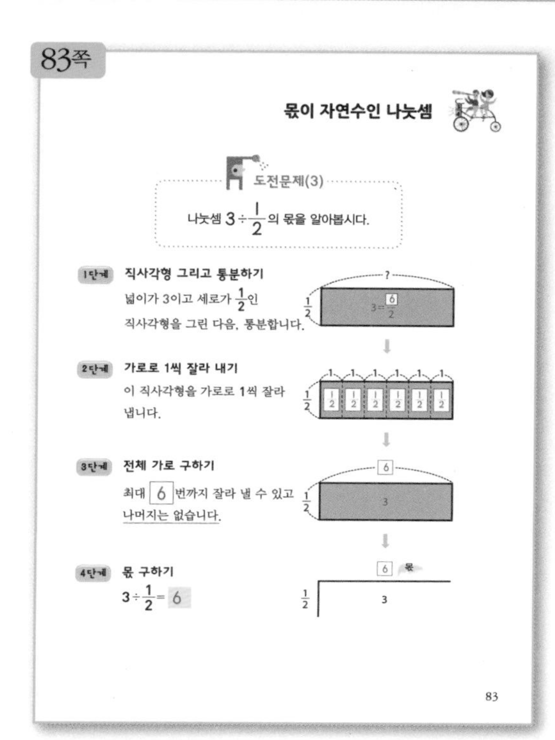

몫이 자연수인 나눗셈

도전문제(3)

나눗셈 $3 \div \frac{1}{2}$의 몫을 알아봅시다.

1단계 직사각형 그리고 통분하기

넓이가 3이고 세로가 $\frac{1}{2}$인 직사각형을 그린 다음, 통분합니다.

2단계 가로로 1씩 잘라 내기

이 직사각형을 가로로 1씩 잘라 냅니다.

3단계 전체 가로 구하기

최대 6 번까지 잘라 낼 수 있고 나머지는 없습니다.

4단계 몫 구하기

$3 \div \frac{1}{2} = 6$

83

85쪽

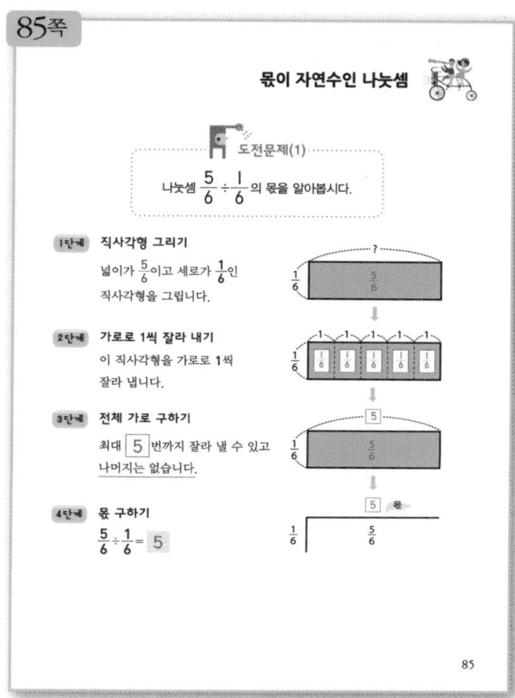

몫이 자연수인 나눗셈

도전문제(1)

나눗셈 $\frac{5}{6} \div \frac{1}{6}$의 몫을 알아봅시다.

1단계 직사각형 그리기

넓이가 $\frac{5}{6}$이고 세로가 $\frac{1}{6}$인 직사각형을 그립니다.

2단계 가로로 1씩 잘라 내기

이 직사각형을 가로로 1씩 잘라 냅니다.

3단계 전체 가로 구하기

최대 5 번까지 잘라 낼 수 있고 나머지는 없습니다.

4단계 몫 구하기

$\frac{5}{6} \div \frac{1}{6} = 5$

85

86쪽

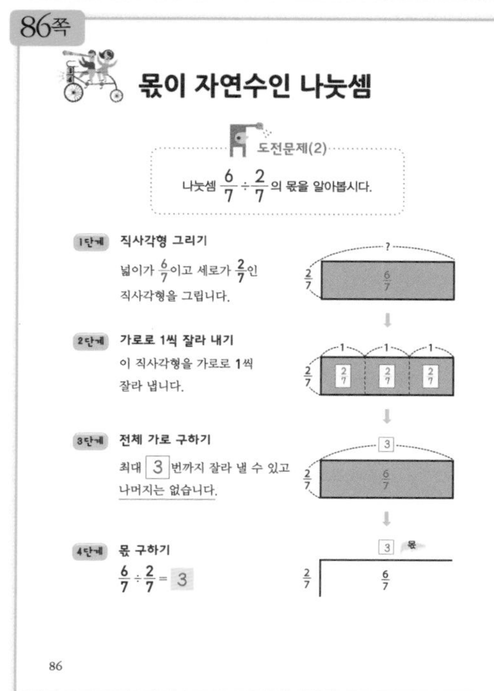

몫이 자연수인 나눗셈

도전문제(2)

나눗셈 $\frac{6}{7} \div \frac{2}{7}$의 몫을 알아봅시다.

1단계 직사각형 그리기

넓이가 $\frac{6}{7}$이고 세로가 $\frac{2}{7}$인 직사각형을 그립니다.

2단계 가로로 1씩 잘라 내기

이 직사각형을 가로로 1씩 잘라 냅니다.

3단계 전체 가로 구하기

최대 3 번까지 잘라 낼 수 있고 나머지는 없습니다.

4단계 몫 구하기

$\frac{6}{7} \div \frac{2}{7} = 3$

86

87쪽

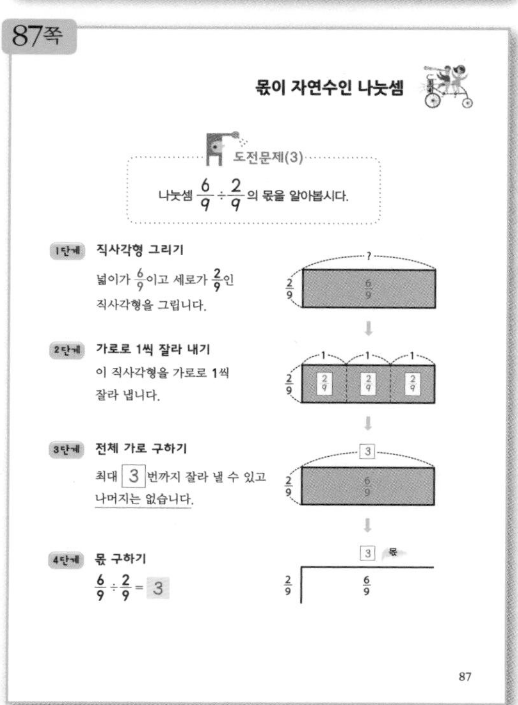

몫이 자연수인 나눗셈

도전문제(3)

나눗셈 $\frac{6}{9} \div \frac{2}{9}$의 몫을 알아봅시다.

1단계 직사각형 그리기

넓이가 $\frac{6}{9}$이고 세로가 $\frac{2}{9}$인 직사각형을 그립니다.

2단계 가로로 1씩 잘라 내기

이 직사각형을 가로로 1씩 잘라 냅니다.

3단계 전체 가로 구하기

최대 3 번까지 잘라 낼 수 있고 나머지는 없습니다.

4단계 몫 구하기

$\frac{6}{9} \div \frac{2}{9} = 3$

87

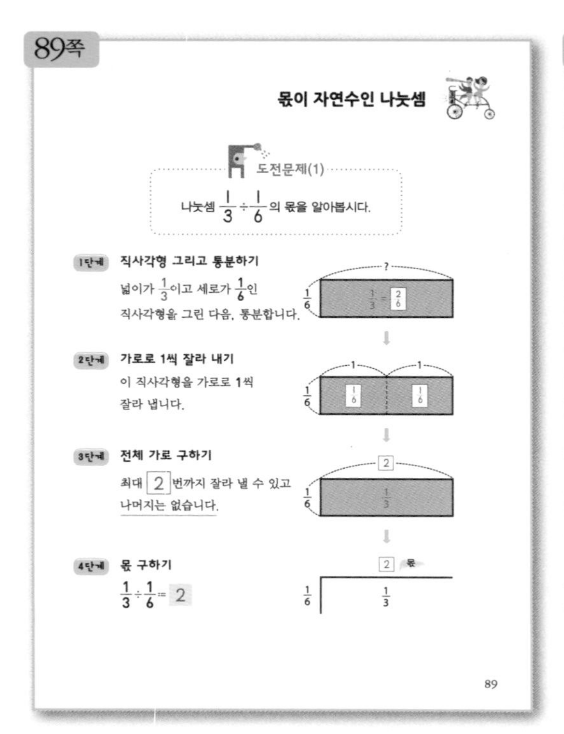
89쪽

몫이 자연수인 나눗셈

도전문제(1)

나눗셈 $\frac{1}{3} \div \frac{1}{6}$의 몫을 알아봅시다.

1단계 직사각형 그리고 통분하기
넓이가 $\frac{1}{3}$이고 세로가 $\frac{1}{6}$인 직사각형을 그린 다음, 통분합니다.

2단계 가로로 1씩 잘라 내기
이 직사각형을 가로로 1씩 잘라 냅니다.

3단계 전체 가로 구하기
최대 2 번까지 잘라 낼 수 있고 나머지는 없습니다.

4단계 몫 구하기
$\frac{1}{3} \div \frac{1}{6} = 2$

89

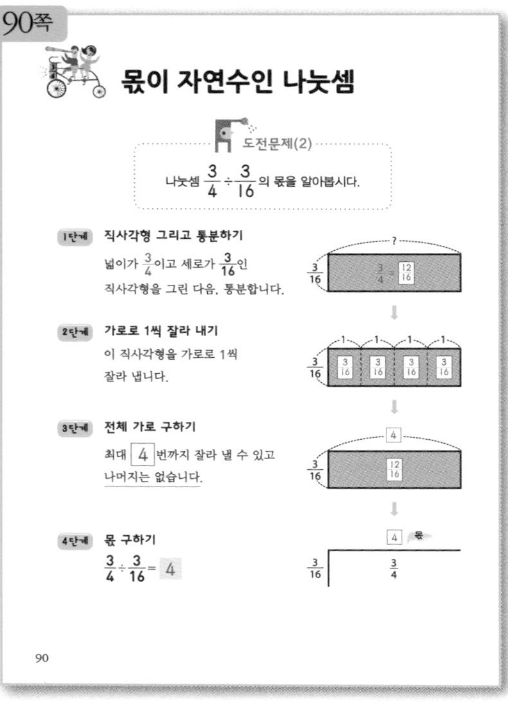
90쪽

몫이 자연수인 나눗셈

도전문제(2)

나눗셈 $\frac{3}{4} \div \frac{3}{16}$의 몫을 알아봅시다.

1단계 직사각형 그리고 통분하기
넓이가 $\frac{3}{4}$이고 세로가 $\frac{3}{16}$인 직사각형을 그린 다음, 통분합니다.

2단계 가로로 1씩 잘라 내기
이 직사각형을 가로로 1씩 잘라 냅니다.

3단계 전체 가로 구하기
최대 4 번까지 잘라 낼 수 있고 나머지는 없습니다.

4단계 몫 구하기
$\frac{3}{4} \div \frac{3}{16} = 4$

90

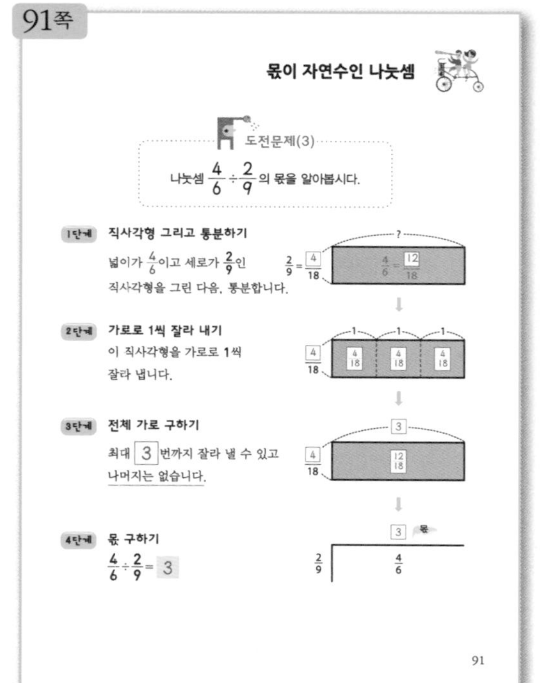
91쪽

몫이 자연수인 나눗셈

도전문제(3)

나눗셈 $\frac{4}{6} \div \frac{2}{9}$의 몫을 알아봅시다.

1단계 직사각형 그리고 통분하기
넓이가 $\frac{4}{6}$이고 세로가 $\frac{2}{9}$인 직사각형을 그린 다음, 통분합니다.

2단계 가로로 1씩 잘라 내기
이 직사각형을 가로로 1씩 잘라 냅니다.

3단계 전체 가로 구하기
최대 3 번까지 잘라 낼 수 있고 나머지는 없습니다.

4단계 몫 구하기
$\frac{4}{6} \div \frac{2}{9} = 3$

91

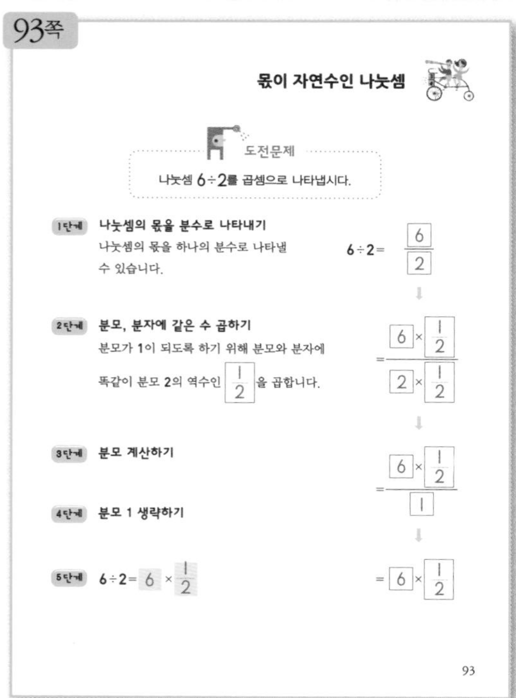
93쪽

몫이 자연수인 나눗셈

도전문제

나눗셈 6÷2를 곱셈으로 나타냅시다.

1단계 나눗셈의 몫을 분수로 나타내기
나눗셈의 몫을 하나의 분수로 나타낼 수 있습니다.

$6 \div 2 = \frac{6}{2}$

2단계 분모, 분자에 같은 수 곱하기
분모가 1이 되도록 하기 위해 분모와 분자에 똑같이 분모 2의 역수인 $\frac{1}{2}$을 곱합니다.

$= \frac{6 \times \frac{1}{2}}{2 \times \frac{1}{2}}$

3단계 분모 계산하기

$= \frac{6 \times \frac{1}{2}}{1}$

4단계 분모 1 생략하기

5단계 $6 \div 2 = 6 \times \frac{1}{2}$

$= 6 \times \frac{1}{2}$

93

95쪽

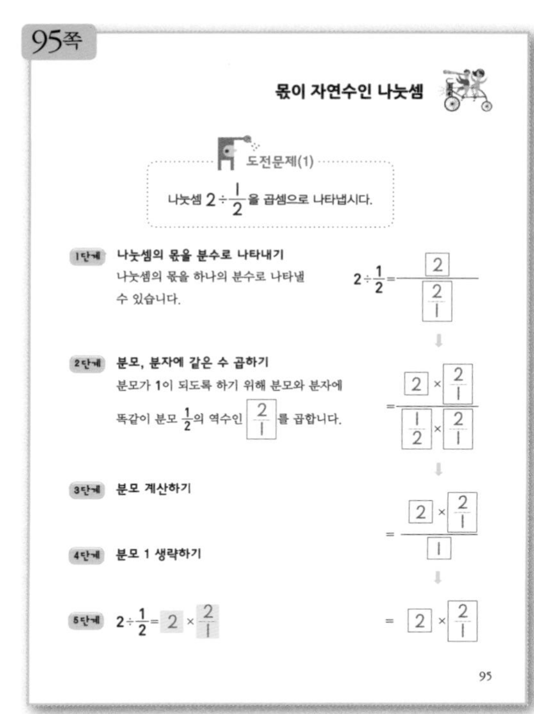

묶이 자연수인 나눗셈

도전문제(1)

나눗셈 $2 \div \frac{1}{2}$을 곱셈으로 나타냅시다.

1단계 나눗셈의 몫을 분수로 나타내기
나눗셈의 몫을 하나의 분수로 나타낼 수 있습니다.

$2 \div \frac{1}{2} = \dfrac{2}{\frac{2}{1}}$

2단계 분모, 분자에 같은 수 곱하기
분모가 1이 되도록 하기 위해 분모와 분자에 똑같이 분모 $\frac{1}{2}$의 역수인 $\frac{2}{1}$를 곱합니다.

$= \dfrac{2 \times \frac{2}{1}}{\frac{1}{2} \times \frac{2}{1}}$

3단계 분모 계산하기

$= \dfrac{2 \times \frac{2}{1}}{1}$

4단계 분모 1 생략하기

5단계 $2 \div \frac{1}{2} = 2 \times \frac{2}{1}$

$= 2 \times \frac{2}{1}$

95

96쪽

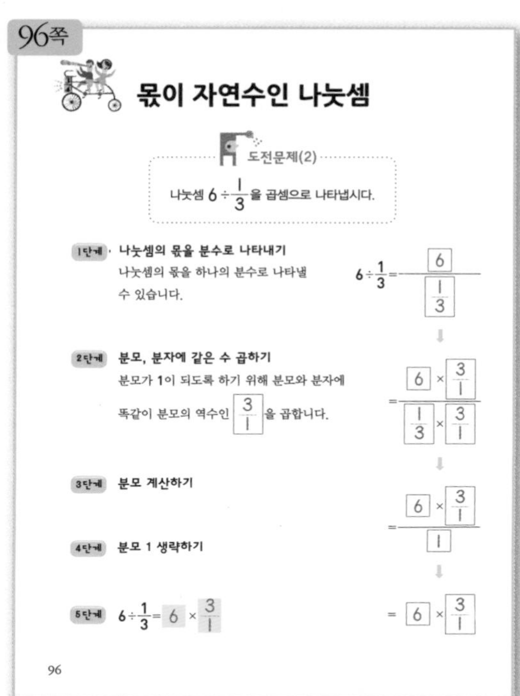

묶이 자연수인 나눗셈

도전문제(2)

나눗셈 $6 \div \frac{1}{3}$을 곱셈으로 나타냅시다.

1단계 나눗셈의 몫을 분수로 나타내기
나눗셈의 몫을 하나의 분수로 나타낼 수 있습니다.

$6 \div \frac{1}{3} = \dfrac{6}{\frac{1}{3}}$

2단계 분모, 분자에 같은 수 곱하기
분모가 1이 되도록 하기 위해 분모와 분자에 똑같이 분모의 역수인 $\frac{3}{1}$을 곱합니다.

$= \dfrac{6 \times \frac{3}{1}}{\frac{1}{3} \times \frac{3}{1}}$

3단계 분모 계산하기

$= \dfrac{6 \times \frac{3}{1}}{1}$

4단계 분모 1 생략하기

5단계 $6 \div \frac{1}{3} = 6 \times \frac{3}{1}$

$= 6 \times \frac{3}{1}$

96

97쪽

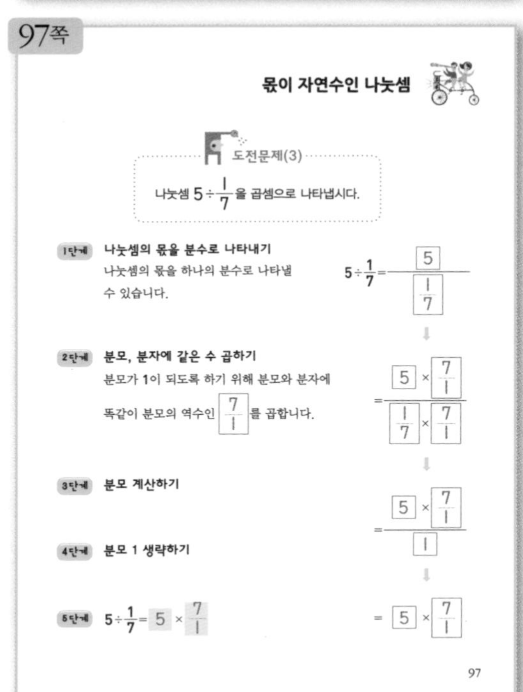

묶이 자연수인 나눗셈

도전문제(3)

나눗셈 $5 \div \frac{1}{7}$을 곱셈으로 나타냅시다.

1단계 나눗셈의 몫을 분수로 나타내기
나눗셈의 몫을 하나의 분수로 나타낼 수 있습니다.

$5 \div \frac{1}{7} = \dfrac{5}{\frac{1}{7}}$

2단계 분모, 분자에 같은 수 곱하기
분모가 1이 되도록 하기 위해 분모와 분자에 똑같이 분모의 역수인 $\frac{7}{1}$를 곱합니다.

$= \dfrac{5 \times \frac{7}{1}}{\frac{1}{7} \times \frac{7}{1}}$

3단계 분모 계산하기

$= \dfrac{5 \times \frac{7}{1}}{1}$

4단계 분모 1 생략하기

5단계 $5 \div \frac{1}{7} = 5 \times \frac{7}{1}$

$= 5 \times \frac{7}{1}$

97

99쪽

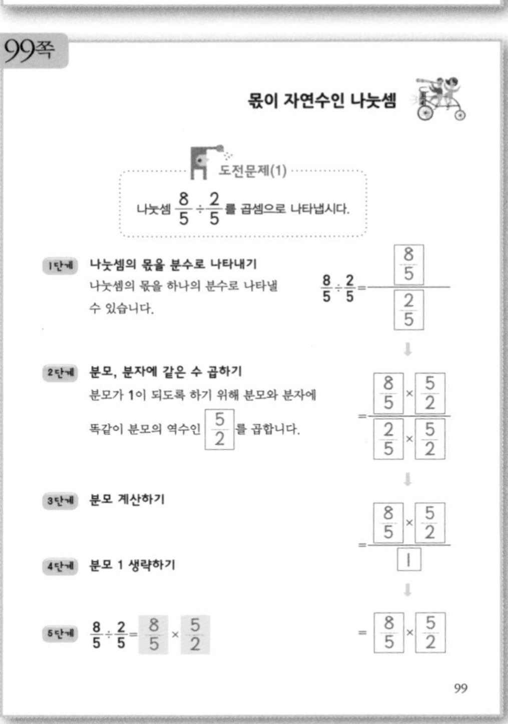

묶이 자연수인 나눗셈

도전문제(1)

나눗셈 $\frac{8}{5} \div \frac{2}{5}$를 곱셈으로 나타냅시다.

1단계 나눗셈의 몫을 분수로 나타내기
나눗셈의 몫을 하나의 분수로 나타낼 수 있습니다.

$\frac{8}{5} \div \frac{2}{5} = \dfrac{\frac{8}{5}}{\frac{2}{5}}$

2단계 분모, 분자에 같은 수 곱하기
분모가 1이 되도록 하기 위해 분모와 분자에 똑같이 분모의 역수인 $\frac{5}{2}$를 곱합니다.

$= \dfrac{\frac{8}{5} \times \frac{5}{2}}{\frac{2}{5} \times \frac{5}{2}}$

3단계 분모 계산하기

$= \dfrac{\frac{8}{5} \times \frac{5}{2}}{1}$

4단계 분모 1 생략하기

5단계 $\frac{8}{5} \div \frac{2}{5} = \frac{8}{5} \times \frac{5}{2}$

$= \frac{8}{5} \times \frac{5}{2}$

99

100쪽

몫이 자연수인 나눗셈

도전문제(2)

나눗셈 $\frac{1}{3} \div \frac{1}{5}$을 곱셈으로 나타냅시다.

1단계 나눗셈의 몫을 분수로 나타내기
나눗셈의 몫을 하나의 분수로 나타낼 수 있습니다.

$\frac{1}{3} \div \frac{1}{5} = \dfrac{\frac{1}{3}}{\frac{1}{5}}$

2단계 분모, 분자에 같은 수 곱하기
분모가 1이 되도록 하기 위해 분모와 분자에 똑같이 분모의 역수인 $\frac{5}{1}$를 곱합니다.

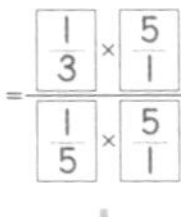

$= \dfrac{\frac{1}{3} \times \frac{5}{1}}{\frac{1}{5} \times \frac{5}{1}}$

3단계 분모 계산하기

$= \dfrac{\frac{1}{3} \times \frac{5}{1}}{1}$

4단계 분모 1 생략하기

$= \frac{1}{3} \times \frac{5}{1}$

5단계 $\frac{1}{3} \div \frac{1}{5} = \frac{1}{3} \times \frac{5}{1}$

101쪽

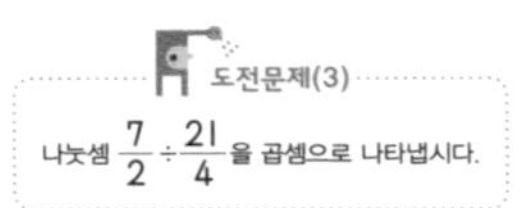

도전문제(3)

나눗셈 $\frac{7}{2} \div \frac{21}{4}$을 곱셈으로 나타냅시다.

1단계 나눗셈의 몫을 분수로 나타내기
나눗셈의 몫을 하나의 분수로 나타낼 수 있습니다.

$\frac{7}{2} \div \frac{21}{4} = \dfrac{\frac{7}{2}}{\frac{21}{4}}$

2단계 분모, 분자에 같은 수 곱하기
분모가 1이 되도록 하기 위해 분모와 분자에 똑같이 분모의 역수인 $\frac{4}{21}$를 곱합니다.

$= \dfrac{\frac{7}{2} \times \frac{4}{21}}{\frac{21}{4} \times \frac{4}{21}}$

3단계 분모 계산하기

$= \dfrac{\frac{7}{2} \times \frac{4}{21}}{1}$

4단계 분모 1 생략하기

$= \frac{7}{2} \times \frac{4}{21}$

5단계 $\frac{7}{2} \div \frac{21}{4} = \frac{7}{2} \times \frac{4}{21}$

102쪽

몫이 자연수인 나눗셈

연습문제(1)

다음 빈칸에 알맞은 수를 쓰세요.

① $1 \div 1 = 1$ ② $10 \div 5 = 2$ ③ $16 \div 4 = 4$

④ $8 \div 4 = 2$ ⑤ $9 \div 3 = 3$ ⑥ $12 \div 2 = 6$

⑦ $8 \div 2 = 4$ ⑧ $18 \div 6 = 3$ ⑨ $15 \div 3 = 5$

⑩ $21 \div 3 = 7$ ⑪ $12 \div 3 = 4$ ⑫ $24 \div 6 = 4$

⑬ $20 \div 4 = 5$ ⑭ $9 \div 1 = 9$ ⑮ $35 \div 5 = 7$

⑯ $10 \div 1 = 10$ ⑰ $2 \div 2 = 1$ ⑱ $25 \div 5 = 5$

103쪽

연습문제(2)

다음 빈칸에 알맞은 수를 쓰세요.

① $2 \div \frac{1}{5} = 10$ ② $3 \div \frac{1}{5} = 15$ ③ $5 \div \frac{1}{5} = 25$

④ $2 \div \frac{1}{6} = 12$ ⑤ $6 \div \frac{1}{6} = 36$ ⑥ $4 \div \frac{1}{6} = 24$

⑦ $2 \div \frac{1}{7} = 14$ ⑧ $3 \div \frac{1}{4} = 12$ ⑨ $7 \div \frac{1}{7} = 49$

⑩ $2 \div \frac{1}{8} = 16$ ⑪ $3 \div \frac{1}{8} = 24$ ⑫ $4 \div \frac{1}{8} = 32$

⑬ $2 \div \frac{1}{9} = 18$ ⑭ $3 \div \frac{1}{9} = 27$ ⑮ $5 \div \frac{1}{9} = 45$

⑯ $2 \div \frac{1}{10} = 20$ ⑰ $3 \div \frac{1}{100} = 300$ ⑱ $9 \div \frac{1}{108} = 972$

104쪽

몫이 자연수인 나눗셈

연습문제(3)

다음 빈칸에 알맞은 수를 쓰세요.

① $\frac{3}{6} \div \frac{1}{6} = 3$　② $\frac{4}{8} \div \frac{2}{8} = 2$　③ $\frac{2}{4} \div \frac{1}{4} = 2$

④ $\frac{12}{8} \div \frac{2}{8} = 6$　⑤ $\frac{9}{2} \div \frac{3}{2} = 3$　⑥ $\frac{8}{9} \div \frac{2}{9} = 4$

⑦ $\frac{21}{7} \div \frac{3}{7} = 7$　⑧ $\frac{15}{3} \div \frac{5}{3} = 3$　⑨ $\frac{16}{2} \div \frac{8}{2} = 2$

⑩ $\frac{18}{5} \div \frac{2}{5} = 9$　⑪ $\frac{12}{4} \div \frac{3}{4} = 4$　⑫ $\frac{9}{10} \div \frac{3}{10} = 3$

⑬ $\frac{16}{3} \div \frac{2}{3} = 8$　⑭ $\frac{36}{2} \div \frac{9}{2} = 4$　⑮ $\frac{66}{55} \div \frac{11}{55} = 6$

⑯ $\frac{24}{11} \div \frac{6}{11} = 4$　⑰ $\frac{12}{34} \div \frac{2}{34} = 6$　⑱ $\frac{56}{30} \div \frac{8}{30} = 7$

105쪽

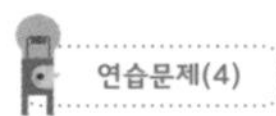

연습문제(4)

다음 빈칸에 알맞은 수를 쓰세요.

① $\frac{9}{2} \div \frac{3}{8} = \frac{\frac{9}{2}}{\frac{3}{8}} = \frac{\frac{9}{2} \times \frac{8}{3}}{\frac{3}{8} \times \frac{8}{3}} = 12$

② $4\frac{1}{2} \div \frac{3}{4} = \frac{9}{2} \div \frac{3}{4} = \frac{\frac{9}{2}}{\frac{3}{4}} = \frac{\frac{9}{2} \times \frac{4}{3}}{\frac{3}{4} \times \frac{4}{3}} = 6$

③ $\frac{8}{3} \div 1\frac{1}{3} = \frac{8}{3} \div \frac{4}{3} = \frac{\frac{8}{3}}{\frac{4}{3}} = \frac{\frac{8}{3} \times \frac{3}{4}}{\frac{4}{3} \times \frac{3}{4}} = 2$

④ $4\frac{1}{5} \div \frac{7}{10} = \frac{21}{5} \div \frac{7}{10} = \frac{\frac{21}{5}}{\frac{7}{10}} = \frac{\frac{21}{5} \times \frac{10}{7}}{\frac{7}{10} \times \frac{10}{7}} = 6$

⑤ $4\frac{2}{3} \div \frac{7}{18} = \frac{14}{3} \div \frac{7}{18} = \frac{\frac{14}{3}}{\frac{7}{18}} = \frac{\frac{14}{3} \times \frac{18}{7}}{\frac{7}{18} \times \frac{18}{7}} = 12$

106쪽

몫이 자연수인 나눗셈

연습문제(5)

다음 빈칸에 알맞은 수를 쓰세요.

① $\frac{4}{3} \div \frac{2}{6} = 4$　② $\frac{1}{5} \div \frac{1}{10} = 2$　③ $\frac{7}{5} \div \frac{7}{10} = 2$

④ $\frac{1}{8} \div \frac{1}{16} = 2$　⑤ $\frac{2}{3} \div \frac{2}{15} = 5$　⑥ $\frac{2}{7} \div \frac{2}{21} = 3$

⑦ $\frac{7}{8} \div \frac{14}{32} = 2$　⑧ $\frac{7}{12} \div \frac{14}{48} = 2$　⑨ $\frac{9}{4} \div \frac{18}{24} = 3$

⑩ $\frac{18}{3} \div \frac{4}{8} = 12$　⑪ $1\frac{1}{4} \div \frac{5}{8} = 2$　⑫ $\frac{6}{18} \div \frac{1}{9} = 3$

⑬ $1\frac{2}{7} \div \frac{9}{21} = 3$　⑭ $1\frac{3}{4} \div \frac{7}{24} = 6$　⑮ $\frac{21}{6} \div \frac{42}{24} = 2$

⑯ $1\frac{2}{10} \div \frac{3}{5} = 2$　⑰ $3\frac{2}{6} \div 1\frac{1}{9} = 3$　⑱ $\frac{5}{12} \div \frac{10}{24} = 1$

109쪽

도전문제(1)

나눗셈 $2 \div 3$의 몫을 알아봅시다.

1단계 직사각형 그리기

넓이가 2이고 세로가 3인 직사각형을 그립니다.

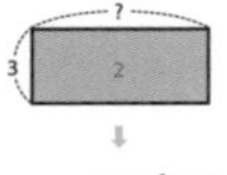

2단계 가로가 1인 직사각형 그리기

세로가 3이고 가로가 1인 직사각형의 넓이는 3 입니다.

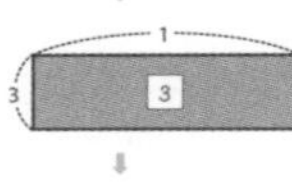

3단계 처음 직사각형 가로 구하기

2단계 직사각형과 비교하면 1단계 직사각형의 가로 길이는 $\frac{2}{3}$ 입니다.

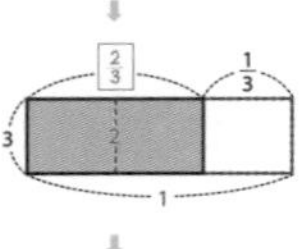

4단계 몫 구하기

$2 \div 3 = \frac{2}{3}$

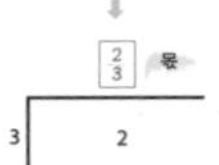

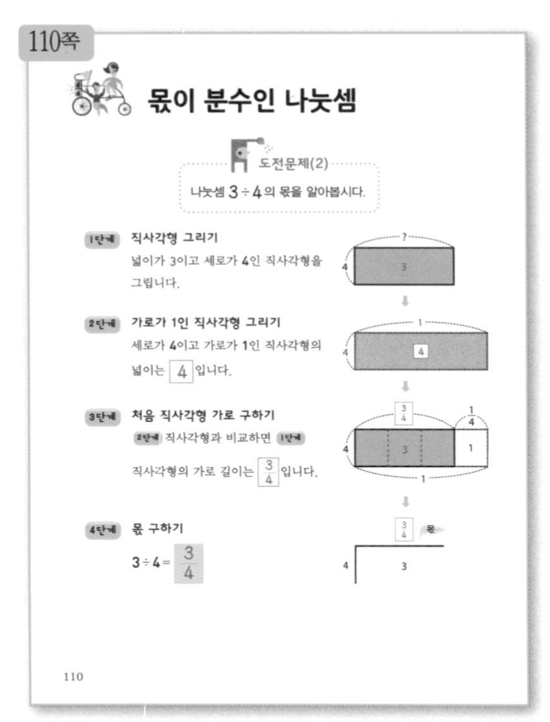
110쪽

몫이 분수인 나눗셈

도전문제(2)

나눗셈 $3 \div 4$의 몫을 알아봅시다.

1단계 직사각형 그리기
넓이가 3이고 세로가 4인 직사각형을 그립니다.

2단계 가로가 1인 직사각형 그리기
세로가 4이고 가로가 1인 직사각형의 넓이는 [4]입니다.

3단계 처음 직사각형 가로 구하기
2단계 직사각형과 비교하면 1단계 직사각형의 가로 길이는 [$\frac{3}{4}$]입니다.

4단계 몫 구하기
$3 \div 4 = \frac{3}{4}$

110

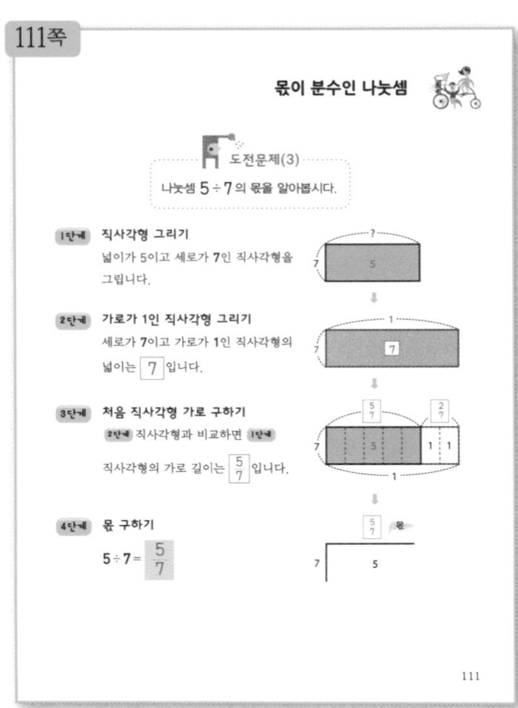
111쪽

몫이 분수인 나눗셈

도전문제(3)

나눗셈 $5 \div 7$의 몫을 알아봅시다.

1단계 직사각형 그리기
넓이가 5이고 세로가 7인 직사각형을 그립니다.

2단계 가로가 1인 직사각형 그리기
세로가 7이고 가로가 1인 직사각형의 넓이는 [7]입니다.

3단계 처음 직사각형 가로 구하기
2단계 직사각형과 비교하면 1단계 직사각형의 가로 길이는 [$\frac{5}{7}$]입니다.

4단계 몫 구하기
$5 \div 7 = \frac{5}{7}$

111

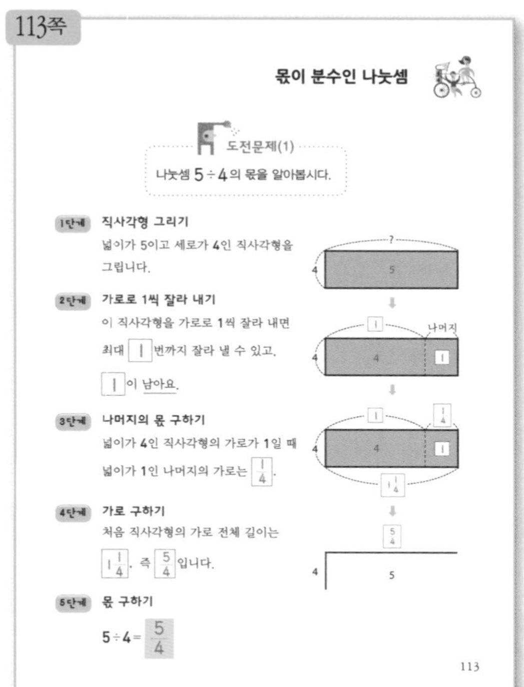
113쪽

몫이 분수인 나눗셈

도전문제(1)

나눗셈 $5 \div 4$의 몫을 알아봅시다.

1단계 직사각형 그리기
넓이가 5이고 세로가 4인 직사각형을 그립니다.

2단계 가로로 1씩 잘라 내기
이 직사각형을 가로로 1씩 잘라 내면 최대 [1]번까지 잘라 낼 수 있고, [1]이 남아요.

3단계 나머지의 몫 구하기
넓이가 4인 직사각형의 가로가 1일 때 넓이가 1인 나머지의 가로는 [$\frac{1}{4}$].

4단계 가로 구하기
처음 직사각형의 가로 전체 길이는 [$1\frac{1}{4}$], 즉 [$\frac{5}{4}$]입니다.

5단계 몫 구하기
$5 \div 4 = \frac{5}{4}$

113

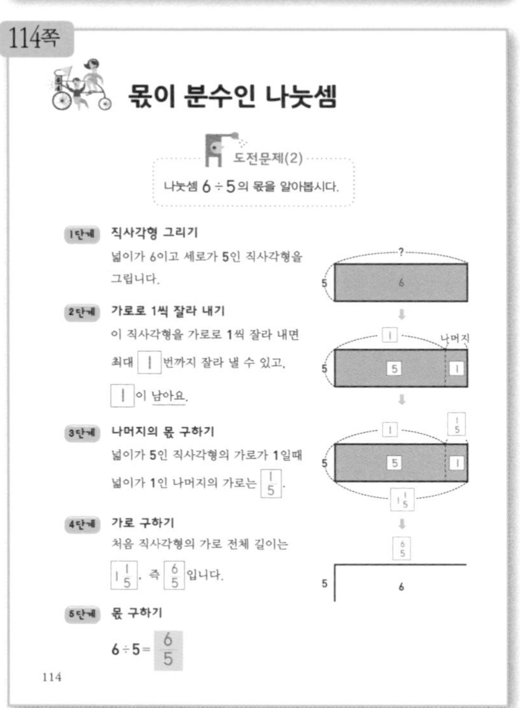
114쪽

몫이 분수인 나눗셈

도전문제(2)

나눗셈 $6 \div 5$의 몫을 알아봅시다.

1단계 직사각형 그리기
넓이가 6이고 세로가 5인 직사각형을 그립니다.

2단계 가로로 1씩 잘라 내기
이 직사각형을 가로로 1씩 잘라 내면 최대 [1]번까지 잘라 낼 수 있고, [1]이 남아요.

3단계 나머지의 몫 구하기
넓이가 5인 직사각형의 가로가 1일때 넓이가 1인 나머지의 가로는 [$\frac{1}{5}$].

4단계 가로 구하기
처음 직사각형의 가로 전체 길이는 [$1\frac{1}{5}$], 즉 [$\frac{6}{5}$]입니다.

5단계 몫 구하기
$6 \div 5 = \frac{6}{5}$

114

115쪽

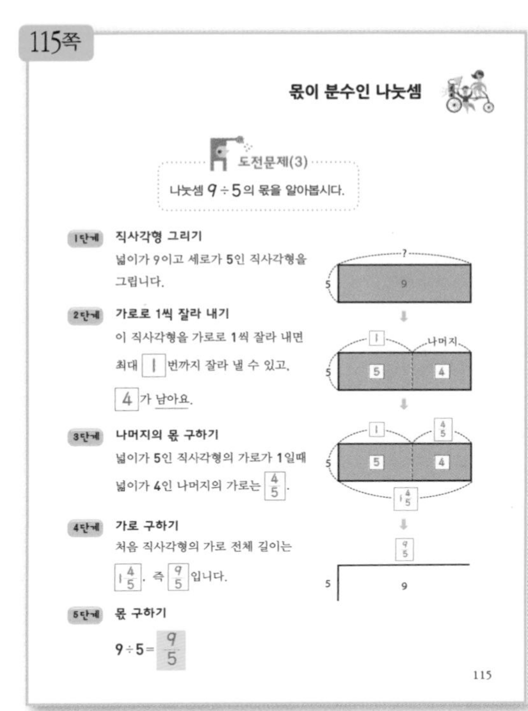

몫이 분수인 나눗셈

도전문제(3)

나눗셈 $9 \div 5$의 몫을 알아봅시다.

1단계 직사각형 그리기

넓이가 9이고 세로가 5인 직사각형을 그립니다.

2단계 가로로 1씩 잘라 내기

이 직사각형을 가로로 1씩 잘라 내면 최대 [1]번까지 잘라 낼 수 있고, [4]가 남아요.

3단계 나머지의 몫 구하기

넓이가 5인 직사각형의 가로가 1일때 넓이가 4인 나머지의 가로는 $\frac{4}{5}$.

4단계 가로 구하기

처음 직사각형의 가로 전체 길이는 $1\frac{4}{5}$, 즉 $\frac{9}{5}$입니다.

5단계 몫 구하기

$9 \div 5 = \frac{9}{5}$

115

117쪽

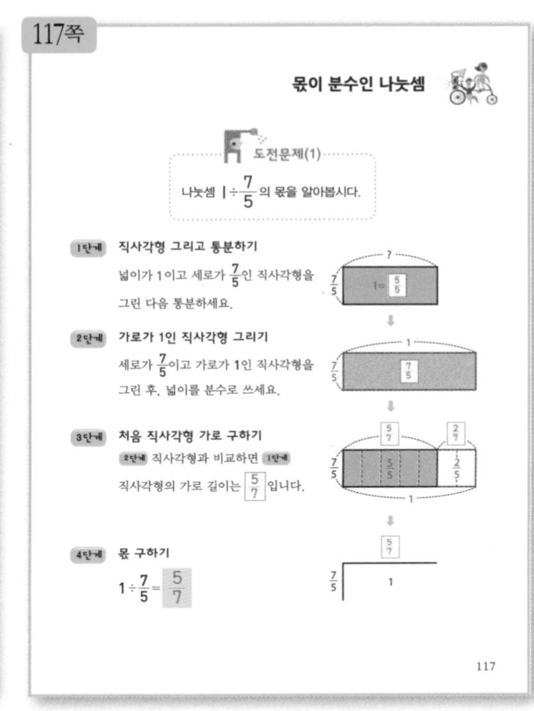

몫이 분수인 나눗셈

도전문제(1)

나눗셈 $1 \div \frac{7}{5}$의 몫을 알아봅시다.

1단계 직사각형 그리고 통분하기

넓이가 1이고 세로가 $\frac{7}{5}$인 직사각형을 그린 다음 통분하세요.

2단계 가로가 1인 직사각형 그리기

세로가 $\frac{7}{5}$이고 가로가 1인 직사각형을 그린 후, 넓이를 분수로 쓰세요.

3단계 처음 직사각형 가로 구하기

2단계 직사각형과 비교하면 1단계 직사각형의 가로 길이는 $\frac{5}{7}$입니다.

4단계 몫 구하기

$1 \div \frac{7}{5} = \frac{5}{7}$

117

118쪽

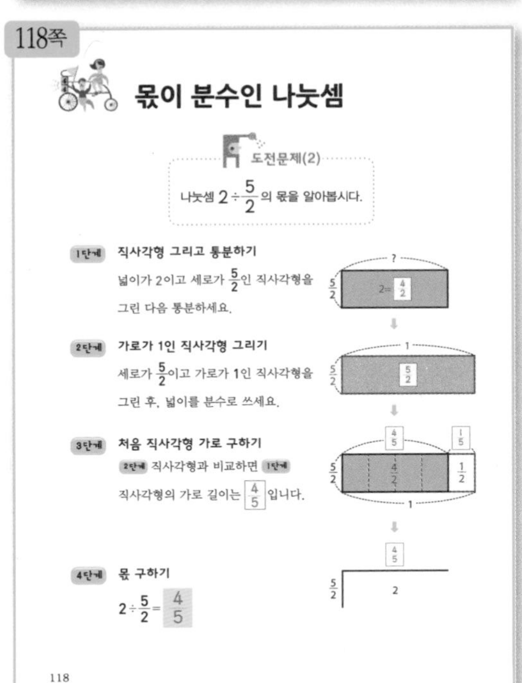

몫이 분수인 나눗셈

도전문제(2)

나눗셈 $2 \div \frac{5}{2}$의 몫을 알아봅시다.

1단계 직사각형 그리고 통분하기

넓이가 2이고 세로가 $\frac{5}{2}$인 직사각형을 그린 다음 통분하세요.

2단계 가로가 1인 직사각형 그리기

세로가 $\frac{5}{2}$이고 가로가 1인 직사각형을 그린 후, 넓이를 분수로 쓰세요.

3단계 처음 직사각형 가로 구하기

2단계 직사각형과 비교하면 1단계 직사각형의 가로 길이는 $\frac{4}{5}$입니다.

4단계 몫 구하기

$2 \div \frac{5}{2} = \frac{4}{5}$

118

119쪽

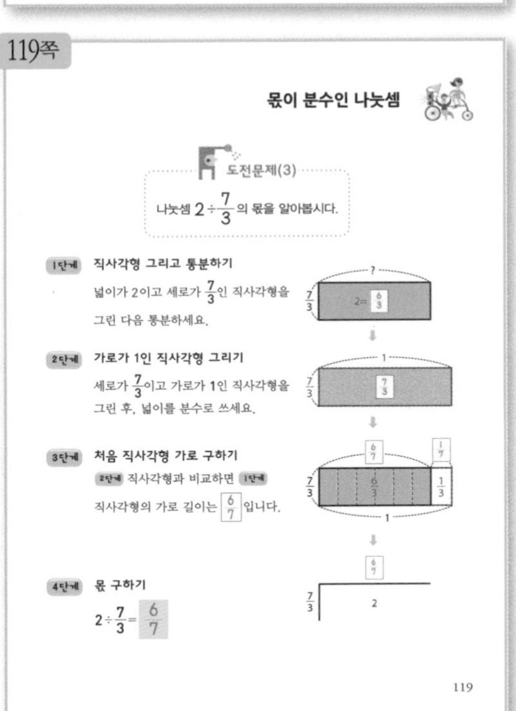

몫이 분수인 나눗셈

도전문제(3)

나눗셈 $2 \div \frac{7}{3}$의 몫을 알아봅시다.

1단계 직사각형 그리고 통분하기

넓이가 2이고 세로가 $\frac{7}{3}$인 직사각형을 그린 다음 통분하세요.

2단계 가로가 1인 직사각형 그리기

세로가 $\frac{7}{3}$이고 가로가 1인 직사각형을 그린 후, 넓이를 분수로 쓰세요.

3단계 처음 직사각형 가로 구하기

2단계 직사각형과 비교하면 1단계 직사각형의 가로 길이는 $\frac{6}{7}$입니다.

4단계 몫 구하기

$2 \div \frac{7}{3} = \frac{6}{7}$

119

121쪽

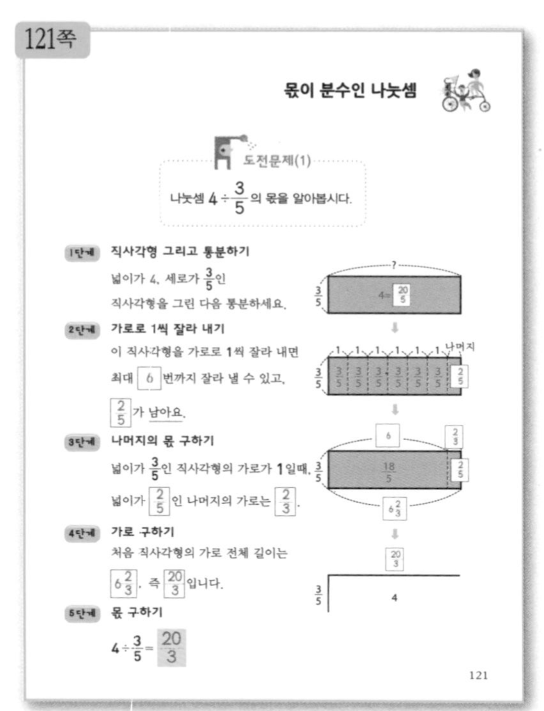

몫이 분수인 나눗셈

도전문제(1)

나눗셈 $4 \div \frac{3}{5}$ 의 몫을 알아봅시다.

1단계 직사각형 그리고 통분하기

넓이가 4, 세로가 $\frac{3}{5}$인 직사각형을 그린 다음 통분하세요.

2단계 가로로 1씩 잘라 내기

이 직사각형을 가로로 1씩 잘라 내면 최대 6 번까지 잘라 낼 수 있고, $\frac{2}{5}$가 남아요.

3단계 나머지의 몫 구하기

넓이가 $\frac{3}{5}$인 직사각형의 가로가 1일 때, 넓이가 $\frac{2}{5}$인 나머지의 가로는 $\frac{2}{3}$.

4단계 가로 구하기

처음 직사각형의 가로 전체 길이는 $6\frac{2}{3}$, 즉 $\frac{20}{3}$입니다.

5단계 몫 구하기

$4 \div \frac{3}{5} = \frac{20}{3}$

121

122쪽

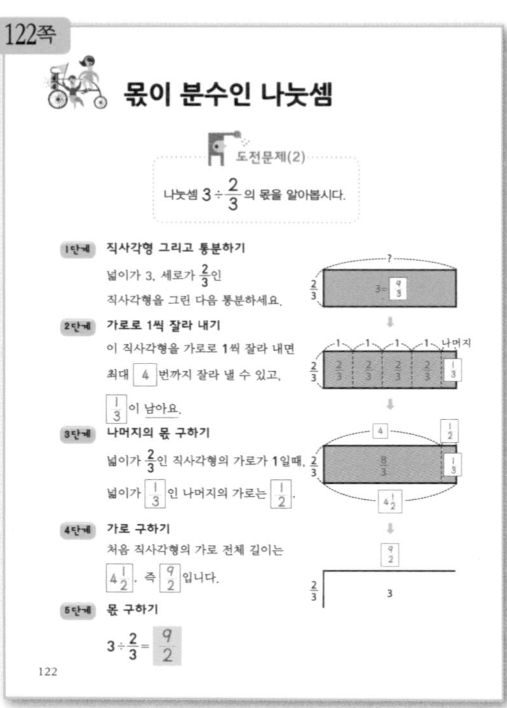

몫이 분수인 나눗셈

도전문제(2)

나눗셈 $3 \div \frac{2}{3}$ 의 몫을 알아봅시다.

1단계 직사각형 그리고 통분하기

넓이가 3, 세로가 $\frac{2}{3}$인 직사각형을 그린 다음 통분하세요.

2단계 가로로 1씩 잘라 내기

이 직사각형을 가로로 1씩 잘라 내면 최대 4 번까지 잘라 낼 수 있고, $\frac{1}{3}$이 남아요.

3단계 나머지의 몫 구하기

넓이가 $\frac{2}{3}$인 직사각형의 가로가 1일 때, 넓이가 $\frac{1}{3}$인 나머지의 가로는 $\frac{1}{2}$.

4단계 가로 구하기

처음 직사각형의 가로 전체 길이는 $4\frac{1}{2}$, 즉 $\frac{9}{2}$입니다.

5단계 몫 구하기

$3 \div \frac{2}{3} = \frac{9}{2}$

122

123쪽

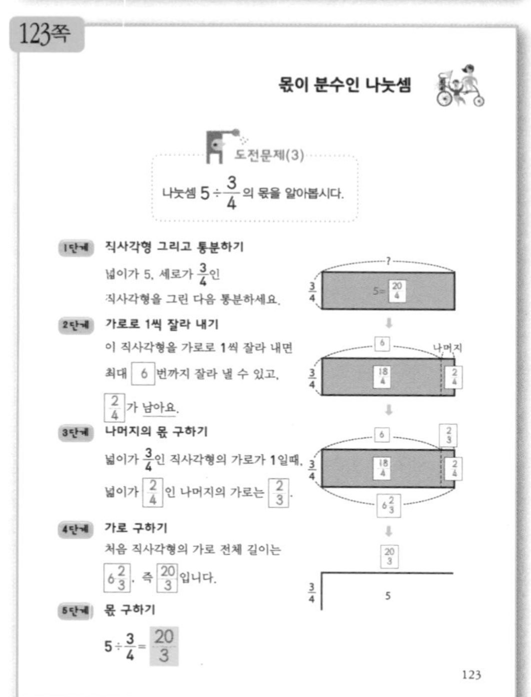

몫이 분수인 나눗셈

도전문제(3)

나눗셈 $5 \div \frac{3}{4}$ 의 몫을 알아봅시다.

1단계 직사각형 그리고 통분하기

넓이가 5, 세로가 $\frac{3}{4}$인 직사각형을 그린 다음 통분하세요.

2단계 가로로 1씩 잘라 내기

이 직사각형을 가로로 1씩 잘라 내면 최대 6 번까지 잘라 낼 수 있고, $\frac{2}{4}$가 남아요.

3단계 나머지의 몫 구하기

넓이가 $\frac{3}{4}$인 직사각형의 가로가 1일 때, 넓이가 $\frac{2}{4}$인 나머지의 가로는 $\frac{2}{3}$.

4단계 가로 구하기

처음 직사각형의 가로 전체 길이는 $6\frac{2}{3}$, 즉 $\frac{20}{3}$입니다.

5단계 몫 구하기

$5 \div \frac{3}{4} = \frac{20}{3}$

123

125쪽

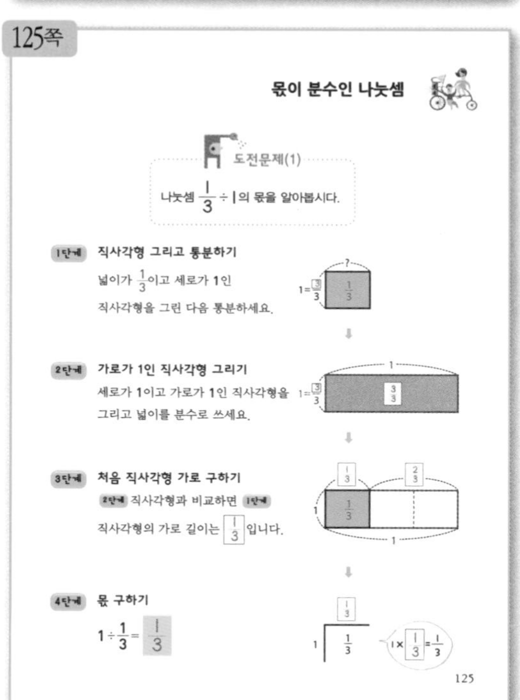

몫이 분수인 나눗셈

도전문제(1)

나눗셈 $\frac{1}{3} \div 1$의 몫을 알아봅시다.

1단계 직사각형 그리고 통분하기

넓이가 $\frac{1}{3}$이고 세로가 1인 직사각형을 그린 다음 통분하세요.

2단계 가로가 1인 직사각형 그리기

세로가 1이고 가로가 1인 직사각형을 그리고 넓이를 분수로 쓰세요.

3단계 처음 직사각형 가로 구하기

2단계 직사각형과 비교하면 1단계 직사각형의 가로 길이는 $\frac{1}{3}$입니다.

4단계 몫 구하기

$1 \div \frac{1}{3} = \frac{1}{3}$

$1 \times \frac{1}{3} = \frac{1}{3}$

125

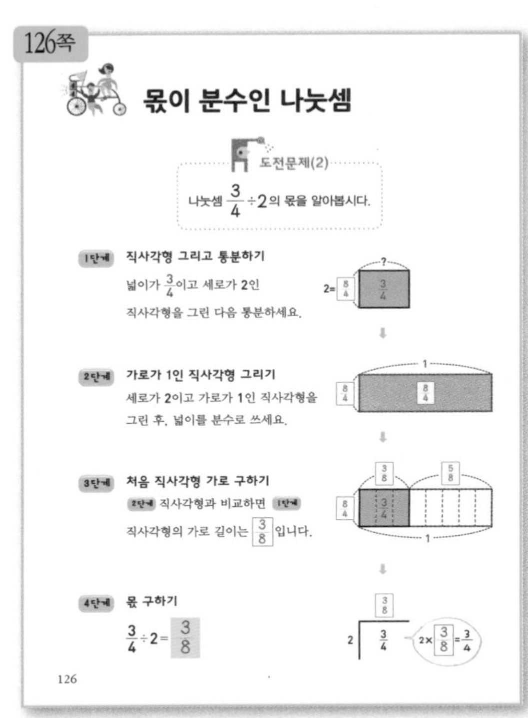

126쪽

몫이 분수인 나눗셈

도전문제(2)

나눗셈 $\frac{3}{4} \div 2$의 몫을 알아봅시다.

1단계 직사각형 그리고 통분하기

넓이가 $\frac{3}{4}$이고 세로가 2인 직사각형을 그린 다음 통분하세요.

$2 = \frac{8}{4}$, $\frac{3}{4}$, ?

2단계 가로가 1인 직사각형 그리기

세로가 2이고 가로가 1인 직사각형을 그린 후, 넓이를 분수로 쓰세요.

$\frac{8}{4}$, $\frac{8}{4}$, 1

3단계 처음 직사각형 가로 구하기

2단계 직사각형과 비교하면 1단계 직사각형의 가로 길이는 $\frac{3}{8}$입니다.

$\frac{3}{8}$, $\frac{5}{8}$, $\frac{8}{4}$, $\frac{3}{4}$, 1

4단계 몫 구하기

$\frac{3}{4} \div 2 = \frac{3}{8}$

$2 \overline{)\frac{3}{4}}$ → $\frac{3}{8}$, $2 \times \frac{3}{8} = \frac{3}{4}$

126

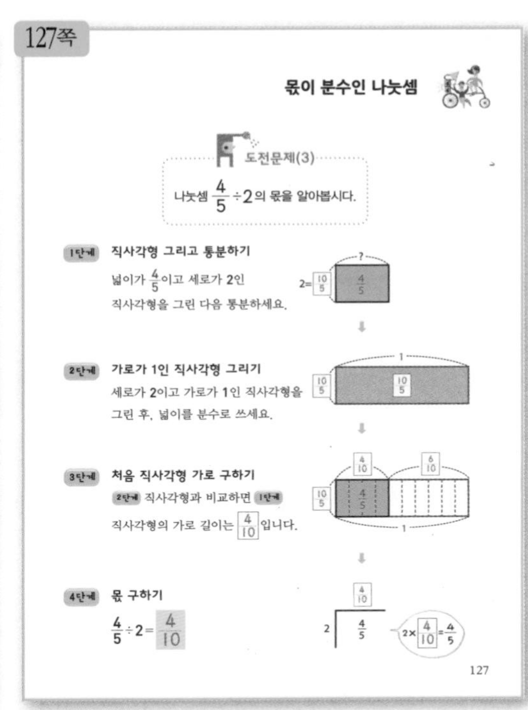

127쪽

몫이 분수인 나눗셈

도전문제(3)

나눗셈 $\frac{4}{5} \div 2$의 몫을 알아봅시다.

1단계 직사각형 그리고 통분하기

넓이가 $\frac{4}{5}$이고 세로가 2인 직사각형을 그린 다음 통분하세요.

$2 = \frac{10}{5}$, $\frac{4}{5}$, ?

2단계 가로가 1인 직사각형 그리기

세로가 2이고 가로가 1인 직사각형을 그린 후, 넓이를 분수로 쓰세요.

$\frac{10}{5}$, $\frac{10}{5}$, 1

3단계 처음 직사각형 가로 구하기

2단계 직사각형과 비교하면 1단계 직사각형의 가로 길이는 $\frac{4}{10}$입니다.

$\frac{4}{10}$, $\frac{6}{10}$, $\frac{10}{5}$, $\frac{4}{5}$, 1

4단계 몫 구하기

$\frac{4}{5} \div 2 = \frac{4}{10}$

$2 \overline{)\frac{4}{5}}$ → $\frac{4}{10}$, $2 \times \frac{4}{10} = \frac{4}{5}$

127

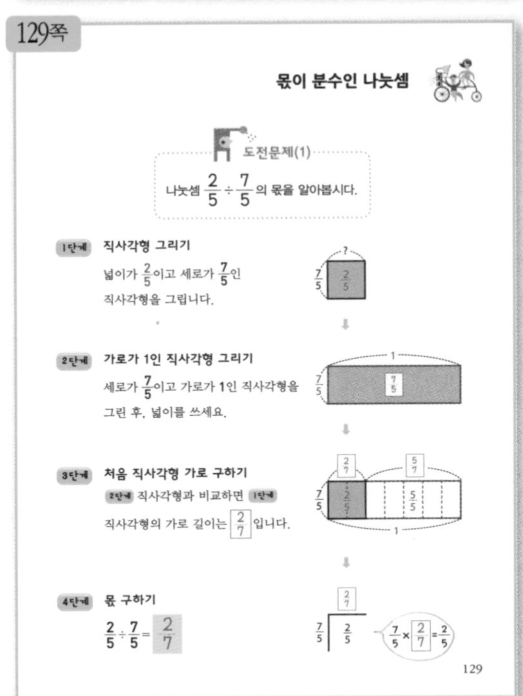

129쪽

몫이 분수인 나눗셈

도전문제(1)

나눗셈 $\frac{2}{5} \div \frac{7}{5}$의 몫을 알아봅시다.

1단계 직사각형 그리기

넓이가 $\frac{2}{5}$이고 세로가 $\frac{7}{5}$인 직사각형을 그립니다.

$\frac{7}{5}$, $\frac{2}{5}$, ?

2단계 가로가 1인 직사각형 그리기

세로가 $\frac{7}{5}$이고 가로가 1인 직사각형을 그린 후, 넓이를 쓰세요.

$\frac{7}{5}$, $\frac{7}{5}$, 1

3단계 처음 직사각형 가로 구하기

2단계 직사각형과 비교하면 1단계 직사각형의 가로 길이는 $\frac{2}{7}$입니다.

$\frac{2}{7}$, $\frac{5}{7}$, $\frac{7}{5}$, $\frac{2}{5}$, $\frac{5}{5}$, 1

4단계 몫 구하기

$\frac{2}{5} \div \frac{7}{5} = \frac{2}{7}$

$\frac{7}{5} \overline{)\frac{2}{5}}$ → $\frac{2}{7}$, $\frac{7}{5} \times \frac{2}{7} = \frac{2}{5}$

129

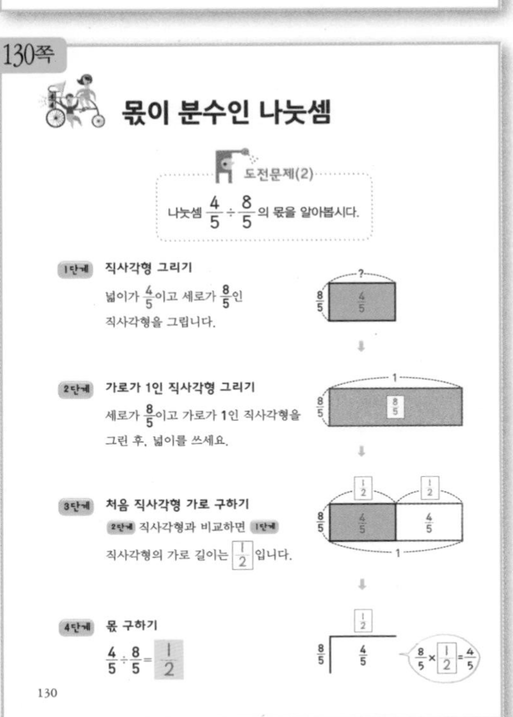

130쪽

몫이 분수인 나눗셈

도전문제(2)

나눗셈 $\frac{4}{5} \div \frac{8}{5}$의 몫을 알아봅시다.

1단계 직사각형 그리기

넓이가 $\frac{4}{5}$이고 세로가 $\frac{8}{5}$인 직사각형을 그립니다.

$\frac{8}{5}$, $\frac{4}{5}$, ?

2단계 가로가 1인 직사각형 그리기

세로가 $\frac{8}{5}$이고 가로가 1인 직사각형을 그린 후, 넓이를 쓰세요.

$\frac{8}{5}$, $\frac{8}{5}$, 1

3단계 처음 직사각형 가로 구하기

2단계 직사각형과 비교하면 1단계 직사각형의 가로 길이는 $\frac{1}{2}$입니다.

$\frac{1}{2}$, $\frac{1}{2}$, $\frac{8}{5}$, $\frac{4}{5}$, $\frac{4}{5}$, 1

4단계 몫 구하기

$\frac{4}{5} \div \frac{8}{5} = \frac{1}{2}$

$\frac{8}{5} \overline{)\frac{4}{5}}$ → $\frac{1}{2}$, $\frac{8}{5} \times \frac{1}{2} = \frac{4}{5}$

130

131쪽

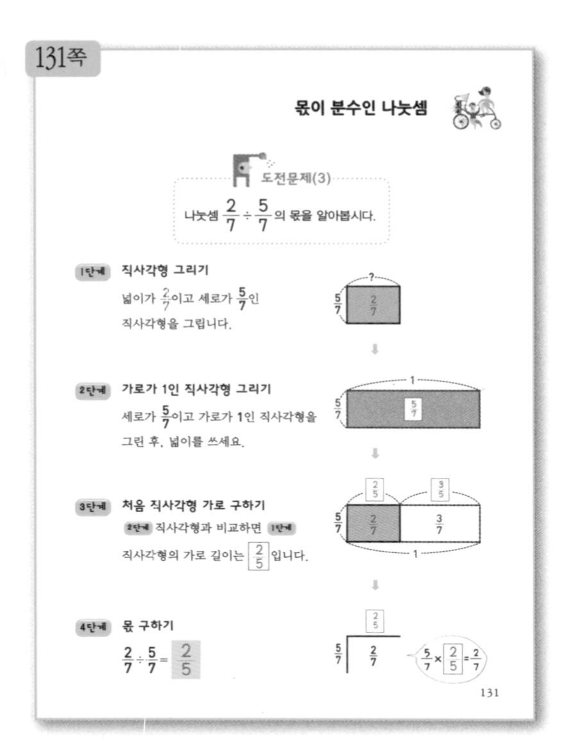

몫이 분수인 나눗셈

도전문제(3)

나눗셈 $\frac{2}{7} \div \frac{5}{7}$의 몫을 알아봅시다.

1단계 직사각형 그리기

넓이가 $\frac{2}{7}$이고 세로가 $\frac{5}{7}$인 직사각형을 그립니다.

2단계 가로가 1인 직사각형 그리기

세로가 $\frac{5}{7}$이고 가로가 1인 직사각형을 그린 후, 넓이를 쓰세요.

3단계 처음 직사각형 가로 구하기

2단계 직사각형과 비교하면 1단계 직사각형의 가로 길이는 $\frac{2}{5}$입니다.

4단계 몫 구하기

$\frac{2}{7} \div \frac{5}{7} = \frac{2}{5}$

$\frac{5}{7} \times \frac{2}{5} = \frac{2}{7}$

131

133쪽

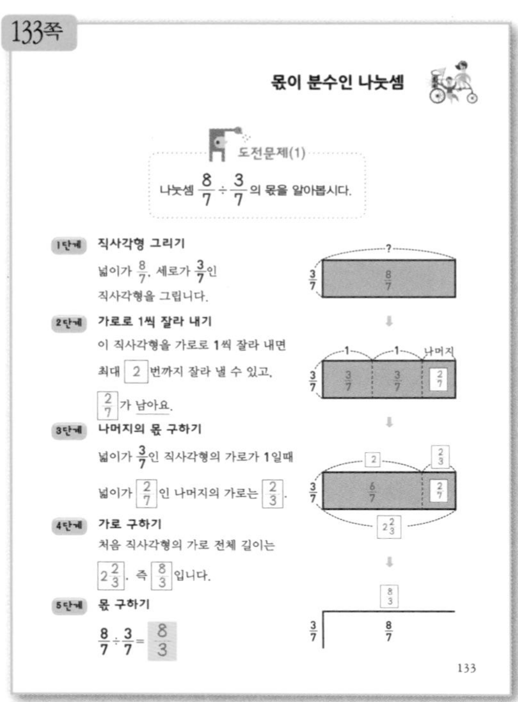

몫이 분수인 나눗셈

도전문제(1)

나눗셈 $\frac{8}{7} \div \frac{3}{7}$의 몫을 알아봅시다.

1단계 직사각형 그리기

넓이가 $\frac{8}{7}$, 세로가 $\frac{3}{7}$인 직사각형을 그립니다.

2단계 가로로 1씩 잘라 내기

이 직사각형을 가로로 1씩 잘라 내면 최대 2번까지 잘라 낼 수 있고, $\frac{2}{7}$가 남아요.

3단계 나머지의 몫 구하기

넓이가 $\frac{3}{7}$인 직사각형의 가로가 1일때 넓이가 $\frac{2}{7}$인 나머지의 가로는 $\frac{2}{3}$.

4단계 가로 구하기

처음 직사각형의 가로 전체 길이는 $2\frac{2}{3}$, 즉 $\frac{8}{3}$입니다.

5단계 몫 구하기

$\frac{8}{7} \div \frac{3}{7} = \frac{8}{3}$

133

134쪽

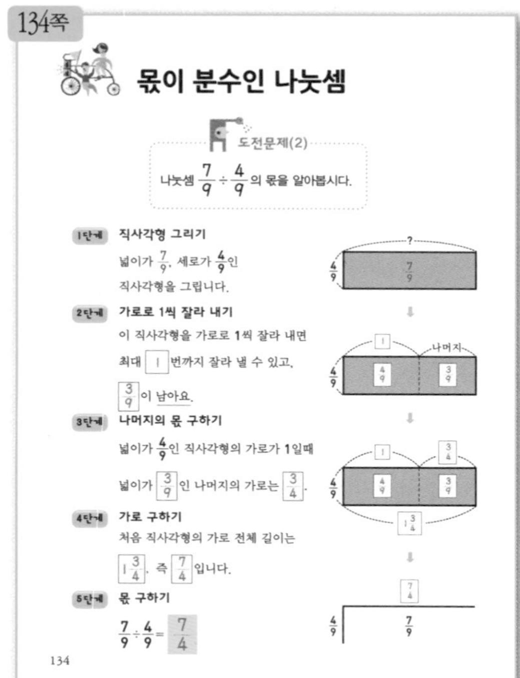

몫이 분수인 나눗셈

도전문제(2)

나눗셈 $\frac{7}{9} \div \frac{4}{9}$의 몫을 알아봅시다.

1단계 직사각형 그리기

넓이가 $\frac{7}{9}$, 세로가 $\frac{4}{9}$인 직사각형을 그립니다.

2단계 가로로 1씩 잘라 내기

이 직사각형을 가로로 1씩 잘라 내면 최대 1번까지 잘라 낼 수 있고, $\frac{3}{9}$이 남아요.

3단계 나머지의 몫 구하기

넓이가 $\frac{4}{9}$인 직사각형의 가로가 1일때 넓이가 $\frac{3}{9}$인 나머지의 가로는 $\frac{3}{4}$.

4단계 가로 구하기

처음 직사각형의 가로 전체 길이는 $1\frac{3}{4}$, 즉 $\frac{7}{4}$입니다.

5단계 몫 구하기

$\frac{7}{9} \div \frac{4}{9} = \frac{7}{4}$

134

135쪽

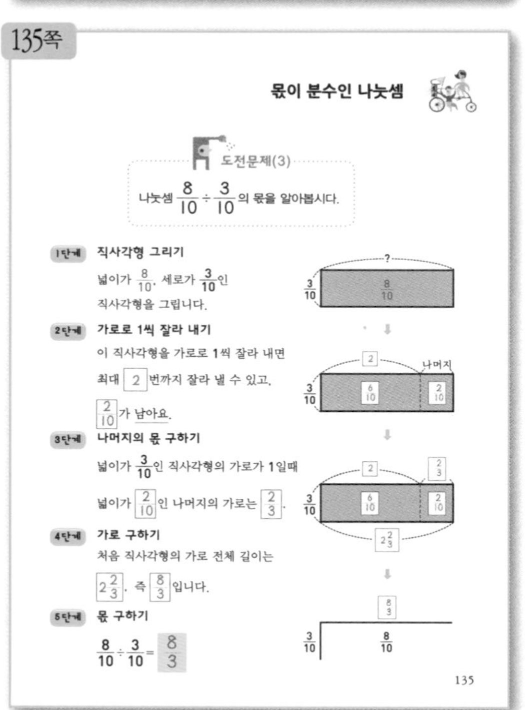

몫이 분수인 나눗셈

도전문제(3)

나눗셈 $\frac{8}{10} \div \frac{3}{10}$의 몫을 알아봅시다.

1단계 직사각형 그리기

넓이가 $\frac{8}{10}$, 세로가 $\frac{3}{10}$인 직사각형을 그립니다.

2단계 가로로 1씩 잘라 내기

이 직사각형을 가로로 1씩 잘라 내면 최대 2번까지 잘라 낼 수 있고, $\frac{2}{10}$가 남아요.

3단계 나머지의 몫 구하기

넓이가 $\frac{3}{10}$인 직사각형의 가로가 1일때 넓이가 $\frac{2}{10}$인 나머지의 가로는 $\frac{2}{3}$.

4단계 가로 구하기

처음 직사각형의 가로 전체 길이는 $2\frac{2}{3}$, 즉 $\frac{8}{3}$입니다.

5단계 몫 구하기

$\frac{8}{10} \div \frac{3}{10} = \frac{8}{3}$

135

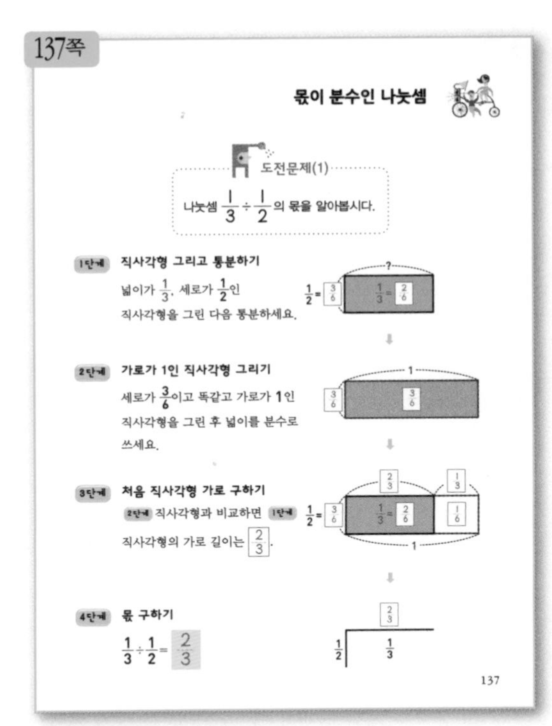
137쪽

몫이 분수인 나눗셈

도전문제(1)

나눗셈 $\frac{1}{3} \div \frac{1}{2}$의 몫을 알아봅시다.

1단계 직사각형 그리고 통분하기

넓이가 $\frac{1}{3}$, 세로가 $\frac{1}{2}$인 직사각형을 그린 다음 통분하세요.

$\frac{1}{2}=\frac{3}{6}$, $\frac{1}{3}=\frac{2}{6}$

2단계 가로가 1인 직사각형 그리기

세로가 $\frac{3}{6}$이고 똑같고 가로가 1인 직사각형을 그린 후 넓이를 분수로 쓰세요.

3단계 처음 직사각형 가로 구하기

2단계 직사각형과 비교하면 1단계 직사각형의 가로 길이는 $\frac{2}{3}$.

4단계 몫 구하기

$\frac{1}{3} \div \frac{1}{2} = \frac{2}{3}$

137

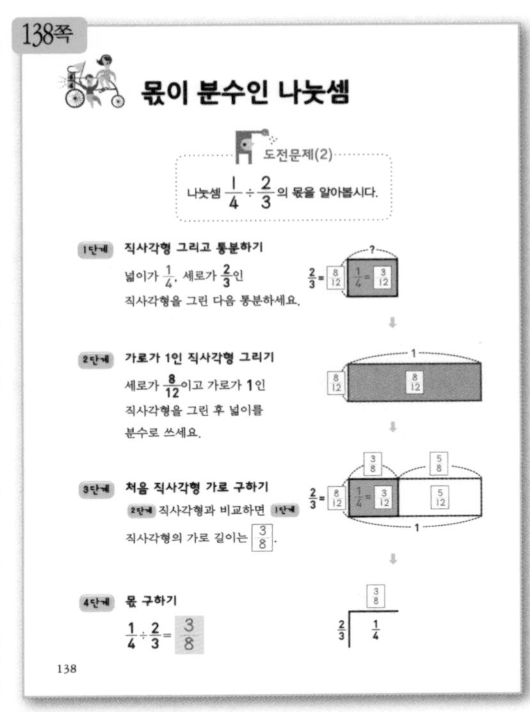
138쪽

몫이 분수인 나눗셈

도전문제(2)

나눗셈 $\frac{1}{4} \div \frac{2}{3}$의 몫을 알아봅시다.

1단계 직사각형 그리고 통분하기

넓이가 $\frac{1}{4}$, 세로가 $\frac{2}{3}$인 직사각형을 그린 다음 통분하세요.

$\frac{2}{3}=\frac{8}{12}$, $\frac{1}{4}=\frac{3}{12}$

2단계 가로가 1인 직사각형 그리기

세로가 $\frac{8}{12}$이고 가로가 1인 직사각형을 그린 후 넓이를 분수로 쓰세요.

3단계 처음 직사각형 가로 구하기

2단계 직사각형과 비교하면 1단계 직사각형의 가로 길이는 $\frac{3}{8}$.

4단계 몫 구하기

$\frac{1}{4} \div \frac{2}{3} = \frac{3}{8}$

138

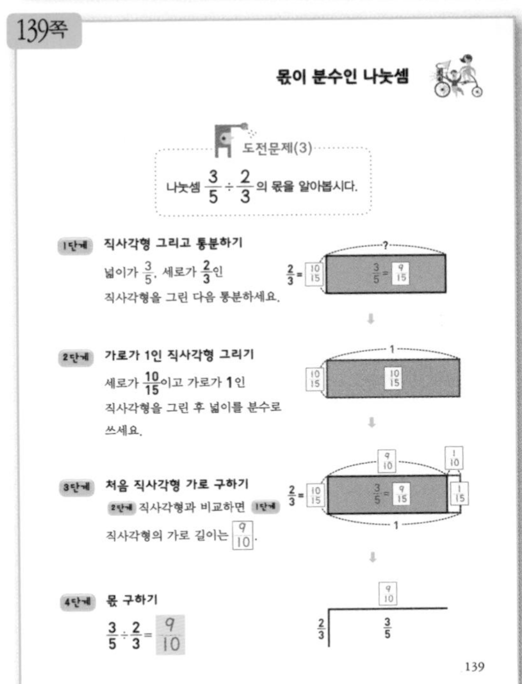
139쪽

몫이 분수인 나눗셈

도전문제(3)

나눗셈 $\frac{3}{5} \div \frac{2}{3}$의 몫을 알아봅시다.

1단계 직사각형 그리고 통분하기

넓이가 $\frac{3}{5}$, 세로가 $\frac{2}{3}$인 직사각형을 그린 다음 통분하세요.

$\frac{2}{3}=\frac{10}{15}$, $\frac{3}{5}=\frac{9}{15}$

2단계 가로가 1인 직사각형 그리기

세로가 $\frac{10}{15}$이고 가로가 1인 직사각형을 그린 후 넓이를 분수로 쓰세요.

3단계 처음 직사각형 가로 구하기

2단계 직사각형과 비교하면 1단계 직사각형의 가로 길이는 $\frac{9}{10}$.

4단계 몫 구하기

$\frac{3}{5} \div \frac{2}{3} = \frac{9}{10}$

139

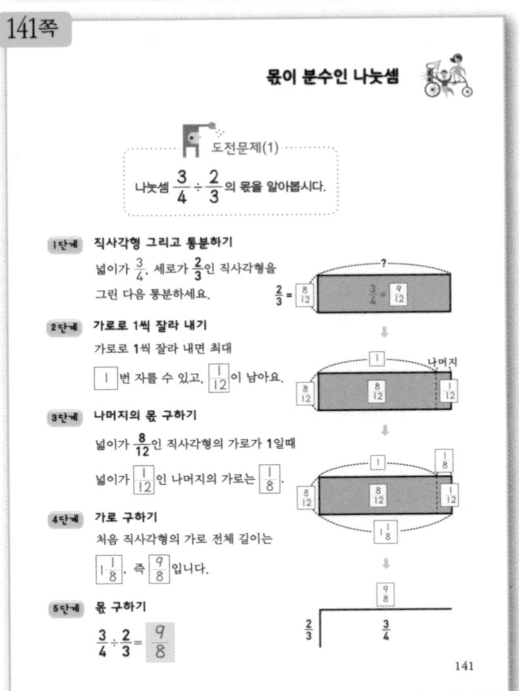
141쪽

몫이 분수인 나눗셈

도전문제(1)

나눗셈 $\frac{3}{4} \div \frac{2}{3}$의 몫을 알아봅시다.

1단계 직사각형 그리고 통분하기

넓이가 $\frac{3}{4}$, 세로가 $\frac{2}{3}$인 직사각형을 그린 다음 통분하세요.

$\frac{2}{3}=\frac{8}{12}$, $\frac{3}{4}=\frac{9}{12}$

2단계 가로로 1씩 잘라 내기

가로로 1씩 잘라 내면 최대 1번 자를 수 있고, $\frac{1}{12}$이 남아요.

3단계 나머지의 몫 구하기

넓이가 $\frac{8}{12}$인 직사각형의 가로가 1일때 넓이가 $\frac{1}{12}$인 나머지의 가로는 $\frac{1}{8}$.

4단계 가로 구하기

처음 직사각형의 가로 전체 길이는 $1\frac{1}{8}$, 즉 $\frac{9}{8}$입니다.

5단계 몫 구하기

$\frac{3}{4} \div \frac{2}{3} = \frac{9}{8}$

141

142쪽

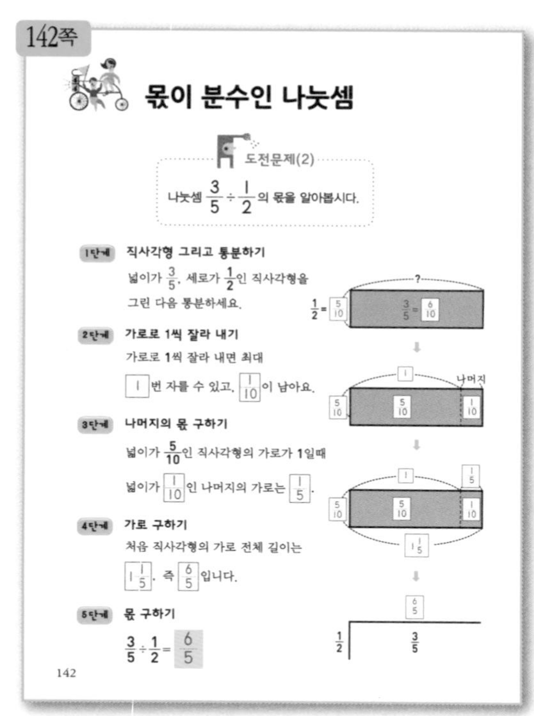

몫이 분수인 나눗셈

도전문제(2)

나눗셈 $\frac{3}{5} \div \frac{1}{2}$의 몫을 알아봅시다.

1단계 직사각형 그리고 통분하기

넓이가 $\frac{3}{5}$, 세로가 $\frac{1}{2}$인 직사각형을 그린 다음 통분하세요.

2단계 가로로 1씩 잘라 내기

가로로 1씩 잘라 내면 최대 1 번 자를 수 있고, $\frac{1}{10}$이 남아요.

3단계 나머지의 몫 구하기

넓이가 $\frac{5}{10}$인 직사각형의 가로가 1일때

넓이가 $\frac{1}{10}$인 나머지의 가로는 $\frac{1}{5}$.

4단계 가로 구하기

처음 직사각형의 가로 전체 길이는 $1\frac{1}{5}$, 즉 $\frac{6}{5}$입니다.

5단계 몫 구하기

$\frac{3}{5} \div \frac{1}{2} = \frac{6}{5}$

142

143쪽

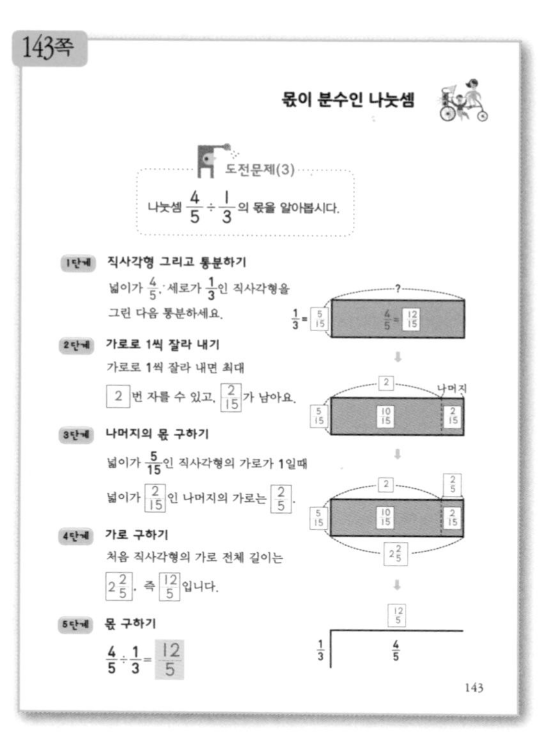

몫이 분수인 나눗셈

도전문제(3)

나눗셈 $\frac{4}{5} \div \frac{1}{3}$의 몫을 알아봅시다.

1단계 직사각형 그리고 통분하기

넓이가 $\frac{4}{5}$, 세로가 $\frac{1}{3}$인 직사각형을 그린 다음 통분하세요.

2단계 가로로 1씩 잘라 내기

가로로 1씩 잘라 내면 최대 2 번 자를 수 있고, $\frac{2}{15}$가 남아요.

3단계 나머지의 몫 구하기

넓이가 $\frac{5}{15}$인 직사각형의 가로가 1일때

넓이가 $\frac{2}{15}$인 나머지의 가로는 $\frac{2}{5}$.

4단계 가로 구하기

처음 직사각형의 가로 전체 길이는 $2\frac{2}{5}$, 즉 $\frac{12}{5}$입니다.

5단계 몫 구하기

$\frac{4}{5} \div \frac{1}{3} = \frac{12}{5}$

143

145쪽

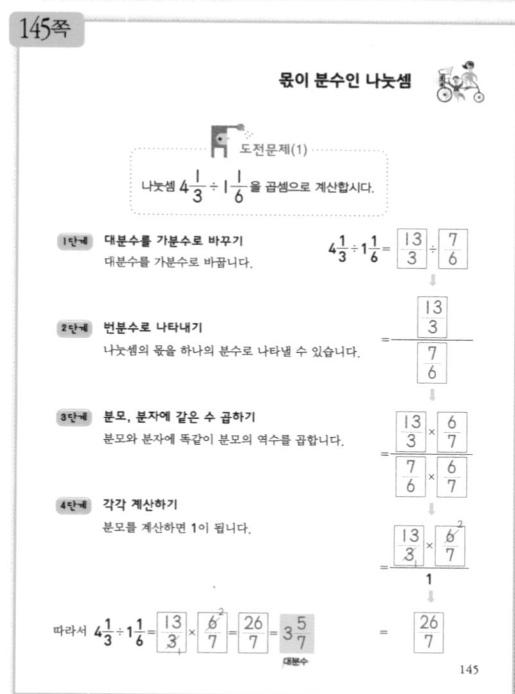

몫이 분수인 나눗셈

도전문제(1)

나눗셈 $4\frac{1}{3} \div 1\frac{1}{6}$을 곱셈으로 계산합시다.

1단계 대분수를 가분수로 바꾸기

대분수를 가분수로 바꿉니다.

$4\frac{1}{3} \div 1\frac{1}{6} = \frac{13}{3} \div \frac{7}{6}$

2단계 번분수로 나타내기

나눗셈의 몫을 하나의 분수로 나타낼 수 있습니다.

$= \dfrac{\frac{13}{3}}{\frac{7}{6}}$

3단계 분모, 분자에 같은 수 곱하기

분모와 분자에 똑같이 분모의 역수를 곱합니다.

$= \dfrac{\frac{13}{3} \times \frac{6}{7}}{\frac{7}{6} \times \frac{6}{7}}$

4단계 각각 계산하기

분모를 계산하면 1이 됩니다.

$= \dfrac{\frac{13}{3} \times \frac{6}{7}}{1} = \frac{26}{7}$

따라서 $4\frac{1}{3} \div 1\frac{1}{6} = \frac{13}{3} \times \frac{6}{7} = \frac{26}{7} = 3\frac{5}{7}$ (대분수)

145

146쪽

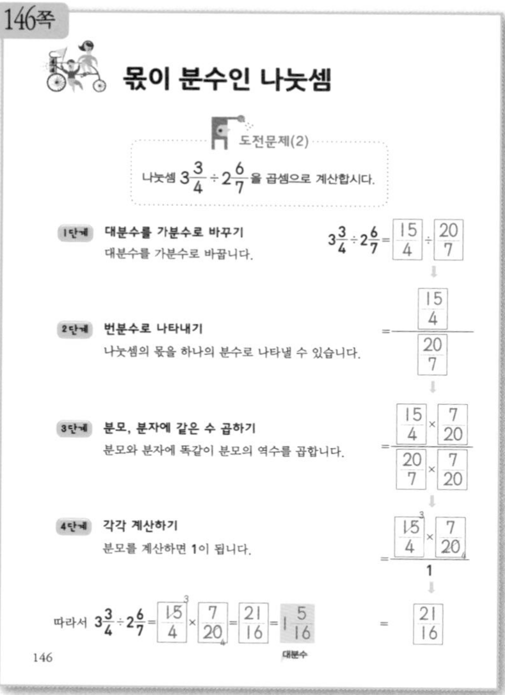

몫이 분수인 나눗셈

도전문제(2)

나눗셈 $3\frac{3}{4} \div 2\frac{6}{7}$을 곱셈으로 계산합시다.

1단계 대분수를 가분수로 바꾸기

대분수를 가분수로 바꿉니다.

$3\frac{3}{4} \div 2\frac{6}{7} = \frac{15}{4} \div \frac{20}{7}$

2단계 번분수로 나타내기

나눗셈의 몫을 하나의 분수로 나타낼 수 있습니다.

$= \dfrac{\frac{15}{4}}{\frac{20}{7}}$

3단계 분모, 분자에 같은 수 곱하기

분모와 분자에 똑같이 분모의 역수를 곱합니다.

$= \dfrac{\frac{15}{4} \times \frac{7}{20}}{\frac{20}{7} \times \frac{7}{20}}$

4단계 각각 계산하기

분모를 계산하면 1이 됩니다.

$= \dfrac{\frac{15}{4} \times \frac{7}{20}}{1} = \frac{21}{16}$

따라서 $3\frac{3}{4} \div 2\frac{6}{7} = \frac{15}{4} \times \frac{7}{20} = \frac{21}{16} = 1\frac{5}{16}$ (대분수)

146

147쪽

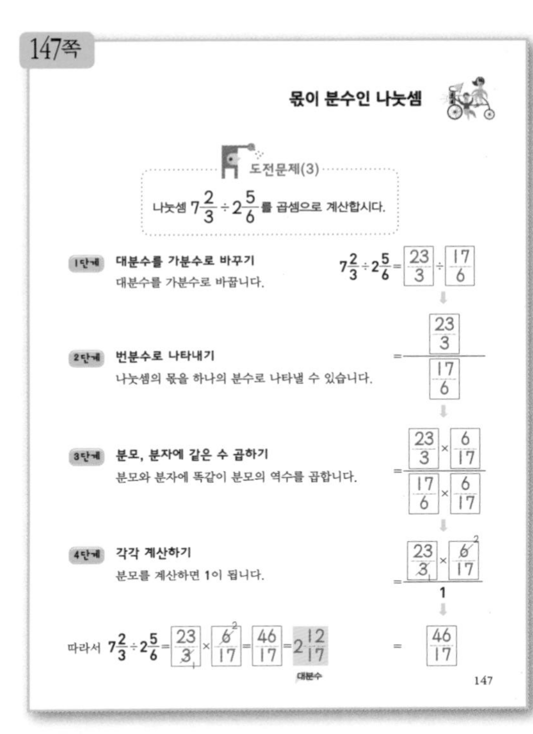

몫이 분수인 나눗셈

도전문제(3)

나눗셈 $7\frac{2}{3} \div 2\frac{5}{6}$를 곱셈으로 계산합시다.

1단계 대분수를 가분수로 바꾸기
대분수를 가분수로 바꿉니다.

$$7\frac{2}{3} \div 2\frac{5}{6} = \frac{23}{3} \div \frac{17}{6}$$

2단계 번분수로 나타내기
나눗셈의 몫을 하나의 분수로 나타낼 수 있습니다.

$$= \dfrac{\frac{23}{3}}{\frac{17}{6}}$$

3단계 분모, 분자에 같은 수 곱하기
분모와 분자에 똑같이 분모의 역수를 곱합니다.

$$= \dfrac{\frac{23}{3} \times \frac{6}{17}}{\frac{17}{6} \times \frac{6}{17}}$$

4단계 각각 계산하기
분모를 계산하면 1이 됩니다.

$$= \dfrac{\frac{23}{3} \times \frac{6}{17}}{1} = \frac{46}{17}$$

따라서 $7\frac{2}{3} \div 2\frac{5}{6} = \frac{23}{3} \times \frac{6}{17} = \frac{46}{17} = 2\frac{12}{17}$ (대분수)

147

148쪽

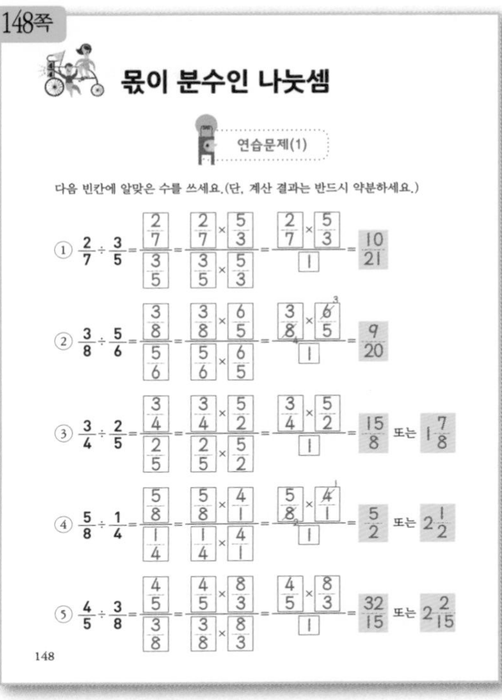

몫이 분수인 나눗셈

연습문제(1)

다음 빈칸에 알맞은 수를 쓰세요.(단, 계산 결과는 반드시 약분하세요.)

① $\frac{2}{7} \div \frac{3}{5} = \dfrac{\frac{2}{7}}{\frac{3}{5}} = \dfrac{\frac{2}{7} \times \frac{5}{3}}{\frac{3}{5} \times \frac{5}{3}} = \dfrac{\frac{2}{7} \times \frac{5}{3}}{1} = \frac{10}{21}$

② $\frac{3}{8} \div \frac{5}{6} = \dfrac{\frac{3}{8}}{\frac{5}{6}} = \dfrac{\frac{3}{8} \times \frac{6}{5}}{\frac{5}{6} \times \frac{6}{5}} = \dfrac{\frac{3}{8} \times \frac{6}{5}}{1} = \frac{9}{20}$

③ $\frac{3}{4} \div \frac{2}{5} = \dfrac{\frac{3}{4}}{\frac{2}{5}} = \dfrac{\frac{3}{4} \times \frac{5}{2}}{\frac{2}{5} \times \frac{5}{2}} = \dfrac{\frac{3}{4} \times \frac{5}{2}}{1} = \frac{15}{8}$ 또는 $1\frac{7}{8}$

④ $\frac{5}{8} \div \frac{1}{4} = \dfrac{\frac{5}{8}}{\frac{1}{4}} = \dfrac{\frac{5}{8} \times \frac{4}{1}}{\frac{1}{4} \times \frac{4}{1}} = \dfrac{\frac{5}{8} \times \frac{4}{1}}{1} = \frac{5}{2}$ 또는 $2\frac{1}{2}$

⑤ $\frac{4}{5} \div \frac{3}{8} = \dfrac{\frac{4}{5}}{\frac{3}{8}} = \dfrac{\frac{4}{5} \times \frac{8}{3}}{\frac{3}{8} \times \frac{8}{3}} = \dfrac{\frac{4}{5} \times \frac{8}{3}}{1} = \frac{32}{15}$ 또는 $2\frac{2}{15}$

148

149쪽

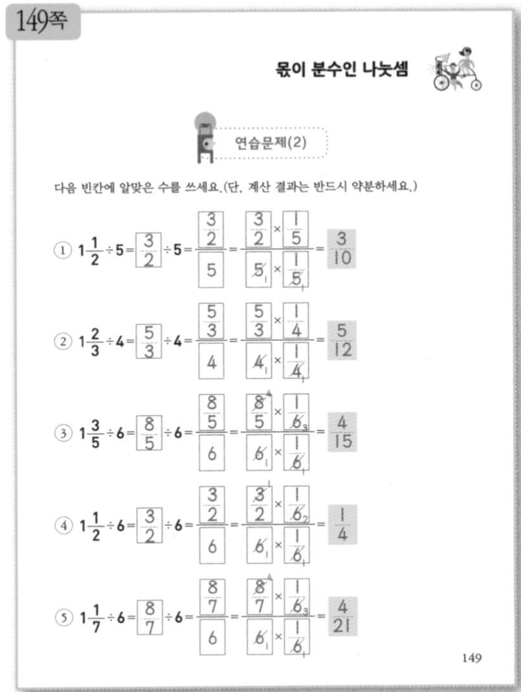

몫이 분수인 나눗셈

연습문제(2)

다음 빈칸에 알맞은 수를 쓰세요.(단, 계산 결과는 반드시 약분하세요.)

① $1\frac{1}{2} \div 5 = \frac{3}{2} \div 5 = \dfrac{\frac{3}{2}}{5} = \dfrac{\frac{3}{2} \times \frac{1}{5}}{5 \times \frac{1}{5}} = \frac{3}{10}$

② $1\frac{2}{3} \div 4 = \frac{5}{3} \div 4 = \dfrac{\frac{5}{3}}{4} = \dfrac{\frac{5}{3} \times \frac{1}{4}}{4 \times \frac{1}{4}} = \frac{5}{12}$

③ $1\frac{3}{5} \div 6 = \frac{8}{5} \div 6 = \dfrac{\frac{8}{5}}{6} = \dfrac{\frac{8}{5} \times \frac{1}{6}}{6 \times \frac{1}{6}} = \frac{4}{15}$

④ $1\frac{1}{2} \div 6 = \frac{3}{2} \div 6 = \dfrac{\frac{3}{2}}{6} = \dfrac{\frac{3}{2} \times \frac{1}{6}}{6 \times \frac{1}{6}} = \frac{1}{4}$

⑤ $1\frac{1}{7} \div 6 = \frac{8}{7} \div 6 = \dfrac{\frac{8}{7}}{6} = \dfrac{\frac{8}{7} \times \frac{1}{6}}{6 \times \frac{1}{6}} = \frac{4}{21}$

149

150쪽

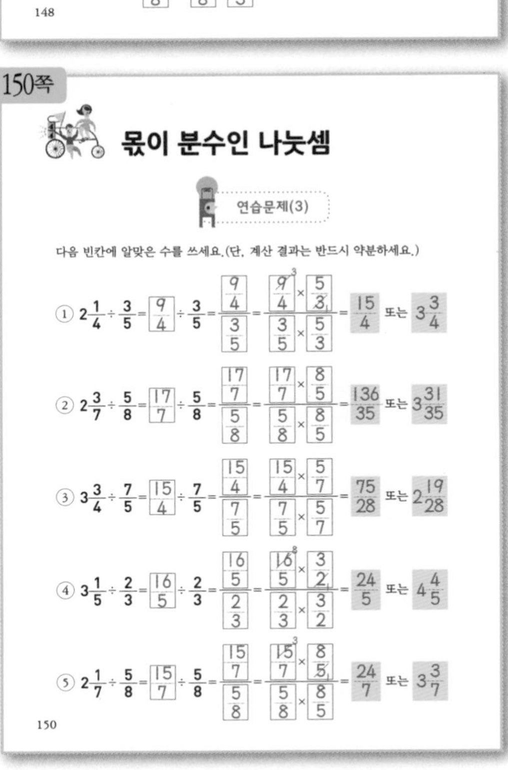

몫이 분수인 나눗셈

연습문제(3)

다음 빈칸에 알맞은 수를 쓰세요.(단, 계산 결과는 반드시 약분하세요.)

① $2\frac{1}{4} \div \frac{3}{5} = \frac{9}{4} \div \frac{3}{5} = \dfrac{\frac{9}{4}}{\frac{3}{5}} = \dfrac{\frac{9}{4} \times \frac{5}{3}}{\frac{3}{5} \times \frac{5}{3}} = \frac{15}{4}$ 또는 $3\frac{3}{4}$

② $2\frac{3}{7} \div \frac{5}{8} = \frac{17}{7} \div \frac{5}{8} = \dfrac{\frac{17}{7}}{\frac{5}{8}} = \dfrac{\frac{17}{7} \times \frac{8}{5}}{\frac{5}{8} \times \frac{8}{5}} = \frac{136}{35}$ 또는 $3\frac{31}{35}$

③ $3\frac{3}{4} \div \frac{7}{5} = \frac{15}{4} \div \frac{7}{5} = \dfrac{\frac{15}{4}}{\frac{7}{5}} = \dfrac{\frac{15}{4} \times \frac{5}{7}}{\frac{7}{5} \times \frac{5}{7}} = \frac{75}{28}$ 또는 $2\frac{19}{28}$

④ $3\frac{1}{5} \div \frac{2}{3} = \frac{16}{5} \div \frac{2}{3} = \dfrac{\frac{16}{5}}{\frac{2}{3}} = \dfrac{\frac{16}{5} \times \frac{3}{2}}{\frac{2}{3} \times \frac{3}{2}} = \frac{24}{5}$ 또는 $4\frac{4}{5}$

⑤ $2\frac{1}{7} \div \frac{5}{8} = \frac{15}{7} \div \frac{5}{8} = \dfrac{\frac{15}{7}}{\frac{5}{8}} = \dfrac{\frac{15}{7} \times \frac{8}{5}}{\frac{5}{8} \times \frac{8}{5}} = \frac{24}{7}$ 또는 $3\frac{3}{7}$

150

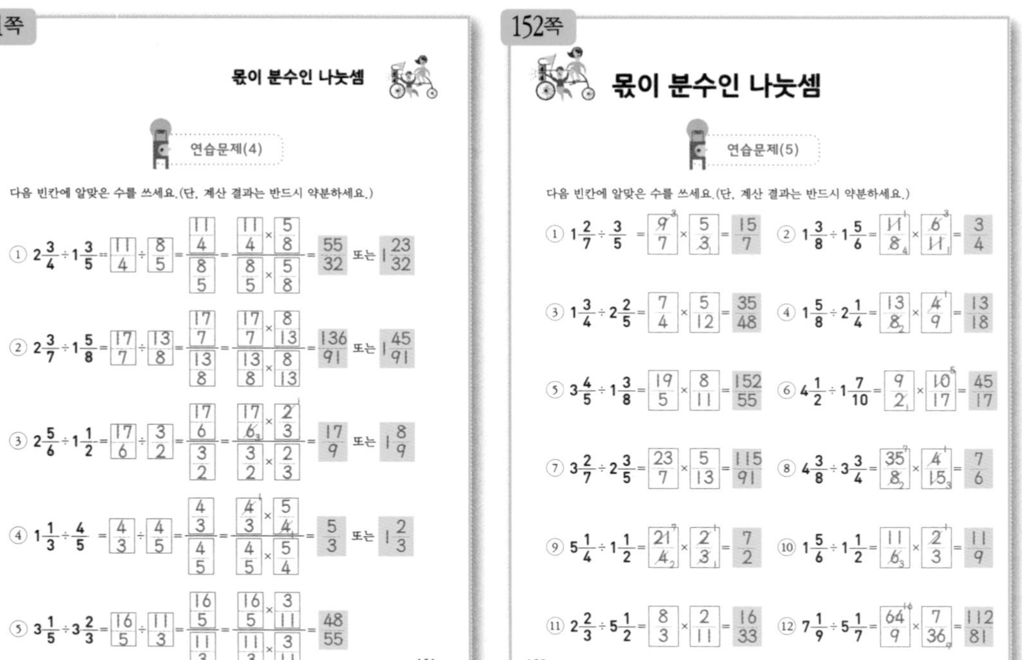

151쪽

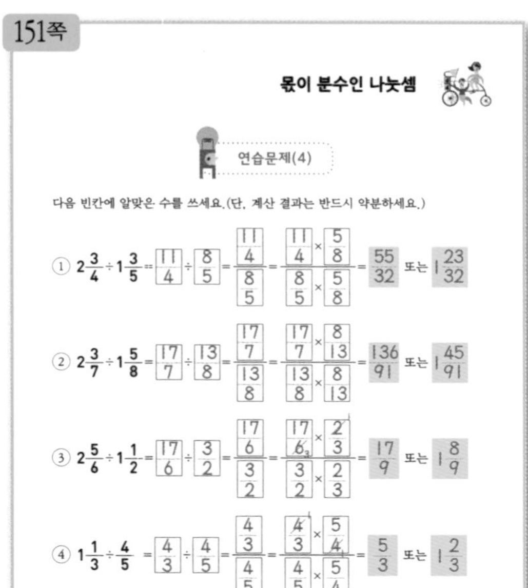

몫이 분수인 나눗셈

연습문제(4)

다음 빈칸에 알맞은 수를 쓰세요.(단, 계산 결과는 반드시 약분하세요.)

① $2\frac{3}{4}\div1\frac{3}{5}=\frac{11}{4}\div\frac{8}{5}=\frac{\frac{11}{4}}{\frac{8}{5}}=\frac{\frac{11}{4}\times\frac{5}{8}}{\frac{8}{5}\times\frac{5}{8}}=\frac{55}{32}$ 또는 $1\frac{23}{32}$

② $2\frac{3}{7}\div1\frac{5}{8}=\frac{17}{7}\div\frac{13}{8}=\frac{\frac{17}{7}}{\frac{13}{8}}=\frac{\frac{17}{7}\times\frac{8}{13}}{\frac{13}{8}\times\frac{8}{13}}=\frac{136}{91}$ 또는 $1\frac{45}{91}$

③ $2\frac{5}{6}\div1\frac{1}{2}=\frac{17}{6}\div\frac{3}{2}=\frac{\frac{17}{6}}{\frac{3}{2}}=\frac{\frac{17}{6}\times\frac{2}{3}}{\frac{3}{2}\times\frac{2}{3}}=\frac{17}{9}$ 또는 $1\frac{8}{9}$

④ $1\frac{1}{3}\div\frac{4}{5}=\frac{4}{3}\div\frac{4}{5}=\frac{\frac{4}{3}}{\frac{4}{5}}=\frac{\frac{4}{3}\times\frac{5}{4}}{\frac{4}{5}\times\frac{5}{4}}=\frac{5}{3}$ 또는 $1\frac{2}{3}$

⑤ $3\frac{1}{5}\div3\frac{2}{3}=\frac{16}{5}\div\frac{11}{3}=\frac{\frac{16}{5}}{\frac{11}{3}}=\frac{\frac{16}{5}\times\frac{3}{11}}{\frac{11}{3}\times\frac{3}{11}}=\frac{48}{55}$

151

152쪽

몫이 분수인 나눗셈

연습문제(5)

다음 빈칸에 알맞은 수를 쓰세요.(단, 계산 결과는 반드시 약분하세요.)

① $1\frac{2}{7}\div\frac{3}{5}=\frac{9}{7}\times\frac{5}{3}=\frac{15}{7}$

② $1\frac{3}{8}\div1\frac{5}{6}=\frac{11}{8}\times\frac{6}{11}=\frac{3}{4}$

③ $1\frac{3}{4}\div2\frac{2}{5}=\frac{7}{4}\times\frac{5}{12}=\frac{35}{48}$

④ $1\frac{5}{8}\div2\frac{1}{4}=\frac{13}{8}\times\frac{4}{9}=\frac{13}{18}$

⑤ $3\frac{4}{5}\div1\frac{3}{8}=\frac{19}{5}\times\frac{8}{11}=\frac{152}{55}$

⑥ $4\frac{1}{2}\div1\frac{7}{10}=\frac{9}{2}\times\frac{10}{17}=\frac{45}{17}$

⑦ $3\frac{2}{7}\div2\frac{3}{5}=\frac{23}{7}\times\frac{5}{13}=\frac{115}{91}$

⑧ $4\frac{3}{8}\div3\frac{3}{4}=\frac{35}{8}\times\frac{4}{15}=\frac{7}{6}$

⑨ $5\frac{1}{4}\div1\frac{1}{2}=\frac{21}{4}\times\frac{2}{3}=\frac{7}{2}$

⑩ $1\frac{5}{6}\div1\frac{1}{2}=\frac{11}{6}\times\frac{2}{3}=\frac{11}{9}$

⑪ $2\frac{2}{3}\div5\frac{1}{2}=\frac{8}{3}\times\frac{2}{11}=\frac{16}{33}$

⑫ $7\frac{1}{9}\div5\frac{1}{7}=\frac{64}{9}\times\frac{7}{36}=\frac{112}{81}$

152

3
2